GALWAD Y BLAIDD

GALWAD Y BLAIDD

Perthynas y Blaidd â Chymru

dros y canrifoedd

Cledwyn Fychan

Cymdeithas Lyfrau Ceredigion Gyf

Cyhoeddwyd gan Gymdeithas Lyfrau Ceredigion Gyf.,
Blwch Post 21, Yr Hen Gwfaint, Ffordd Llanbadarn,
Aberystwyth, Ceredigion SY23 1EY.
Argraffiad cyntaf: Hydref 2006
ISBN 1-84512-048-5
Hawlfraint yr argraffiad © 2006 Cymdeithas Lyfrau Ceredigion Gyf.
Hawlfraint testun © 2006 Cledwyn Fychan

Ffotograffau: Oni nodir yn wahanol tynnwyd y ffotograffau mewnol gan
Cledwyn Fychan a Dylan Williams.
Darluniwyd y mapiau a'r lluniau llinell gan Rebecca Kitchin
Gwnaed pob ymdrech i ddarganfod perchennog hawlfraint y lluniau a ddefnyddir
yn y gyfrol hon. Gwahoddwn ddeiliaid hawlfreintiau i gysylltu â ni er mwyn
cynnwys cydnabyddiaethau cywir mewn argraffiadau pellach.
Dyluniwyd y clawr gan Adran Ddylunio Cyngor Llyfrau Cymru

Cefnogwyd y gyfrol gan Gyngor Llyfrau Cymru
Argraffwyd yn yr Eidal

Cyflwynedig i

Tudur, Manon a Gronw

Cynnwys

Rhagair

Dau yn sgwrsio y tu allan i Ganolfan Pantyfedwen ym Mhont-rhydfendigaid rhyw noswaith bedair blynedd yn ôl. Y naill oedd Dylan Williams o Gymdeithas Lyfrau Ceredigion a minnau'r llall. Dyna biti, meddwn i, yn ddiniwed, na fyddai rhywun yn mynd ati i sgrifennu llyfr ar y blaidd yng Nghymru. Cam gwag oedd awgrymu ffasiwn beth gan fod hynny, i Dylan, yn gyfystyr â gwirfoddoli. A gwirfoddoli fu raid er nad oeddwn yn naturiaethwr o unrhyw fath.

Fel gwladwr, fy amcan oedd sgrifennu llyfr poblogaidd i gyd-wladwyr o Gymry. Crynhoi rhwng dau glawr fân hanesion am fleiddiaid sydd wedi bod ar chwâl mewn llyfrau, llawysgrifau ac, yn bwysicach na dim efallai, ar lafar gwlad. Wrth imi grwydro'r wlad yn casglu hanesion llafar cefais groeso neilltuol a chyfle i adnabod rhai cannoedd o bobl ddifyr na allaf obeithio eu henwi i gyd. Does gen i ond diolch yn fawr iawn iddynt, un ac oll, am ddal pen rheswm â mi, am fy nghyfeirio i fannau arbennig, am ganiatáu imi gael tynnu lluniau ac am lu o gymwynasau eraill. Ni allaf osgoi enwi y rhai a ganlyn a fu'n barod iawn eu cymorth: Iestyn Daniel, Waunfawr; Dei Davies, Gorseddgrucyn; Goronwy Davies, Maestyddyn; Dafydd Evans, Llanbedr Pont Steffan; Muriel Bowen Evans, Trelech; Dafydd Guto, Llanrug; Dafydd Gwyndaf, Llechwedd-hafod; Daniel Huws, Penrhyn-coch; J. W. Jones ac Alun Emanuel, Moelfre; Raymond Osbourne Jones, Llwynmalus; Brian Lawrence, Rhaeadr Gwy; John

Pollard, Traeth Coch; Peter Powell, Aberhonddu a Richard Suggett, Aberystwyth. Rhaid imi hefyd gydnabod y gwasanaeth ardderchog a gefais gan aelodau staff y sefydliadau canlynol: Canolfan Ymchwil Enwau Lleoedd, Prifysgol Cymru Bangor; Llyfrgell Genedlaethol Cymru; Amgueddfa Genedlaethol Cymru; Amgueddfa Werin Cymru; Geiriadur Prifysgol Cymru; amgueddfeydd, archifdai a llyfrgelloedd sirol Cymru; Ymddiriedolaethau Archaeolegol Cymru; Comisiwn Brenhinol Henebion Cymru ac Archaeoleg Cambria. Heb anghofio fy nheulu fy hun ym Mhen-wern, Cilcennin a Glan'rafon, Pen-bont Rhydybeddau am ganiatáu imi esgeuluso fy nyletswyddau arferol er mwyn canolbwyntio ar y bleiddiaid.

Wrth chwilota am ddeunydd bu'n rhaid imi fentro i diriogaethau arbenigwyr, yn naturiaethwyr, haneswyr ac ieithwyr. Os digwydd imi gamddehongli eu tystiolaeth fe syrthiaf ar fy mai gan obeithio na fydd hynny'n amharu'n ormodol ar werth y cynnwys. Fy mai i hefyd yw pob gwall a diffyg arall yn y gyfrol.

Yn olaf ac yn bennaf rhaid imi gydnabod cyfraniad enfawr Carys Briddon, y teipydd a Menna Davies, y golygydd ynghyd â Dylan Williams, Eleri Roberts, Casi Dylan a Meryl Roberts am weddnewid llawysgrif ddi-lun yn gyfrol mor arbennig ei diwyg.

Cledwyn Fychan
Llanddeiniol, 2006

Prolog

BYDDAI'R hen Gymry'n hoff o gyplysu blwyddyn eu geni â rhyw ddigwyddiad hynod, megis Blwyddyn y Gwynt Mawr (1838), Blwyddyn y Llif Mawr (1781) a Blwyddyn y Tair Caib (1777), neu hyn a hyn o flynyddoedd cyn neu ar ôl digwyddiad o'r fath. I'r sawl a anwyd yn 1916, dyna flwyddyn lladd y blaidd olaf yng Nghymru, a hynny yng Nghwm Penmachno, yn ôl yr adroddiad a ganlyn o bapur newydd *Yr Adsain* (16 Mai 1916):

FFERMWR YN YMLADD Â BLAIDD
CYFARFYDDIAD CYNHYRFUS AR FYNYDDOEDD CYMRU

Yn ddiweddar mae'r defaid a'r ŵyn sy'n pori ar lethrau Eryri wedi bod yn cael eu herlid gan lwynogod i'r fath raddau fel mai prin y bydd ffermwyr yn troi allan heb eu gynnau.

Nos Lun ddiwethaf pan oedd ffermwr o Gwm Penmachno yn bugeilio ei braidd gwelodd anifail mawr yn llechu y tu ôl i dwr o gerrig mawr a'i bresenoldeb yno yn aflonyddu ar y defaid.

Wedi symud i le mwy manteisiol taniodd y ffermwr at y bwystfil a'i anafu mor ddrwg nes iddo hercian i gyfeiriad rhyw hafn cul ble y safodd yn fygythiol. Fel roedd y dyn yn nesáu ato neidiodd

Gwelodd anifail mawr yn llechu y tu ôl i dwr o gerrig.

yr anifail amdano ond methodd â'i gyrraedd a saethwyd ef yn gelain.

Wedi archwilio'r corff roedd y ffermwr yn argyhoeddedig mai blaidd o faint anferth ydoedd a dyna farn pobl eraill a welodd y corff.

Ar y dydd Mawrth fe fu nifer o ffermwyr lleol yn chwilio'r mynyddoedd cyfagos ond ni ddoed o hyd i unrhyw arwyddion o fleiddiaid, a'r farn yw mai anifail wedi dianc o ryw sioe deithiol ydoedd ac wedi ffoi i'r mynydd ble y bu'n magu bloneg ar gig defaid ac ŵyn.

Blaidd wedi dianc o sioe bwystfilod gwylltion?

Gan fod yr A5, y briffordd drwy ogledd Cymru, yn pasio'n agos i Benmachno, mae'n debyg bod y gohebydd yn iawn i ddyfalu mai wedi dianc o sioe bwystfilod gwylltion, pethau digon cyffredin y dyddiau hynny, oedd y blaidd. Mewn cyfnod pan oedd y papurau lleol yn frith o hanesion am lanciau'r fro yn cael eu lladd neu eu hanafu yn y Rhyfel Mawr, doedd blaidd ym Mhenmachno ddim yn debyg o ennyn cymaint â hynny o sylw ac aeth y digwyddiad yn angof yno erbyn heddiw.

Os am gael hanes y bleiddiaid gwylltion olaf yng Nghymru bydd gofyn mynd yn ôl bedwar i bum can mlynedd i gyfnod cyn bod sôn am bapurau newydd na hyd yn oed rhyw lawer o lyfrau i groniclo'r hanes. Fodd bynnag, mae llu o fanion amdanynt wedi'u cadw mewn hen gofnodion, barddoniaeth a chwedloniaeth, ac yn bwysicach na dim, efallai, mewn enwau lleoedd ledled y wlad. O gynnull yr holl dystiolaeth at ei gilydd, mae modd creu darlun o hanes y blaidd yng Nghymru, er ei fod yn aml yn un digon niwlog, tebyg i jig-so a llawer o ddarnau ar goll.

Cyn dechrau gwneud hynny bydd yn rhaid dod i wybod rhywbeth am fyd a natur y blaidd ei hun.

1

Y Blaidd: Ei Fyd a'i Natur

Bu amser pan oedd bleiddiaid, *canis lupus* fel y'i gelwir[1], i'w gweld dros ran helaethaf Ewrop, Gogledd Asia a Gogledd America, neu fel y dywed yr arbenigwyr, roedd eu lledaeniad yn gyfogleddol. Erbyn heddiw mae eu tiriogaeth wedi crebachu'n arw. Diflannodd y rhai olaf o'r Alban ac Iwerddon yn ystod y ddeunawfed ganrif, ac o Loegr ddau gan mlynedd ynghynt. Ceir rhyw ychydig ar ôl yn Sbaen, yr Eidal, yr Almaen, y Balcan a gwledydd eraill dwyrain Ewrop, ac arwyddion eu bod ar gynnydd, hyd yn oed, yn Rwsia, gan atgyfnerthu'r ychydig sy'n weddill yn nwyrain Llychlyn.

Oddi yno y daw'r rhan fwyaf o'n gwybodaeth amdanynt ynghyd ag o Asia a Gogledd America. Y syndod yw pa mor aml y mae tystiolaeth o'r gwledydd hynny'n ategu ambell hen hanesyn am y blaidd yma yng Nghymru, gan beri i rywun sylweddoli mai blaidd yw blaidd hyd a lled y byd.

Blaidd yw blaidd ble bynnag y bo'i gynefin.

---

1 Oni nodir yn wahanol mae sylwedd y bennod hon yn seiliedig ar gynnwys y rhestr lyfrau ar dudalen 304

EI FLEW

Fe ddatblygodd, neu efallai y dylid dweud fe esblygodd cyfansoddiad y blaidd i wrthsefyll oerfel eithafol ei gynefin gwreiddiol yn Siberia, ac mae'n parhau i gario nod y fagwraeth honno ble bynnag y bo'i gartref erbyn hyn. Un arwydd o hynny yw'r ddwy haen o flew sy'n gorchuddio'i gorff: is-haen o ffwr meddal, trwchus a golau ei liw yn gorwedd o dan fargod o flew hirion sy'n gwarchod yr is-haen rhag gwlybaniaeth. Fe ddywedir bod croen blaidd oddi ar fynydd-dir neu dwndra (gwastadeddau noeth) yn werth dwbl croen un sydd â'i gynefin mewn coedwig, a'i fod ar ei orau rhwng misoedd Tachwedd a Mawrth. Prin y byddai'r bardd Tudur Aled wedi cael cyfle i weld blaidd yma yng Nghymru pan oedd yn llanc yn niwedd y bymthegfed ganrif, ond mae siawns y byddai'n gyfarwydd â gweld eu crwyn yng nghartrefi'r uchelwyr ac mai dyna a barodd iddo gymharu croen melfedaidd rhyw farch glas â 'manweeiddflew' (blew mân yr is-haen) y blaidd mynydd:

Nod ei fagwraeth yn Siberia.

> Magu rhwng y mwg a'r rhew
> Mynyddflaidd manweeiddflew.[2]

O ran lliw fe all bleiddiaid amrywio o wyn hufennog drwy bob gwawr o lwyd a choch i ddu, gyda'r tor yn oleuach na'r cefn a mwy o batrwm o liwiau o gwmpas yr wyneb. Mae'n debyg y byddai amrywiaeth o liwiau yng Nghymru fel mewn gwledydd eraill. Sôn am fleiddiaid llwydion mae gwŷr megis Dafydd Llwyd o Fathafarn a fyddai'n gyfarwydd â'u gweld, ond rhaid cofio bod llwyd yn gallu golygu brown yn ogystal â lliw llechen.

EI FAINT

Y mae llawer o bobl yn credu bod bleiddiaid yn greaduriaid anferth o ran maint, a rhai awduron parchus – er efallai nid yn gyfrifol – yn

---

2 GTA, 423

Blaidd Llwyd neu'r 'Timber'. Ei gynefin yw mynyddoedd a choedwigoedd Gogledd America, Asia a Gogledd Ewrop. Llun: Jim Stamates/ 'Stone'/Getty Images.

*Beth fyddai maint
tebygol bleiddiaid
Cymru gynt?*

parhau i'w disgrifio fel anifeiliaid sy bron ddwywaith cymaint ag Alsatian; yn mesur tair troedfedd ar yr ysgwydd ac yn pwyso 176 pwys. Y gwir yw mai prin 176 pwys yw'r pwysau mwyaf a gofnodwyd erioed ar gyfer blaidd, a hynny yn Alasga ble mae'r bleiddiaid mwyaf yn y byd. A derbyn gair gŵr a fu'n eu dal er mwyn eu pwyso, 80 pwys yw pwysau blaidd ar gyfartaledd yng Ngogledd America, a thros 120 pwys yn anghyffredin. Yn Ewrop mae'r pwysau'n amrywio o 55–110 pwys, a'r taldra hyd at 31 modfedd ar yr ysgwydd. Yn y gwledydd mwyaf gogleddol mae'r bleiddiaid mwyaf, ac fe ddylai fod dihareb yn dweud: 'Po oeraf yr hinsawdd mwyaf fydd y bleiddiaid'. Beth felly fyddai maint tebygol bleiddiaid Cymru gynt? Mae un peth yn sicr, a barnu yn ôl y sgerbydau a ddarganfuwyd does dim gwahaniaeth mawr rhwng bleiddiaid yr Oesau Canol a rhai heddiw. Ar gyfartaledd, rhyw 90 pwys yw pwysau bleiddiaid y Ffindir, gyda'r bleiddeist oddeutu 70 pwys, tra bod rhai gwledydd y Balcan beth yn is, rhwng 70 a 77 pwys. O ystyried y byddai hinsawdd Cymru wedi bod yn sylweddol fwynach na hinsawdd y Ffindir, mae'n amheus a fyddai ein bleiddiaid ni wedi pwyso llawer mwy na 70 pwys.

*Y cyhyrau o gwmpas
ei safn a phalfau
anferth.*

Ond mae rhai nodweddion sy'n gwneud i'r blaidd ymddangos yn fwy nag ydyw mewn gwirionedd. Y cyhyrau o gwmpas ei safn a'r mwng oddeutu ei war sy'n rhoi lled iddo, a'r palfau anferth yn mesur cymaint â phum modfedd wrth bedair, sy'n ei alluogi i redeg yn gyflym dros eira'r unigeddau heb suddo i mewn iddo. Fe wyddai rhyw fardd o Gymro anhysbys hynny'n dda dros wyth can mlynedd yn ôl, a chanodd:

> Eiry mynydd, buan blaidd
> Ystlys diffeithwch a draidd.[3]

---

3 EWGP, 24

EI SYMUDIADAU

Sylwodd amryw o'r rhai sydd wedi'i wylio ar yr urddas arbennig sy'n perthyn i symudiadau'r blaidd, symudiadau sy'n debycach i lif afon lefn neu rywbeth ar olwynion nag i rediad pedair troed. Nid ei fod yn mynd ar garlam ond bod rhyw lyfnder yn perthyn i'w drot, neu ei duth. Mae'n rhaid bod yr hen Gymry'n ymwybodol bod rhywbeth arbennig ynghylch ei ddull o symud gan fod Rhuddfreon Tuth Flaidd yn digwydd fel enw ceffyl mewn hen chwedloniaeth.[4]

Dyna union brofiad Bodil Carlsson sy'n byw ar dyddyn yng nghefn gwlad Sweden lle mae rhai bleiddiaid i'w cael o hyd, er mai yn anaml y cânt eu gweld. Soniodd yn ddiweddar amdani'i hun yn mynd drwy'r goedwig gyfagos ryw fin nos gyda dau neu dri chi yn gwmpeini. Ymhen y rhawg dechreuodd y cŵn anesmwytho gan glosio'n nes ati, a chan fod eirth a lyncsiaid yn y wlad yn ogystal â bleiddiaid, fe drodd am adref. Wedi dod allan o'r coed edrychodd dros ei hysgwydd, ac ar gefnen noeth nid nepell o'r fan lle bu'n cerdded, gwelai ffurf dywyll o faintioli ci mawr yn erbyn yr awyr. 'Yna,' meddai, 'fe drodd, a'r funud nesaf roedd wedi diflannu ac fe deimlais ryw wefr iasol achos ddaru'r un ci symud fel y symudodd yr anifail hwnnw.' Roedd yn argyhoeddedig iddi weld blaidd am y tro cyntaf.

Teimlais wefr iasol.

Nid ei faint, felly, yn gymaint â'r cyneddfau eraill sy'n perthyn iddo, megis urddas ei symudiadau, ei ddewrder a'i ffyrnigrwydd fel ymladdwr, a'i ddeallusrwydd a barodd i'n cyndeidiau ddangos parchedig ofn tuag ato ac edmygedd ohono nes peri iddynt gyffelybu eu harwyr pennaf iddo a galw eu plant ar ei enw.

Blaidd: y creadur cymdeithasol.

Nodwedd arall sy'n gwneud y blaidd yn greadur mor hynod o ddiddorol yw ei natur gymdeithasol a thiriogaethol. Mae'n perthyn i gymuned a chynefin pendant iawn, ac yn hynny o beth mae gan y blaidd a dyn lawer yn gyffredin. Tybed, felly, a fu yna gyfnod yn y

---

4 MAW 2, 20

cynfyd cynnar pan oedd dyn cyntefig, cyn iddo ddatblygu ei sgiliau hela ei hun, yn dilyn y blaidd i'r helfa gan obeithio cael tamaid o'r gelain ar ei ôl, neu os byddai'n ddigon hyf, i ymlid y blaidd oddi ar y gelain a'i hawlio iddo'i hun. Byddai hynny, wrth reswm, ymhell cyn iddo ddofi'r blaidd cyntaf, ei alw'n gi, a'i ddefnyddio fel partner i hela. Efallai mai cof yr hil am ryw berthynas bell felly a barodd i lwythau brodorol Gogledd America alw'r blaidd yn frawd iddynt.

Y GNUD

Fel arfer bydd blaidd yn perthyn i uned deuluol a elwid gan y Cymry gynt yn *gnud* o fleiddiaid. Dyna o bosib yw arwyddocâd yr enw Ynys Gnud (neu Ynys Goed bellach), fferm rhwng Llannerch-y-medd a Llangefni ar Ynys Môn. Hynny yw, cnepyn sych yng nghanol tir corsiog lle byddai bleiddiaid yn llechu neu'n magu.

Ambell waith fe sonnir am gnud fel 'cenedl o fleiddiaid' ac efallai mai dyna arwyddocâd Pant y Genedl, enw cae ar fferm Bron-'rhaul, Pandy Tudur, ger Llanrwst.[5] Cysylltir bleiddiaid â phantiau yn lled aml mewn enwau lleoedd, megis Pant y Blaidd, Pant y Fleiddast a Phant y Bleiddiau.

Gall cnud amrywio o ran maint o un pâr i gymaint â dwsin o unigolion, neu hyd yn oed dros ugain mewn achosion arbennig. Gan amlaf bydd yn cynnwys blaidd a bleiddast, hyd at chwech o genawon, cenawon blwydd sydd heb adael y gnud, a pherthnasau eraill, ynghyd ag ambell ddieithryn a dderbyniwyd i'w plith am resymau anhysbys. Mewn gwledydd megis Canada, Alasga a Siberia mae'n amlwg bod angen cnud helaeth i lorio'r carnolion mwyaf. Gall y bual gwyllt (*bison*) bwyso yn agos i dunnell, tra bod y cawrgarw (*elk/moose*) yn abl i ddiberfeddu blaidd ag un corniad a rhoi cic farwol i unrhyw un o'r tu ôl iddo. Mae'n amheus a welwyd erioed gnudoedd o'r maint hynny yng Nghymru lle nad oedd prae mwy na'r ceirw cochion a

Mae maint y gnud yn amrywio o ddau i dros ddwsin.

---

5 MD Llangernyw, rhif 808

gwartheg gwylltion i'w hela. Yn y Ffindir heddiw ystyrir cnud o naw yn un mawr. Mae'n wir fod Gwallter Map yn sôn am ddeg o fleiddiaid yn ymosod ar ryw Gymro anffodus yn y ddeuddegfed ganrif, ond er y gall fod sail i'w hanes, y peth mwyaf naturiol yn y byd fyddai iddo ymestyn ychydig ar nifer y bleiddiaid.[6]

Yn anffodus, ond nid yn annisgwyl, mae'r rhan fwyaf o'r astudiaethau a wnaed ar ymddygiad bleiddiaid o fewn y gnud wedi defnyddio bleiddiaid mewn caethiwed neu led gaethiwed, ac nid yw'n dilyn y byddent wedi ymddwyn yn hollol yr un fath yn eu cynefin gwyllt. Yn ddigon naturiol, mae gwahanol astudiaethau mewn gwahanol rannau o'r byd wedi esgor ar ganlyniadau dyrys a chroes i'w gilydd ar brydiau, felly bydd rhaid bodloni yma ar ddarlun gweddol elfennol o fywyd y gnud, a chyfeirio'r sawl sydd am wybod rhagor at y rhestr lyfrau ar ddiwedd y gyfrol.

Mae angen deng milltir sgwâr i ddarparu cynefin cynaliadwy i un blaidd.

TIRIOGAETH

Y mae i bob cnud ei thiriogaeth ei hun, a'i maint yn dibynnu ar helaethrwydd yr anifeiliaid prae sydd o fewn ei therfynau a pha mor sefydlog yw'r anifeiliaid hynny. Yng ngogledd Canada ac Alasga bydd bleiddiaid yn dilyn y gyrroedd caribŵ sy'n mudo gannoedd o filltiroedd rhwng eu tiroedd pori ar y twndra tua'r gogledd dros fisoedd yr haf a'u mannau gaeafu yng nghysgod y coedwigoedd tua'r de. Dan amgylchiadau felly gall tiriogaeth cnud fod yn anferthol ei maint, yn filoedd o filltiroedd sgwâr mewn gwirionedd. Ond ar Ynys Vancouver ble mae llawndra o geirw, sonnir am 25 milltir sgwâr yn cynnal cnud o ddeg, hynny yw 2.5 milltir sgwâr ar gyfer pob blaidd.

Awgrymodd un gŵr a dreuliodd oes yn astudio arferion bleiddiaid yng Ngogledd America fod eisiau deng milltir sgwâr ar gyfartaledd i ddarparu cynefin cynaliadwy i un blaidd. Mae'n wir nad oes modd cymharu'r sefyllfa yng Nghymru'r Oesau Canol â

---

6 SGM, 41–2

Gogledd America heddiw, ond bydd yn werth sylwi pa fath o ddarlun y byddai fformiwla felly'n ei gynnig mewn darn o'n gwlad ni.

Os cymerir yr ardal rhwng pedwar pwynt gweddol adnabyddus yng nghanolbarth Cymru, sef Aberdyfi, Machynlleth, Pontarfynach ac Aberystwyth, fe roddai hynny, ar y map, ryw gan milltir sgwâr o dir cymharol ddiffaith yn amrywio o fynydd-dir noeth Pumlumon, nifer o gymoedd a cheunentydd diarffordd, tiroedd gwlyb Cors Fochno ac arfordir genau afon Dyfi; dyna ddarpar diriogaeth i gnud o ddeg blaidd. Wrth gwrs, fe fyddai eu niferoedd wedi dibynnu ar helaethrwydd y prae, yn enwedig ceirw, ac mae lle i gredu bod y rheini'n niferus yma yng Nghymru ar un adeg, fel y ceir gweld yn y man. Ond hyd yn oed yn yr Oesau Canol fe fuasai yno gymunedau sylweddol o bobl yn cystadlu am yr un cynefin â'r blaidd ac yn amddiffyn eu stoc rhagddo; nid yn unig ar lawr gwlad ond hefyd ar y mynydd-dir

Bleiddiaid ifanc yn gwylio dros eu tiriogaeth.
Llun: Guy Edwards/ The Image Bank/ Getty Images.

ble byddai cyfran o'r boblogaeth yn symud gyda'u hanifeiliaid i fyw mewn hafodydd dros fisoedd yr haf. Rhaid cofio hefyd y byddai wedi bod yn llawer haws i flaidd ladd llo neu ddafad na charw gwyllt. O ganlyniad, mae'n sicr y byddai'r bugeiliaid wedi gwneud eu gorau glas i gadw niferoedd y bleiddiaid yn isel, fel y byddai'r bonheddwyr hwythau, gan y byddai gormod ohonynt yn fygythiad i'r ceirw yr oeddent mor hoff o'u hela. A chymryd yr holl bethau hyn i ystyriaeth, mae'n amheus a fyddai'r ardal dan sylw, yn fwy nag unrhyw ardal gyfatebol, wedi gallu cynnal mwy nag un gnud.

Mae terfynau pendant i diriogaeth pob cnud.

Fe ddywedir bod terfynau pendant a pharhaol iawn i diriogaeth pob cnud, gyda lleiniau o 'dir neb' yn ei gwahanu oddi wrth diriogaeth y gnud agosaf. Sylwodd un gŵr ar gnud yn hela carw, ac er eu bod wedi'i glwyfo'n ddrwg, fe gollodd y bleiddiaid ddiddordeb ynddo yn fuan wedi iddo groesi ffin eu tiriogaeth a gadawsant iddo fynd. Anaml, felly, y bydd cnud yn mentro dros ei therfynau oni bai fod newyn yn ei gorfodi. Os digwydd hynny ac i'r arweinydd gael ei ladd yn y sgarmes, dyna ddiwedd ar y gnud honno; bydd yn chwalu, a'r gnud fuddugol yn meddiannu'i thiriogaeth.

Arfer y gnud yw mynd ar gylchrodiad o bob cwr o'i thiriogaeth bob rhyw ddeg i ugain niwrnod yn dibynnu ar ei faint, gan symud ar hyd llwybrau cydnabyddedig yn gosod trywyddion newydd a chanolbwyntio ar y lleoedd ble mae llwybrau'n croesi. Fe ddywedir bod arweinydd y gnud yn oedi cyn amled ag unwaith bob dau funud, naill ai i osod trywydd newydd neu i ffroeni hen un, fel bod ei diriogaeth yn un rhwydwaith o drywyddion. Pwrpas hynny yw paratoi rhyw fath o fap i alluogi aelodau'r gnud, yn enwedig y rhai ieuanc, i wybod ble maent mewn perthynas â chreigiau, nentydd a nodweddion daearyddol eraill. Y mae hefyd yn fodd i ddangos pa rannau o'u tiriogaeth sydd wedi'u hela'n ddiweddar. Eilbeth, mae'n debyg, yw rhybuddio bleiddiaid dieithr i gadw draw.

Bydd bleiddiaid yn cadw at yr un llwybrau am genedlaethau.

Credir bod pedwar dull gan y blaidd o osod trywydd: (i) troethi drwy godi coes yn erbyn craig neu goeden (sy'n fwy parhaol am ei fod

*Crug y Blaidd
Llanymddyfri.
Llecyn ardderchog
i flaidd wylio'i
diriogaeth.*

uwchlaw gwlybaniaeth ac eira ar lawr), (ii) troethi ar y ddaear drwy grwcwd i lawr, (iii) ysgathru a (iv) chrafu'r ddaear â'r traed ôl. Mae'r nodweddion hyn i'w gweld yn amlwg mewn cŵn hefyd.

Wrth ysgrifennu am arferion bleiddiaid y Ffindir dywed Erkki Pulliainen eu bod yn hoff o dramwyo trumiau neu'r esgeiriau uchel ac amlwg lle gallant weld y wlad am filltiroedd o'u cwmpas.[7] Mae'n wybyddus fod bleiddiaid yn hoff o orffwys ar lecynnau tebyg. Sylwodd hefyd ar dystiolaeth fod bleiddiaid yn cadw at yr un llwybrau am ddegau o flynyddoedd. Yn wir, dywed fod hen enwau bryniau, trumiau ac ynysoedd ar fin eu llwybrau yn dyst fod bleiddiaid wedi bod yn teithio ar eu hyd ers canrifoedd lawer. Mae gan Gymru hithau aml i drum amlwg sy'n arddel enw'r blaidd. Dyna Gefn y Blaidd, Talyllychau, Crug y Blaidd, Llanymddyfri a Chefn neu Glun y Fleiddast, Caeo, a allai'n rhwydd fod yn nodi cwrs hen lwybrau a

---

7 FP, 187

ddefnyddid gan y bleiddiaid gynt, neu eu bod yn fannau ble'r arferid gweld bleiddiaid yn gorffwys ac yn gwylio.

Yr enw am lwybr blaidd mewn rhai mannau yn Lloegr oedd Wolsty, ac mae un lle yn Cumbria, sy'n cadw'r enw o hyd.[8] Ni wyddys am enw cyfatebol yng Nghymru, oni bai mai dyna arwyddocâd Cam neu Camfa'r Blaidd ger afon Artro yn Ardudwy, a Camau'r Bleiddiaid, bwa o graig sy'n pontio afon Irfon uwchlaw Abergwesyn, ble yn ôl traddodiad llafar y byddai'r bleiddiaid yn arfer croesi'r afon. O ystyried ymhellach, efallai mai pwyntiau lle'r arferai llwybrau bleiddiaid groesi afonydd neu nentydd yw Rhyd y Bleiddiau, Llanfair Caereinion a Rhyd y Blaidd, Cynghordy.

Ceir pedwar math o drywydd.

Soniwyd uchod am arfer bleiddiaid o droethi yn erbyn carreg neu goeden ar fin eu llwybr. O sylwi ar gymaint o garneddau ar yr ucheldir sydd wedi'u galw ar enw'r blaidd, awgrymodd un awdur iddynt gael eu henwi felly am fod bleiddiaid, yn absenoldeb unrhyw wrthrychau eraill ar y trumiau moelion, wedi dewis troethi arnynt, ac i'r bugeiliaid eu cysylltu â bleiddiaid o achos eu harogl. Efallai'n wir mai dyna arwyddocâd Crug y Blaidd, Llanymddyfri a Charreg y Blaidd, Llanbedr-goch a Phentrefoelas.

Yn yr Eidal sylwyd bod gan bob cnud nifer o lecynnau gorffwys o fewn eu tiriogaeth, weithiau byddent yn cadw at yr un fan am wythnosau ar y tro. Ni fyddai'r llecynnau hyn o reidrwydd yn bell o bentrefi, cyhyd â'u bod yn anhygyrch i bobl a gorau'n byd os oeddent yn uchel i fyny ar lechwedd ac iddo orchudd o dyfiant.

Mannau yng Nghymru a fyddai'n cyfateb i'r dim i'r llecynnau gorffwys hyn yw Cwm Bleiddiaid ar dalcen Moel Hebog uwchlaw Beddgelert, a Ffos y Bleiddiaid, Abergele.

Cynefinoedd perffaith Cymru.

Gall bleiddiaid addasu i amrywiaeth fawr o gynefinoedd, o fforestydd trwchus i wastadeddau eang y twndra, ac o dir corsiog i greigleoedd ysgithrog. Fe ddichon felly mai prif ystyriaeth y gnud

---

8 LPN, 93

yw bod o fewn cyrraedd cyflenwad o anifeiliaid prae ble bynnag y bo'r rheini. O gymryd yr ardaloedd hynny yng Nghymru ble mae'r gair *blaidd* yn digwydd amlaf mewn enwau lleoedd (mae dros ddau gant ohonynt), ynghyd â'r mannau lle mae rhyw hanesyn neu chwedl am flaidd wedi'i gofnodi, fe geir syniad ble roedd bleiddiaid i'w cael amlaf. Mae'r canlyniadau'n dra diddorol, a'r rhesymau am hynny'n weddol amlwg. Dyna fryniau moelion a thoreithiog Sir Faesyfed lle roedd modd iddynt wylio symudiadau'r anifeiliaid prae o bell; ceunentydd dyfnion a choediog gogledd Sir Gaerfyrddin, a fyddai wedi cynnig cyfuniad o brae a lloches; rhai o gymoedd crog Eryri lle gellid gweld perygl o bell ond eto a oedd o fewn cyrraedd hwylus i dir isel, megis Nant Gwynant; corstiroedd, yn arbennig y rhai ar Ynys Môn a fyddai'n anhygyrch i ddyn ond yn gyforiog o fân anifeiliaid prae yn ystod misoedd yr haf. Byddai'r rhain yn cyfateb i gynefinoedd tebyg yn ne Swydd Efrog, ble dywedir bod bleiddiaid

Cwmbleiddiaid, Beddgelert.

yn treulio'r haf yn y *carrs* (hen air y Llychlynwyr am dir corsiog) gyda'u gorchudd o helyg, gwern a hesg, a'r gaeaf ar foelydd sychion y Wold. Yn y cyswllt hwn mae'n werth sylwi bod yng Nghymru wyth enw lle sy'n gyfuniad o *gwern* (tir gwlyb lle tyf coed gwern) a blaidd: Gwern Bleiddiau (Pontneddfechan a Llanystumdwy), Wern Blaidd (Llandrindod), Gwern y Blaidd (Llanrhaeadr-ym-Mochnant), Wern Fleiddiog (Hen Golwyn), Gwern Bleiddyn (Trelogan a Rhewl) a Gwern Wlff (Chwitffordd).

Dim bleiddiaid ar Fannau Brycheiniog?

Yr hyn sy'n peri'r syndod mwyaf yw absenoldeb unrhyw dystiolaeth mewn chwedlau ac enwau lleoedd am fleiddiaid ar fynydd-dir helaeth Epynt, Bannau Brycheiniog a Bannau Sir Gâr, ac eithrio'r un enghraifft unig yn Ystradfellte, er eu bod yn gyffredin iawn yn yr ardaloedd oddi amgylch. Tybed a oedd yna rywbeth ynglŷn â thirwedd y cymdogaethau hynny a fyddai wedi'u gwneud yn annerbyniol i fleiddiaid?

STRWYTHUR Y GNUD

Trefn neu strwythur gymdeithasol hierarchaidd sydd i'r gnud, neu ddwy strwythur mewn gwirionedd, un i'r gwrywod ac un arall i'r benywod. Ar y brig mae'r cynflaidd a'r gynfleiddast, ac oddi tanynt mae i bob blaidd a bleiddast arall eu safle neu eu gris eu hunain a phob un yn gwybod ei le o fewn y gnud – pob un ond y cenawon ieuanc, neu'r pothanod fel y'u gelwid. Mae safle pob oedolyn wedi'i ennill drwy ymladd, a'i gadw drwy ymddygiad bygythiol: codi gwrychyn, chwyrnu ac ysgyrnygu dannedd. Ond gwahanol iawn yw tynged blaidd isradd sy'n gorfod ymgreinio a llyfu gweflau'r rhai uwch gan ddal ei gynffon yn ei afl. Os nad yw hynny'n ddigon mae'n ymostwng yn llwyr drwy droi ar wastad ei gefn ar lawr i ildio'i wddf diymadferth a'i fol meddal diamddiffyn, yr un fath yn union â chi sydd wedi cael cerydd neu gweir. Ond y mae pob un o'r rhai isradd yn aros ei gyfle i wella'i safle, a phe bai'r cynflaidd, wedi iddo fynd yn hen a methedig, yn cael ei ddiorseddu a chynflaidd newydd yn cymryd ei

Pothan. Dyma'r gair am flaidd ifanc.

le, fe fyddai cryn dipyn o ad-drefnu safleoedd yn digwydd o fewn y gnud, yr un ffunud â phrif weinidog newydd yn ad-drefnu'r cabinet. Eto, fe ddylid osgoi'r syniad mai bygythion yw nodwedd amlycaf y berthynas rhwng gwahanol aelodau'r gnud. Pan fo dau neu ragor o aelodau'r gnud yn cyfarfod ar ôl bod ar wahân, fel sy'n digwydd yn aml yn ystod misoedd yr haf, mae eu hymddygiad tuag at ei gilydd yn hoffus a chwareus, a bydd y gnud gyfan yn bwydo'n heddychlon oddi ar yr un gelain.

Gall y gnud ladd blaidd afiach.

Efallai mai'r drefn hierarchaidd sy'n peri nad yn aml y bydd dau flaidd o'r un gnud yn ymladd hyd farwolaeth; fel arfer bydd y gwannaf yn ildio ac yn derbyn safle darostyngedig cyn i bethau fynd yn rhy bell. Ond mae ymladd hyd farwolaeth yn fwy cyffredin pan fo un gnud yn tresbasu ar diriogaeth cnud arall, yn enwedig pan fydd pothanod ieuanc i'w hamddiffyn. Serch hynny fe fydd bleiddiaid yn barod i ladd un o'u cnud eu hunain o dan amgylchiadau arbennig, megis pan fo un ohonynt yn ymddwyn yn od, yn dioddef o ryw glefyd, wedi cael ei anafu'n ddrwg wrth hela, neu wedi ei saethu. Yn wir, mae rhai wedi honni bod bleiddiaid clwyfedig yn cilio o'r gnud am gyfnod hyd nes eu bod wedi gwella, er mwyn osgoi'r dynged honno. Myn eraill fod ochr dosturiol i natur blaidd gan gyfeirio at hen fleiddast yn cael ei chynnal gan y gnud yn ei llesgedd am iddi fod yn aelod gwerthfawr ohoni yn ei dydd. Sonia eraill am rai cynfleiddiaid, wedi iddynt gael eu diorseddu, yn cael aros yn y gnud, tra bo eraill a fu'n fwy gorthrymus yn ystod eu teyrnasiad yn cael eu herlid i ffwrdd.

Mor frefog â'r blaidd.

UDO

Mae sŵn udo bleiddiaid wedi swyno ac arswydo pobl ar hyd yr oesau. Cymaint felly fel bod llaweroedd yn fodlon talu am gael eu cludo i fannau anghysbell yn ystod oriau'r tywyllwch lle bydd eu tywysydd yn ffugio udo er mwyn ennyn ymateb y bleiddiaid rywle o berfeddion y nos o'u cwmpas. Fe ddywedir y gall fod cymaint â deuddeg harmonig yn eu dolef iasoer sy'n codi'n serth ac yn diweddu'n swta. Pan fo bleiddiaid yn udo maent yn gwneud hynny mewn cynghanedd yn hytrach nag yn unsain ar un nodyn, gan roi'r argraff fod llawer mwy ohonynt nag sydd yna mewn gwirionedd. Beth felly yw diben yr udo? Mae'n debyg bod nifer o resymau. Pan fo aelodau'r gnud ar chwâl mae'n fodd o'u cadw mewn cysylltiad â'i gilydd, neu fe all fod yn rhybudd bod rhyw berygl yng nghyffiniau'r wâl ble mae'r pothanod ifanc. Byddant hefyd yn udo i gynnull y gnud at ei gilydd i fynd i hela, neu i ddathlu helfa lwyddiannus a galw'r gnud i wledda. Gall hefyd fod yn fodd o rybuddio'r cnudoedd cyfagos i gadw draw. Yn ôl pob sôn roedd brodorion cynhenid Gogledd America'n deall ystyron udiadau'r bleiddiaid ac yn manteisio ar hynny i gael gwybodaeth am symudiadau'r caribŵ, er enghraifft. Dyna reswm arall dros alw'r blaidd yn frawd, efallai.

Gall udo'r blaidd fod yn gyfarchiad, yn ffordd o nodi ffin tiriogaeth neu'n gri i alw'r gnud ynghyd. Llun: Tom Brakefield/ Corbis.

*'Cynfyl blwng,
cwynaf fel blaidd'.
cynfyl = cynnen
blwng = trist*

Fe sylwodd Anthony Dent, gŵr fu'n astudio'r dystiolaeth am fleiddiaid mewn enwau lleoedd yng ngogledd Lloegr, fod dau le a elwid yn Wolf Howe a Wolfpittes, ynghyd â rhos a elwid yn Howl Moor, o fewn hanner milltir i'w gilydd ym mlaen afon fechan Derwent rhwng Whitby a Scarborough, ac awgrymodd i'r olaf o'r tri lle gael ei alw felly am fod udo bleiddiaid i'w glywed yn dod oddi yno ar un adeg.[9] Fe fyddai'n braf gallu dweud bod enghreifftiau tebyg i'w cael yng Nghymru, ond rhaid bod yn wyliadwrus. Go brin mai sŵn udo bleiddiaid oedd i'w glywed o Gwmudo rhwng Llangadog a Myddfai yn Sir Gaerfyrddin. Udw neu Ydw yw enw'r afon sy'n rhedeg drwyddo, enw sy'n cyfateb i Gwmudw arall ger Tal-y-bont yng Ngheredigion. Yn wir, does dim modd bod yn sicr pa air a ddefnyddid am sŵn udo bleiddiaid yn yr oes a fu. 'Mor frefog â'r blaidd' medd yr hen air, ond mae'n amheus a oes enw'r unlle yng Nghymru yn cynnwys yr elfen *bref* neu *brefu*, nac *ubain* na *nadu* o ran hynny. Efallai mai'r elfen fwyaf addawol yw *llef* neu *llefain* sy'n digwydd droeon mewn enwau lleoedd: Bryn y Llefain (Llangadog, Sir Gaerfyrddin), Nant y Llef (Dyffryn Nantlle), Gwaun Lefain (Pentir, Sir Gaernarfon), Gwaun y Llef (Bodengan, Sir y Fflint), Moel Grochlef (Glyncorrwg, Morgannwg), Rhoslefain (Tywyn, Meirionnydd) sydd o fewn milltir i ffermdy Tyddyn Blaidd, a saith Carreg Lefain (yn ardaloedd Aberdaron, y Rhiw, Pistyll a Llanrug yn Sir Gaernarfon, ar yr Arennig Fawr ym Mhenllyn ac yn Llanwrda a Myddfai yn Sir Gaerfyrddin.) Fe all fod y mannau hyn yn cyfateb i Howl Moor a'i debyg yn Lloegr ond ni ddylid cymryd hynny'n ganiataol gan mai carreg lefain a ddywedir mewn rhai ardaloedd am garreg ateb neu garreg eco.

*Y gynfleiddast fydd
yn dewis safle'r wâl.*

Synied am udo bleiddiaid fel mynegiant o hiraeth neu alar fyddai'r hen feirdd. Mewn cerdd ddychan gan fardd anhysbys o'r drydedd ganrif ar ddeg mae sôn am ryw Fleddyn, y bardd Bleddyn

---

9 LBB, 105

Was y Cwd, efallai, a aethai oddi cartref i 'Wlad Faelor', sef cyffiniau
Wrecsam, i loffa haidd adeg y cynhaeaf. Gan chwarae ar ystyr ei enw,
Bleddyn (sy'n golygu 'un o deulu'r blaidd'), mae'r awdur yn ei weld
fel blaidd ymhell o'i gynefin, yn udo yn ei unigrwydd wrth geisio
ailgysylltu â'r gnud:

> Gwlad Faelor a draidd, glud grwydrad had haidd
> Glwth dra gwladaidd flaidd, floedd anghysbell
> (*Teithia drwy wlad Maelor, crwydryn dyfal*
>   *ar drywydd hadau haidd*
> *Blaidd rheibus garw, pell ei udiad*)[10]

Yn nechrau'r bymthegfed ganrif bu farw merch Ieuan Gethin o
Faglan o haint y nodau, ac yn ei awdl farwnad iddi mae ei thad yntau
yn cyffelybu ei alar i udo'r blaidd:

> Cerid merch, cariad ym oedd
> cynfyl blwng, cwynaf fel blaidd
> dwyn hon, nid mi'r dyn a'i haedd
> dawn rhybraff, yn rhy ebrwydd[11]

MAGU

Yn wahanol i gŵn, dim ond unwaith y flwyddyn y bydd bleiddast
yn magu fel arfer, a'r tymor cymharu'n digwydd yn ystod tri mis
cyntaf y flwyddyn, yn dibynnu ar ba mor bell tua'r gogledd mae'r
cynefin. Yng Nghymru, mae'n debyg y byddai hynny wedi digwydd
yn weddol gynnar. Dywed Gerallt Gymro iddo glywed am bothanod
bleiddiaid yn cael eu geni cyn gynhared â mis Rhagfyr ar brydiau yn
Iwerddon ac mae'n priodoli hynny'n rhannol i hinsawdd fwynaidd
yr ynys.[12] Mae lle i gredu mai dim ond un pâr fydd yn bridio o fewn
y gnud, sef y cynflaidd a'r gynfleiddast gan amlaf – ond nid bob tro

---

10 GBDd, 43; GPB, 96
11 GB, 80
12 BAE, 186

– tra bod unrhyw ymgais at gyfathrach rywiol rhwng y gweddill yn cael ei rwystro gan y ddau. Mae'r gynfleiddast yn gwarchod y bleiddeist isradd rhag mynd ar gyfyl y gwrywod eraill, gan gynnwys y cynflaidd, tra bo'r bleiddiaid isradd dan yr un ddisgyblaeth o du'r cynflaidd. Hynny yw, mae dwy linell annibynnol i'r hierarchiaeth, y naill i'r benywod a'r llall i'r gwrywod.

Os digwydd i gyfathrach rhwng isfleiddiaid fod yn llwyddiannus, bydd eu pothanod yn cael eu lladd ar eu genedigaeth. Fe all is-flaidd ac is-fleiddast adael i ffurfio cnud newydd, wrth reswm, cyn belled â'u bod yn sicrhau tiriogaeth newydd. Nid yw hynny bob amser yn hawdd, ac ni fydd ganddynt ddewis yn aml ond plygu i ddisgyblaeth y gnud a dioddef yn dawel.

GWÂL

Yn union fel cŵn, naw wythnos yw'r cyfnod beichiogrwydd, ac wrth i'r esgoriad agosáu bydd y gynfleiddast yn neilltuo i'w gwâl neu ffau, sef un o ddwy neu fwy y bydd hi wedi'u paratoi ymlaen llaw. Y gynfleiddast fydd yn dewis safle'r wâl, a bydd ei lleoliad yn allweddol i lwyddiant y magu gan fod angen digon o anifeiliaid prae o fewn cyrraedd hwylus i borthi'r pothanod. Gall gloddio twll hir ryw chwech i wyth troedfedd o hyd yn y ddaear a hwnnw'n codi ac ehangu at ei ben draw i sicrhau gwâl helaeth a sych. Weithiau bydd yn ehangu daear anifail arall, megis y llwynog neu'r pryf llwyd (mochyn daear), neu'n chwilio am geudyllau dan foncyff rhyw goeden hynafol neu dan gruglwyth o gerrig mawrion. Byddai'n rhyfedd iawn os na fagwyd aml i dorraid o bothanod yng nghrombil Creigiau Bleiddiaid, y llanast o gerrig anferth wrth odre gogleddol Arenig Fach ym Mhenllyn. Fel arfer mae'r gnud yn cadw at yr un hen wâl ac mae enghreifftiau yng Ngogledd America o'r un lle'n cael ei ddefnyddio am dros ddeng mlynedd ar hugain.

Mae oddeutu deunaw o fannau yng Nghymru â'r gair bleiddast yn elfen yn eu henwau: Bwlch y Fleiddast, Cae'r Fleiddast, Cefn y

Pawen flaen

Pawen ôl

Fleiddast (2), Clun y Fleiddast, Ffynnon y Fleiddast, Nant y Fleiddast (7), Ogo'r Fleiddast, Pant y Fleiddast (2), Pwll y Fleiddast a Thwll y Fleiddast. Er bod John Mills yn ei lyfr *Enwau Lleoedd Cymreig*, wedi awgrymu i Nant y Fleiddast gael yr enw am fod ei dyfroedd yn ysgithru rhwng ei thorlannau fel bleiddast,[13] ni ddylid diystyru'r posibilrwydd bod gwâl bleiddast wedi bod yng nghyffiniau'r mannau hyn ar un adeg. Er enghraifft, mae un llecyn y bydd yn werth sylwi'n fanylach arno gan ei fod i'w weld o flaen o briffordd yr A470 yn y canolbarth, rhyw ddwy filltir dda i'r gogledd o dref Rhaeadr Gwy a chyn cyrraedd y tro mawr yn y ffordd dros afon Marteg. I gyfeiriad machlud haul o'r fan honno, yr ochr draw i afon Gwy, mae clogwyni Cerrig Gwalch a Llofftyddgleision yn codi'n dalsyth uwchben

Nant y Fleiddast, Rhaeadr Gwy. Mangre ddihafal i gnud.

---

13 ELlC, 155

gweirgloddiau Nannerth; clogwyni sy'n frith o ysgafellau, trofâu a hafnau tywyll â gorchudd o brysgwydd a chordderi mewn mannau. Y tu hwnt iddynt ar fynydd-dir Elenid mae tarddiad nant fechan sy'n llifo rhwng y ddau glogwyn. Ei henw bellach yw Nant y Sarn ond wyth can mlynedd yn ôl, pan oedd y mynydd-dir ym meddiant Abaty Ystrad-fflur, câi ei hadnabod wrth yr enw Nant y Fleiddast. Dyma fangre ddihafal ar sawl cyfrif i fleiddast fagu ei phothanod: safle yn wyneb haul y bore, cymharol anhygyrch, a digonedd o gilfachau i sefydlu gwâl; golygfa glir am bellter i aml gyfeiriad er mwyn gweld perygl mewn da bryd, a dihangfa hwylus rhwng y ddau glogwyn i'r mynydd agored; dŵr rhedegog gerllaw a chyflenwad o fân anifeiliaid prae yn y gweirgloddiau ar lan afon Gwy.

Gwâl ar fynydd-dir Elenid.

    Maint torraid arferol yw rhwng pedwar a chwe phothan, er bod cymaint â thri ar ddeg yn bosibl, a'r rheini'n ddall a byddar ar eu bwriad. Cyn pen pythefnos byddant wedi agor eu llygaid, ac ymhen tair wythnos arall wedi'u diddyfnu oddi wrth laeth y fam ac yn chwarae yn yr awyr agored. Yn ystod y dyddiau cyntaf bydd y fleiddast yn aros gyda'r pothanod yn barhaol a'r cynflaidd yn cario bwyd iddi. Ond yn fuan iawn bydd yn troi allan i hela ei hunan, heb fynd yn rhy bell i ffwrdd, tra bod aelodau eraill y gnud yn gwarchod y pothanod ar ei rhan.

    Tuedd cynflaidd yw treulio llawer o'i amser ar lecyn amlwg uwchlaw'r wâl yn gwylio'r wlad o'i gwmpas. Os digwydd iddo sylwi ar ryw fygythiad yn agosáu bydd yn rhoi arwydd o'r perygl i'r pothanod ac yna'n tynnu sylw'r aflonyddwr ato'i hun er mwyn ei ddenu i ffwrdd o gyffiniau'r wâl. Mae un arfer ynglŷn â'r magu sy'n werth ei nodi. Er mai dim ond y gynfleiddast fydd yn magu fel arfer, bydd rhai bleiddeist isradd yn ffugfeichiogi i'r graddau eu bod yn gallu cynhyrchu llaeth ac felly'n abl i gynorthwyo gyda'r magu, yn enwedig os digwydd i'r gynfleiddast gael ei lladd neu farw. Soniwyd eisoes am yr ansawdd eithriadol sydd i ffwr y blaidd, a hynny am iddo esblygu yn Siberia. Felly hefyd gyda llaeth y fleiddast sy'n cynnwys

Ansawdd llaeth bleiddast.

11% o fraster a 10% o brotein, o'i gymharu â llaeth buwch gyffredin sy'n cynnwys oddeutu 4% o fraster a 3% o brotein.

Cedwir y gwâl yn syber iawn ac fe all y gynfleiddast symud y pothanod i wâl arall yn y cyffiniau i osgoi llifogydd, chwain neu afiechyd, neu er mwyn diogelwch. Yn ôl Robert Hainard, arlunydd a naturiaethwr o'r Swistir a fu'n gwylio bleiddiaid ym mynyddoedd Carpathia, yr Alpau a'r Pyreneau, bydd y pothanod yn cael eu rhannu'n barau pan fyddant oddeutu pythefnos oed, a'u gosod mewn dwy neu dair lloches neu feithrinfa wahanol yn y cyffiniau.[14] Fe wŷr y cyfarwydd mai dyna'r patrwm gyda llwynogod hefyd. Yno, bydd y fleiddast yn eu diddyfnu'n raddol oddi ar ei llaeth ac yn eu cyflwyno i gig y bydd hi a'i chymar wedi'i hela, ei fwyta a'i gyfogi iddynt. Rhyngddynt gall y blaidd a'r fleiddast gario 17 pwys o gig cyfog i'r pothanod. Ar aeaf caled bydd bleiddiaid yn gwneud yn fawr o'r anifeiliaid prae a gaiff eu dal mewn lluwchfeydd o eira ar ddechrau'r flwyddyn, ac yn eu claddu o fewn cyrraedd i'r wâl er mwyn cael porthiant hwylus i'r pothanod yn ddiweddarach.

Gwerth lluwchfeydd eira i'r blaidd.

Cred Anthony Dent fod llecynnau megis Whelpdale Hill, Whelpo, Whelprigg a Whelpside yn Cumbria yn nodi lleoliad y llochesau neu'r meithrinfeydd hyn. Gall hynny fod yn wir. Y ffurf gyfatebol i *whelp* yn Gymraeg fyddai *cenau* (lluosog *cenawon* neu *gynafon*) ac mae sawl enghraifft o'r elfen hon mewn enwau yng Nghymru hefyd, megis Cerrig Cenawon ar Aran Benllyn, Dôl Gynafon ym mlaen afon Mawddach, a Phenbryn Cenau ger Abaty Cwm-hir. Ond gall *whelp*, fel cenau, gyfeirio at anifail ifanc o amrywiol rhywogaethau ac mae'n werth nodi bod Cerrig Cenau ger pentre Crai ar Fannau Brycheiniog yn parhau'n adnabyddus fel lloches llwynogod ieuanc.[15]

Byddai rhywun ar dir llawer sicrach pe bai modd dod o hyd i ryw Gerrig Pothan neu Gerrig Bleiddian yn rhywle. Mae'n wir fod

---

14 LBB, 108
15 (WH)

yna Dyddyn Pothan a Rhos Bothan ar Ynys Môn, ond gan fod y gair 'pothan' wedi datblygu i fod yn gyfenw ar deulu dynol ar yr ynys mae'n haws credu mai aelod o'r teulu hwnnw a roddodd ei enw i'r mannau hynny.

Pan fydd y pothanod oddeutu dau i dri mis oed cânt eu symud o'u gwâl i ryw lecyn diarffordd â digon o dyfiant fel y gallant chwarae a phrifio yn gymharol ddiogel. Yno y bydd canolbwynt y gnud dros fisoedd yr haf a chaiff ei alw'n fan cynnull (*rendezvous*). Mae'n ddigon posibl fod y tri Llannerch Bleiddiau ynghyd ag aml i Gwm Bleiddiaid a geir yng Nghymru yn nodi safleoedd y mannau cynnull hyn.

A wnelo ei hun yn oen, a lyncir gan y blaidd.

Yn wahanol i lawer o anifeiliaid eraill fe erys y pothanod gyda'r gnud i ddysgu hela hyd nes y byddant o leiaf yn flwydd oed, ond er yr holl ofal amcangyfrifir y bydd rhyw dri allan o bob pump ohonynt – dros hanner y dorraid – wedi marw cyn hynny. Os yw pothan yn llwyddo i oroesi'r flwyddyn gyntaf fe all fyw am wyth i naw mlynedd, neu gymaint â phymtheg gyda lwc. Mae enghraifft o flaidd mewn caethiwed yn cyrraedd ei ugain oed.

ANIFEILIAID PRAE

Yn ôl pob sôn fe all blaidd draflyncu'r pumed ran o'i bwysau ei hun o gig ar un tro, ac wedi cael awr neu ddwy o gwsg gall fwyta cymaint â hynny wedyn. Mae gwanc o'r fath yn angenrheidiol pan ystyrir y bydd angen iddo fynd heb fwyd am ddyddiau lawer gefn gaeaf pan fo'r anifeiliaid prae yn brin.

Gwanc am gig.

Yn niwedd y drydedd ganrif ar ddeg roedd dau ŵr yn dwyn yr enwau Ieuan Bol Blaidd a Cylla Blaidd yn byw yng ngogledd-ddwyrain Cymru. Gellir mentro dweud mai eu gweld yn ymdebygu i'r blaidd yn eu trachwant am fwyd a barodd i'w cymdogion eu llysenwi felly. Roedd gŵr a elwid Bol Blaidd ymhlith dewrion y Cheyenne yng Ngogledd America hefyd; fe'i lladdwyd mewn brwydr ym 1868.

Carnolion, yn geirw, gwartheg, defaid, moch a cheffylau yw hoff brae y blaidd, ond mae unrhyw anifail, gan gynnwys ysgyfarnogod, llygod, adar, nadredd a ffrwythau, yn dderbyniol ganddo. Ni fydd yn troi ei drwyn ar furgyn, chwaith, gan gynnwys cyrff dynol. Nid pawb sy'n sylweddoli bod bleiddiaid yn gallu bod yn bysgotwyr tan gamp hefyd, yn meddu digon o grebwyll i yrru'r pysgod i fyny nentydd i ddŵr bas er mwyn hwyluso eu dal.

Blaidd y pysgotwr.

Yn ogystal â chadw niferoedd y carnolion dan reolaeth, yn anuniongyrchol mae bleiddiaid yn gallu dylanwadu ar y tyfiant o fewn eu tiriogaeth. Mae'n debyg na wnaiff yr un carnolyn fentro pori mewn cilfachau lle mae perygl iddo gael ei gornelu gan flaidd. O ganlyniad mae llwyni yn cael heddwch i dyfu yn y mannau hynny a rheini yn eu tro yn cynnig cynefin i anifeiliaid llai.

Gefn gaeaf, yn ystod misoedd yr hirlwm, a'r anifeiliaid prae'n prinhau, byddai bleiddiaid i'w gweld o gwmpas y tyddynnod a'r pentrefi yn chwilio am damaid. Bu traddodiad cryf yng nghymdogaeth Abergwesyn mai dros Gamau'r Bleiddiaid y doi'r gnud i lawr gwlad pan nad oedd dim ar ôl i'w hela ar Fynydd Mawr Tregaron. Enw'r Sacsoniaid ar fis Ionawr oedd *Wolf Moneth/Monat*, Mis y Blaidd,[16] am mai dyna pa bryd y byddai'n mentro agosaf at anheddau dynion; roedd ar ei beryclaf o eisiau bwyd bryd hynny. Nid rhyfedd bod yna ddihareb yn sôn am gadw'r blaidd o'r drws. Efallai mai ofn ei ymddangosiad ar adegau felly oedd wrth wraidd ofergoel yr hen Gymry i beidio yngan enw'r blaidd rhwng noswyl Nadolig a Nos Ystwyll.[17] Tuedd y blaidd yw stelcian yng nghyffiniau pentref neu fferm gan wylio'i gyfle i gipio anifail dof, a phwy a ŵyr nad yw'r Bryn Blaidd neu Fryn Bleiddiaid sydd i'w cael ar gwr aml i bentref yn nodi'r mannau lle roedd bleiddiaid i'w gweld ar adegau felly.

Ionawr, mis y blaidd.

Un o ryfeddodau, os nad cymhlethdodau, natur yw agwedd bleiddiaid tuag at gŵn. Tra bod cŵn graenus yn brae derbyniol iawn gan flaidd, bydd ei fwriad yn wahanol iawn pan gaiff ei ddenu gan ast

Cyfathrach bleiddiaid â chŵn.

---

16 BAE, 123
17 FLFS, 75

gynhaig (gast yn cwna). O ganlyniad fe fu'n arfer mewn rhai gwledydd i glymu geist cynhaig y tu allan, o fewn cyrraedd bleiddiaid, er mwyn cael epil cymysgryw egnïol.

HELA

Fe ddywedir bod y blaidd yn dod o hyd i'w brae drwy ddulliau amrywiol: ei ddarganfod yn ddamweiniol, ei glywed (mae ganddo glust eithriadol o fain), gwylio'i symudiadau drwy aros yn yr unfan am oriau ar drum uchel, neu ei ffroeni o bell. Ceir sôn am un blaidd yn ffroeni buwch bual gwyllt a'i llo filltir a hanner i ffwrdd.

Blaidd yn gwledda ar ei brae. Er bod y blaidd wedi'i lunio i hela anifeiliaid mawr, mae ganddo duedd i ymosod ar greaduriaid gwan, di-amddiffyn. Llun: Hans Reinhard/zefa/ Corbis.

Fel arfer bydd y gnud yn hela yn erbyn y gwynt gan amcanu cyrraedd o fewn deg llath ar hugain i'r prae heb gael ei gweld, a cheisio'u gorfodi i redeg. Bydd gan y bual gwyllt neu'r cawrgarw well siawns os safant eu tir, tra bod y ceirw llai yn gyflymach na'r gnud ac yn abl i redeg i ffwrdd, oni bai fod gorchudd o eira ar y ddaear pan fydd palfau llydain y blaidd yn drech na charnau culion y carw. Nid ar chwarae bach mae llorio bual gwyllt pan fo'n rhedeg, llai fyth pan fo'n sefyll i ymladd gan ei fod yn pwyso'n agos i dunnell. Dyna pryd mae cydweithrediad aelodau'r gnud yn hanfodol.

Gall blaidd ffroeni ei brae o bellter mawr.

Wedi cael gyr o anifeiliaid prae i redeg bydd yr helwyr yn y gnud yn eu gyrru ymlaen, am filltiroedd efallai, gyda rhai ohonynt tu ôl, a'r gweddill ar y naill ochr a'r llall yn eu cadw gyda'i gilydd. Canolbwyntio ar un anifail yw eu harfer – gorau'n y byd os yw'n araf, yn gloff, yn orborthiannus neu'n llo ifanc – a cheisio'i dorri allan o'r gyr. Does dim amheuaeth nad oedd Prydydd y Moch, bardd â'i gynefin yn Nyffryn Elwy ddiwedd y ddeuddegfed ganrif, wedi gweld bleiddiaid yn hela. Gwae'r llo a gaiff ei ddychryn o'i wâl ar y mynydd gan flaidd, meddai; ni wêl o mo'r dydd y bydd yn ych.[18]

Wedi i'r bleiddiaid ddewis eu prae o blith y gyr, byddant yn cau i mewn amdano gan neidio i fyny i rwygo a llarpio'i grwper a'i ystlysau er mwyn ei arafu. Yna bydd y bleiddiaid blaenaf yn anelu am ei wddf neu ei ffroen, ac unwaith y cânt afael yn y mannau hynny does dim gollwng wedyn. (Nid yw'n syndod i un o frenhinoedd chwedlonol y Brythoniaid gael ei enwi'n Gylfin Gefail Gafael Blaidd.) Gorchwyl peryglus yw hela'r carnolion mwyaf oherwydd y tebygrwydd yw y bydd un o'r bleiddiaid yn cael anafiadau drwg neu hyd yn oed ei ladd.

Llorio'r prae.

Wedi llorio'r prae rhaid cyd-udo i alw gweddill y gnud, gan gynnwys y rhai sy'n rhy ifanc a'r rhai sy'n rhy hen i hela, i wledda ar y gelain, a hynny'n heddychlon fel arfer, heb na chwyrnu nac ysgyrnygu dannedd.

---

18 GLlLl, 227

*Mae palfau llydain
y blaidd yn drech
na chamau culion
y carw.*

Fe sonnir beunydd am ddeallusrwydd arbennig y blaidd a daw tystiolaeth ddiddorol o hynny o fynyddoedd Carpathia. Yno mae 80% o'r ceirw a leddir gan fleiddiaid yn dod i ben eu taith mewn cymoedd culion ag ochrau serth. Techneg hela y bleiddiaid yno yw gyrru'r ceirw ar garlam gwyllt i lawr blaen un o'r cymoedd hynny, gyda rhai o'r helwyr yn gwasgu o'r tu ôl a'r gweddill ar y ddwy ystlys. Yna, bydd cyfran o fleiddiaid yr ystlysau yn rhuthro o flaen y ceirw i'w harafu tra bo'r rhai o'r tu ôl yn dal i yrru ac yn peri gwasgfa yn y canol. Y canlyniad yw bod y ceirw'n glanio'n bendramwnwgl ar ben ei gilydd, yn brae hwylus i'r gnud o'u cwmpas.

Ni thalodd ein beirdd diweddar nemor ddim sylw i'r blaidd, a phrin y disgwylid iddynt wneud hynny ac yntau wedi'i alltudio o'r wlad ers canrifoedd. Mater o syndod felly oedd dod o hyd i bedair llinell ar ddeg o ganu caeth gan Elis Wyn o Wyrfai yn disgrifio cnud yn ymosod ar yrr o gawrgeirw: [19]

> Ym min y tywyll minteoedd – *addig* [20]
> Fleiddiaid y coedwigoedd;
> I'w anrhaith flin â rhwth floedd,
> A dorant trwy'r bas diroedd.
>
> Am y tarw llym y tyrant – a'r carnol
> Mawr, corniog, mewn soriant,
> Â'u dannedd i'r llawr dynant,
> A'i ddiofn, erch, ddifa wnant.
>
> Dyrwygant â *gwyn* [21] dreigaidd,
> I ganol y brefol braidd.

---

19 BRYTH 5, 173
20 addig = cas
21 gwyn = llid

Yn eu newyn anniwall,
A'u ffyrnig nwyd dig nid all,
Arfogion a'u mawr fwgwth,
Rymus atal yr *âl rwth*.[22]

Chwarae teg i'r awdur, person heddychlon Llangwm, na welodd, mae'n siŵr, ddim byd ffyrnicach na Rhyfelwyr y Degwm yn gostwng Mwrog â'i ben i waered dros ganllaw Pont-y-glyn (os gwelodd o gymaint â hynny hyd yn oed), fe adawodd inni ddarlun digon dramatig o ffyrnigrwydd y blaidd. Yr unig un yn yr iaith efallai.

Eto, ni ddylid cael camargraff fod y blaidd yn fwystfil hollol anwar sy'n llarpio popeth a ddaw o fewn ei afael. Yn ôl y rhai fu'n gwylio bleiddiaid dros gyfnodau meithion, dim ond rhyw bum helfa o bob cant sy'n llwyddiannus. O ystyried hynny fe welir bod eu ffyrnigrwydd penderfynol yn angenrheidiol i'w harbed rhag newyn. Mae'r ddau hanesyn a ganlyn yn dangos nad yw'r blaidd yn cael ei ginio ar blât, fel petai, ond ei fod yn gorfod ymladd yn hir a chaled am bob tamaid ohono.

Does dim mwy na phum helfa ym mhob cant yn rhai llwyddiannus.

Rhyw fore o Fai 1980, fe ddigwyddai Lu Corbyn, brodor o Namibia, fod yn astudio bleiddiaid ym Mharc Cenedlaethol Wood Buffalo, Canada. Roedd yn gwylio gyr o fuail gwylltion yn gorwedd i lawr yn cnoi'u cil tua chwech o'r gloch y bore pan ymddangosodd pedwar blaidd gerllaw iddynt. Daeth yn amlwg o'r cychwyn cyntaf eu bod â'u bryd ar gael gafael ar un llo bach a oedd yno gyda'i fam. Am dros un awr ar ddeg fe ganolbwyntiodd y bleiddiaid yn llwyr ar yr un llo hwnnw tra bod ei fam, a hyd at un ar ddeg o'r teirw ar wahanol adegau, yn ceisio'i amddiffyn drwy ffurfio cylch o'i gwmpas a rhuthro ar y bleiddiaid. Yn ystod o leiaf wyth ysgarmes, gyda saib rhwng pob un, fe lwyddodd y bleiddiaid i gael gafael ar y llo a'i lusgo i'r llawr un ar ddeg o weithiau, ond llwyddodd yntau i ymryddhau

Ymladd â'r buail gwylltion.

---

22 âl rwth = gelyn gwancus

bob tro a ffoi yn ôl i ddiogelwch, er ei fod yn amlwg wedi'i glwyfo. Am hanner awr wedi pump y prynhawn fe adawodd y bleiddiaid yn wagfol ar ôl diwrnod caled o ymdrech ofer am un llo bach.[23]

Mewn achos arall, fe welwyd buwch cawrgarw yn yr Yukon yn gwarchod ei llo a anafwyd yn ddrwg gan fleiddiaid, a chnud o bump ohonynt yn gorwedd ychydig lathenni i ffwrdd yn aros eu cyfle. Drannoeth roedd y llo'n parhau'n lled fyw a'r bleiddiaid heb symud o'r fan. Dradwy roedd y llo wedi marw a'r fuwch yn dal i warchod ei gelain fel na fentrai'r bleiddiaid gam yn nes. Erbyn y pedwerydd diwrnod roedd y gnud wedi rhoi'r gorau i'w hymdrech ac wedi symud ymlaen i chwilio am helfa arall ond roedd y fuwch yn dal i fod yno yn gwarchod ei llo marw.[24] Rhaid bod cariad greddfol mam yn drech hyd yn oed na ffyrnigrwydd cnud o fleiddiaid.

O bwyso a mesur y dystiolaeth o wahanol wledydd, ymddengys bod trefn y gnud yn tueddu i ymlacio neu chwalu yn ystod misoedd yr haf gyda'r bleiddiaid isradd yn hela'n annibynnol, ond pan ddaw'r hydref byddant yn ailymgynnull. Y rheswm am hynny, mae'n debyg, yw bod bleiddiaid yn tueddu i fwydo ar y llawnder o anifeiliaid llai ynghyd â'u hepil ieuanc yn ystod y gwanwyn a'r haf, a byddai presenoldeb y gnud gyfan yn fwy o rwystr nag o fantais wrth hela'r rheini. Yma yng Nghymru mae'n bosibl y byddai wedi bod yn haws dal yr anifeiliaid mwy, megis y ceirw, yn ystod hirlwm gaeaf pan fyddent yn eu gwendid o ganlyniad i brinder bwyd ac yn llai abl i ffoi drwy drwch o eira meddal. O leiaf, dyna'r argraff a geir wrth ddarllen gwaith rhyw fardd anhysbys a ganai dros wyth gan mlynedd yn ôl. Mae ei ddarlun o garw tenau, cwmanog yn cilio i gysgod blaen rhyw gwm rhag storm o eira, gan grafu torlan y nant â'i droed flaen i chwilio am wreiddiau i'w bwyta, yn awgrymu na fyddai angen llawer o ymdrech ar ran y gnud i'w ladd:[25]

23 FP, 77
24 FP, 70
25 LlDC, 89

Mam yn gwarchod ei llo marw.

Cyfaill blaidd bugail diog.

Kirchid carv crum tal cwm clid . . .
(*cyrcha carw crwm flaen cwm clyd . . .*)

briuhid tal glan gan garn garv cul crum cam
(*malurir y dorlan gan garn carw cul crwm cam*)

Y BLAIDD A'R GIGFRAN

Prin ryfeddol, mae'n debyg, yw'r arwyddion o unrhyw berthynas
gyfeillgar rhwng y blaidd ac anifail o rywogaeth arall. Er hynny, mae
naturiaethwyr wedi sylwi bod perthynas arbennig yn bodoli rhwng
y blaidd a'r gigfran. Peth digon cyffredin yw gweld cigfrain yn dilyn
cnud er mwyn elwa ar weddillion yr ysbail wedi i'r bleiddiaid gael
eu gwala. Ond mae'r berthynas yn un llawer dyfnach na hynny, i'r
graddau eu bod yn ymddwyn yn chwareus tuag at ei gilydd ac yn
rhoi'r argraff eu bod yn mwynhau cwmni'r naill a'r llall.

*'Blaidd ar faen
ni fedr odech.'*
godech = cuddio

Gŵr sydd wedi treulio'i oes yn astudio bleiddiaid ar gyfandir
America yw David Mech, ac yn un o'i lyfrau mae'n manylu ar y
berthynas hon. Gwelir y gigfran yn plymio i lawr am y blaidd ac
yntau'n ei hosgoi cyn neidio i fyny amdani. Dro arall bydd y gigfran
yn ei herio drwy hedfan heibio i'w ben, neu gerdded i fyny ato gan
ei bigo yn ei gynffon a neidio o'r ffordd eiliad cyn iddo daflu haffiad
ati. Yna, wrth i'r blaidd ymlid y gigfran ar hyd y llawr mae hithau'n
gadael iddo gyrraedd o fewn trwch blewyn iddi cyn codi i'r awyr.
Barn David Mech yw bod perthynas wedi datblygu rhyngddynt sy'n
fanteisiol i'r naill a'r llall.[26]

Bu dywediad ymhlith y Cymry am yr eryr a'r gigfran, sef bod
y naill yn gwybod ble roedd brwydr i fod, ond nid yr amser, tra bod
y llall yn gwybod yr amser ond nid y lleoliad. Felly byddai'r eryr yn
clwydo ar glogwyn neilltuol am amser maith yn aros am y frwydr,
a'r gigfran, pan synhwyrai fod yr amser wedi dod, yn hedfan o le i le

Yr eryr a'r gigfran.

---

26 OWM, 67–8

yn chwilio amdani. Tybed a oedd yna reddfau cyffelyb yn perthyn i'r blaidd a'r gigfran a fyddai, o'u cyfuno, o fantais iddynt ill dau.

Byddai'n braf cael prawf bod y Cymry hwythau wedi sylwi ar y berthynas hon, ond prin yw'r dystiolaeth. Mae'n wir bod rhai hen feirdd fel Dafydd Gorlech a Syr Maredudd ap Rhys yn cyplysu'r blaidd a'r frân yn eu cywyddau brud, ond mae'n bur debyg mai cyd-ddigwyddiad yw hynny am fod y ddau i'w gweld yn bwydo ar y lladdedigion yn dilyn brwydr. Y sylw a ddaw agosaf at brofi bod y berthynas yn hysbys i'r Cymry yw un gan brydydd nad oes modd rhoi enw na chyfnod iddo ond sy'n cyfarch y fran fel:[27]

Cares blaidd mewn crys o blu.

Fel y blaidd, mae'r gigfran yn tueddu i lynu wrth yr un safle magu am genedlaethau. Weithiau fe'i ceir yn nythu ar greigiau sydd wedi dwyn ei henw ers canrifoedd. Fodd bynnag, does yr un enghraifft ar gael o enwau megis Craig y Fleiddast a Chraig y Gigfran yn agos at ei gilydd.

Tri pheth sy'n gas bob amser,
Dysgawdwr dwl difeder;
Cigfran wawrddu'n dallu'r ŵyn,
A'r blaidd yn dwyn eu hanner.[28]

27 *Gwyneddon* 9, 97
28 BRYTH 5, 37

2

Y Blaidd ar Hyd yr Oesau

Filoedd ar filoedd o flynyddoedd yn ôl, cyn i'r môr godi a gwahanu Ynysoedd Prydain ac Iwerddon oddi wrth weddill Ewrop, roedd bleiddiaid yn gyffredin yng Nghymru. Yn yr Amgueddfa Genedlaethol yng Nghaerdydd mae casgliad helaeth o'u hesgyrn, gan gynnwys penglogau a dannedd, a ddarganfuwyd mewn ogofâu yng Nghefn Meiriadog, Henllan a Threlawnyd yn y gogledd, ac ym Mhenfro, Ynys Bŷr, Talacharn a Bro Gŵyr yn y de. Gall fod llawer yn rhagor mewn amgueddfeydd eraill. Esgyrn sychion yw'r rhain, wrth reswm, a bydd gofyn symud i gyfnod diweddarach er mwyn cael golwg cliriach ar y blaidd wedi gwisgo croen a chnawd am y sgerbwd.

Esgyrn bleiddiaid y cynfyd mewn ogofeydd.

Y mae'n amlwg oddi wrth dystiolaeth hen greiriau Celtaidd sydd wedi'u darganfod ledled Ewrop fod gan ein cyndeidiau yn y cynfyd gryn barch at y blaidd. Credai Celtiaid y Cyfandir eu bod yn ddisgynyddion Dispater, duw sy'n gysylltiedig ag Annwfn ac a ddarlunnir yn gwisgo clogyn o groen blaidd. Mewn lluniau o'r duw corniog, Cernunnos, mae ganddo flaidd ar y naill ochr iddo a charw ar y llall. Blaidd yw un o'r anifeiliaid sy'n cael eu darlunio ar y fflagon bres o Lorraine sy'n perthyn i'r bedwaredd ganrif cyn

Y duwiau Celtaidd.

Crist, a chafwyd hyd i enau utgorn ar ffurf pen blaidd ysgyrnygus yn Numantia, Sbaen. Ar garreg yn Gellyburn ger Myrthly, swydd Perth yn yr Alban mae cerfiad o ddau filwr yn ymladd mewn mygydau, y naill yn gwisgo pen blaidd, a'r llall ben aderyn. Mae lluniau o fleiddiaid, ceirw a nadredd wedi'u cerfio ar Clach a Charridh (Maen y Gofidiau) rhwng culforoedd Dornoch a Cromarty yn yr un wlad, a cheir llun o fleiddiaid ar groes y farchnad yn nhref Kells yn Iwerddon. Ar ddarn o arian o Lydaw ceir llun o flaidd fel pe bai'n llyncu'r haul a'r lleuad ac yn dal eryr a neidr o dan ei balfau blaen. Ar ddarn arall mae i'w weld ar gefn ceffyl.

Gwnaethpwyd sawl darganfyddiad ar safleoedd Celtaidd, a daeth archaeolegwyr o hyd i weddillion bleiddiaid yn seintwar Digeon (Somme) ac esgyrn palfau blaidd yn Villeneuve-Saint-Germaine, y ddau le yng ngogledd Ffrainc.[29] Yn anffodus does neb a ŵyr beth yn union yw arwyddocâd y darganfyddiadau hyn ond ambell dro fe fydd llên gwerin yn codi mymryn ar gwr y llen. Yn ei gasgliad o lên gwerin Ffrainc a ymddangosodd yn 1680, dywed Charles Estienne Lieboult fod gwisgo esgidiau o groen blaidd yn gwneud plant yn gryf a dewr tra bod gwisgo dant blaidd yn eu cadw rhag bod yn ofnus yn y nos.[30] Byddai hyn yn esbonio diben y casgliad o ddannedd blaidd wedi'u tyllu i'w gwisgo fel cadwen a gafwyd ar safle Celtaidd yn Choicy-au-Banc, Oisie, ychydig i'r gogledd o Paris. Does wybod a oedd yr un arfer yn bod yng Nghymru, ond pan wnaed rhestr o'r eiddo ym mhlas Pant-glas ger Pentrefoelas yn dilyn marwolaeth y penteulu yn niwedd yr ail ganrif ar bymtheg, yno ymhlith y tlysau roedd dau ddant blaidd wedi'u gosod mewn arian.[31] Mae'n hysbys hefyd bod rhai o'r Celtiaid yng Ngâl a fu'n ymladd ag Iwl Cesar yn gwisgo pennau bleiddiaid ar eu helmedau fel arwydd o'u gwroldeb.[32]

Gwisgo esgidiau o groen blaidd yn gwneud plant yn gryf a dewr.

Cadwyn o ddannedd blaidd.

---

29 ACLM, 45; GC, 66; HC, 92, 606; PCB, 186, f102; RAC, 36; TGB, 279
30 FP, 13
31 PRO, TNA/PRO/C5/125/43; (EV)
32 WML, 44

Daeth y Groegiaid a'r Rhufeiniaid i gysylltiad â'r Celtiaid yn gynnar ac mae gan eu hawduron ambell sylw diddorol am eu perthynas â bleiddiaid. Arferai'r Celtiaid hynny eistedd ar grwyn bleiddiaid pan oeddent yn bwyta'u prydau bwyd, a byddent hefyd yn eu defnyddio i orchuddio lloriau eu hystafelloedd. Pwysicach na dim, efallai, yw'r cyfeiriad at y ffaith eu bod yn croesi eu cŵn â bleiddiaid er mwyn cynhyrchu cŵn rhyfel, hynny yw cŵn a fyddai'n ymosod ar rengoedd y gelyn o flaen y milwyr Celtaidd.[33] Dengys tystiolaeth ddiweddarach fod eu cŵn yn mesur dwy droedfedd a hanner ar yr ysgwydd ac yn pwyso can pwys, a phan ychwanegir at hynny eu hegni cymysgryw, gwelir y byddent wedi bod yn ddigon i godi arswyd farwol ar y gelyn dewraf. Yn ôl pob hanes roedd y rhyfelgwn hyn yn bresennol yn y frwydr fawr fu rhwng y Celtiaid a'r Groegiaid yn 273 CC.[34]

Croesi cŵn a bleiddiaid i gynhyrchu rhyfelgwn.

Mae gan y Gwyddelod hwythau eu hanesion a'u chwedlau am gŵn rhyfel ac mae'n debyg mai'r enwocaf ohonynt oedd Ailbe, ci Mesroida Mac Datho, brenin Leinster. Cymaint oedd ei gyflymdra fel y gallai redeg o un pen i'r dalaith i'r llall mewn diwrnod. Rhag siomi brenhinoedd Wlaidd a Connacht a oedd ill dau am ei brynu, fe werthodd Mesroida ei gi i'r ddau ohonynt am chwe mil o wartheg godro, siariod a dau geffyl gwych. Yna pan ddaeth y ddau frenin, pob un â'i fyddin, i hawlio Ailbe, fe safodd Mesroida ar fryn o'r neilltu gyda'i gi wrth dennyn yn gwylio'r ymateb. Dechreuodd y ddwy fyddin ymladd, a phan oedd y frwydr ar ei ffyrnicaf gollyngodd Mesroida ei gi i weld gyda pha fyddin y byddai'n dewis ymladd. Ochrodd Ailbe â byddin Wlaidd a chydiodd yn echel siariod tywysogion Connacht i'w rhwystro rhag dianc. Llwyddodd y siariodydd i dorri pen y ci i ffwrdd o'i gorff ond daliodd y pen ei afael yn yr echel yr holl ffordd o Ballaghmoon yn Kildare i Farbill yn Westmeath lle syrthiodd i'r rhyd a elwir yn Ath Cind Chon (Rhyd Pen y Ci).[35]

Ailbe, rhyfelgi'r Gwyddelod.

Enwogrwydd y rhyfelgwn Gwyddelig.

---

33 ACLM, 42, 66
34 NHD, 28
35 IWH, 2–4

Er nad yw hanes Ailbe ond chwedl, mae'n cadw cof am gŵn gwirioneddol a oedd yn eu dydd yn adnabyddus drwy Ewrop am eu ffyrnigrwydd fel rhyfelgwn. Yn y flwyddyn 391 nododd y Conswl Quintius Aurelius Symmachus fod y Rhufeinwyr wedi rhyfeddu at y saith ci Gwyddelig a anfonodd ei frawd Flavius i ymladd yn y Gêmau yn Rhufain.[36]

OC 1–1000

Er y gellir bod yn hyderus bod yna fleiddiaid yng Nghymru, fel ym mhob cwr o Brydain, yn ystod y mileniwm cyntaf o Oed Crist, prin iawn yw'r cyfeiriadau atynt mewn cofnodion cynnar. A barnu wrth yr hyn a ddywed Cyfraith Hywel, roedd yn rhydd i unrhyw un ladd blaidd am nad oedd daioni yn perthyn iddo. Er bod cig arth yn dderbyniol gan ein hynafiaid, nid felly cig y blaidd. Fel y dywed yr hen ddihareb: 'Mwy nag y mae da i'r blaidd nid da ei isgell'. Hen air Cymraeg am gawl neu botes yw isgell, ac ergyd y ddihareb yw nad oes unrhyw werth i gawl cig blaidd mwy na sydd i'r blaidd ei hun. Wyth ceiniog oedd gwerth ei groen, yr un fath â chroen llwynog neu ddyfrgi, er bod crwyn y rheini'n llawer llai mewn cymhariaeth. Ond mae'r blaidd yn cael llawer mwy o sylw mewn barddoniaeth Gymraeg gynnar, a'r parch tuag ato yn amlwg. Ni allai'r beirdd dalu teyrnged uwch i unrhyw dywysog o Gymro na'i gyfarch fel blaidd, cadflaidd neu aerflaidd (blaidd brwydr), bleiddiad (ymladdwr fel blaidd), neu dyrnflaidd (math o bastwn â phen pigog, *halbert*), ac mae'r termau hyn yn britho'u gwaith.

Yn rhyfedd iawn nid o Gymru ei hun y daw'r cyfeiriadau cynharaf ond o'r Hen Ogledd, lle roedd nifer o daleithiau yn siarad iaith debyg i'r Gymraeg: Ystrad Clud a Gododdin yn ne'r Alban, a Rheged, Bryneich ac Elfed yng ngogledd Lloegr. Wrth ganmol dewrder a gorchestion y milwyr a syrthiodd ym mrwydr Catraeth

---

36 OW, 165

tua diwedd y chweched, ganrif dywed y bardd Aneirin am Gwenabwy
fab Gwen y mentrai gydio yng ngwar blaidd â'i ddwylo noethion heb
fod ganddo bastwn (dyrnflaidd, efallai) i'w amddiffyn ei hun; sylw
sy'n dweud llawer am feiddgarwch neu ryfyg helwyr bleiddiaid yr oes
honno.[37]

Am Hyfaidd, un arall o laddedigion Catraeth, dywed Aneirin
i'w einioes ddod i ben cyn iddo gyrraedd oed priodi, ond mae ei ddull
o fynegi hynny'n drawiadol:[38]

> Cynt yn gig i flaidd nac i neithior
> Cynt yn fwyd i fran nac i allor   (diweddariad)

Dyma gyfeiriad at olygfa gyffredin y dyddiau hynny: bleiddiaid
a brain yn bwydo ar gyrff milwyr marw a chlwyfedig yn dilyn
brwydr. Digwydd y darlun dro ar ôl tro ym marddoniaeth yr
Oesau Canol, sef bleiddiaid yn gwledda ar gelanedd maes y gad a'r
rhyfelwr llwyddiannus yn cael ei gyfarch fel un sy'n darparu bwyd i
fleiddiaid.

Bleiddiaid yn gwledda ar gelanedd maes y gad.

Roedd hon yn thema boblogaidd gan feirdd Llychlyn yn ogystal
â rhai Cymru. Pan orchfygodd Thorffin, pennaeth Ynysoedd Erch, ei
gefnder Duncan, brenin yr Alban, mewn brwydr yn Torfnes oddeutu
1034–40, fe ganodd ei fardd am y modd yr oedd yr arfau cochion wedi
porthi bleiddiaid Torfnes.[39] Ychydig yn ddiweddarach, ym mis Medi
1069, gorchfygwyd byddin o Normaniaid yn Efrog gan Waltheaof fab
Siward o Denmarc gan ladd tair mil ohonynt, a chanodd ei feirdd am
y modd y cyflwynodd y celanedd yn wledd i fleiddiaid Northumbria.[40]
Yr awgrym, efallai, yw iddo wneud hynny'n fwriadol fel amarch
neu sarhad. Mae'n ddigon tebyg mai felly y byddai'r Eglwys wedi
gweld y peth gan ei bod yn ystyried blaidd yn aflan, ac ar un adeg yn

---

37 GA, 33
38 GA, 57
39 OS, 167
40 BAE, 134

gwahardd Cristion rhag bwyta cig unrhyw anifail a gafodd ei glwyfo gan flaidd.[41]

I ddychwelyd i Gymru, hanesyn sydd wedi cael ei ailadrodd hyd syrffed yw'r un a ddaeth yn wreiddiol o gronicl William o Malmesbury sy'n dweud bod Edgar, brenin y Saeson 959–75 wedi hawlio treth o dri chan phen blaidd y flwyddyn gan Idwal (neu Ieuaf), brenin Gwynedd.[42] Ond ar ôl tair blynedd roedd y cyflenwad wedi'i ddisbyddu, a'r awgrym yw mai dyna ddiwedd bleiddiaid yng Nghymru. Tueddu i amau William mae haneswyr bellach, ond gan fod Athelstan, ewythr Edgar, wedi gosod treth o hebogiaid a chŵn i hela bwystfilod gwylltion ar un o frenhinoedd yr Hen Ogledd genhedlaeth ynghynt, fe all fod rhyw rithyn o wir yn yr hanes. Serch hynny, mae'n amheus a fyddai awdurdod Idwal wedi ymestyn dros ddigon o dir i dalu'r dreth am flwyddyn, lai fyth am dair, a bwrw fod ganddo'r gallu i'w dal yn y fath niferoedd. Ta waeth am hynny mae'r hanes wedi'i ddarlunio mewn cerflun o Edgar ar wyneb gorllewinol y gadeirlan yng Nghaerlwytgoed (Lichfield), lle mae'n eistedd a phen blaidd wrth ei droed.

Treth o dri chan pen blaidd.

Pan osodwyd cledrau rheilffordd o Henffordd i Aberhonddu oddeutu 1862–4 mae sôn bod penglogau rhai cannoedd o fleiddiaid wedi'u darganfod wrth dorri bwlch trwy'r ddaear yn ymyl Castell Clifford ychydig i'r gogledd o'r Gelli Gandryll. Fe barodd hynny i rai pobl ddamcaniaethu mai yno y claddwyd pennau bleiddiaid Idwal.[43] Yn anffodus does yr un cofnod dibynadwy o'r darganfyddiad honedig hwnnw ar gael bellach.

Darganfod penglogau bleiddiaid ar y Gororau.

1100–1200

Gallai'r gaeaf fod yn amser caled i fleiddiaid, gyda'r prae gwyllt yn prinhau a hwythau'n gorfod troi eu sylw at greaduriaid dof am

---

41 BAE, 124
42 HW 1, 349
43 TWNFC 1893–4, 256

Edgar a'r pen blaidd yng Nghaerlwytgoed. Llun: trwy garedigrwydd Eglwys Gadeiriol Caerlwytgoed.

damaid o fwyd. Ar adegau felly fe allai celanedd yn dilyn brwydr fod yn fendith annisgwyl i'r gnud. Ddydd Calan yn y flwyddyn 1136 fe fu brwydr rhwng y Cymry a'r Normaniaid ar y Garn Goch ger Penlle'r-gaer yng ngorllewin Morgannwg pan laddwyd 516 o filwyr. Yn ôl un cofnod doedd yr olygfa a ddilynai'r frwydr ddim yn un ddymunol, gyda chyrff y lladdedigion wedi cael eu llusgo o gwmpas y lle a'u hanner bwyta gan fleiddiaid.[44] Mae'n rhaid bod nifer helaeth

Brwydr y Garn Goch ger Penlle'r-gaer.

44 HG, 5, 24, 29

o fleiddiaid yn y cyffiniau i achosi'r fath anrhaith ac fe fydd hynny'n taro'n chwithig i'r sawl sy'n gyfarwydd â'r ardal weddol boblog hon fel y mae hi heddiw. Ond mae'r enw Gorseinon tua'r gorllewin yn awgrymu bod yno unwaith gors a fyddai wedi cynnig lloches iddynt. Yn wir nid oes rhaid ond teithio ar y trên i fyny gyda glannau Llwchwr neu yrru car gydag arfordir lleidiog gogledd Gŵyr i sylweddoli cymaint o dir diffaith sydd yno o hyd a fyddai wedi bod yn ddarpar gynefin i fleiddiaid.

Un mlynedd ar hugain yn ddiweddarach, yn 1157, fe fu brwydr yng Nghoed Pennardd Alaog – Penarlâg, Sir y Fflint heddiw – rhwng Owain Gwynedd a Harri II lle bu bron i'r brenin ifanc gael ei ladd wrth arwain ei fyddin drwy'r goedwig.[45] Yr hyn a ddenodd sylw Gerallt Gymro ynglŷn â'r frwydr oedd hanesyn a glywodd am Gymro ifanc a laddwyd yno, a'i filgi'n gwarchod ei gorff marw rhag bleiddiaid ac adar ysglyfaethus am wyth niwrnod er ei fod bron â marw o newyn ei hunan.[46] Nid yw'n eglur a oedd y llanc yn ymladd yn y frwydr; os oedd, mae'n deg gofyn a oedd y milgi'n rhan o'i arfogaeth fel rhyfelgwn-croes-fleiddiaid y Celtiaid.

Milgi yn gwarchod corff ei feistr.

Ac nid dyma'r unig sylw o eiddo Gerallt sy'n awgrymu bod milgwn yn parhau i gael eu defnyddio i ymladd mewn sgarmesoedd, os nad mewn brwydrau, mor ddiweddar â'r ddeuddegfed ganrif. Dro arall mae'n cyfeirio at filgi mawr brych oedd gan Owain ap Caradog ab Iestyn un o dywysogion Morgannwg. Rhywbryd cyn y flwyddyn 1183 fe laddwyd Owain gan ei frawd Cadwallon. Dyw'r amgylchiadau ddim yn glir ond yn ystod y sgarmes cafodd y milgi brych ei anafu saith o weithiau gan saethau a gwaywffyn, ond nid cyn iddo niweidio'r gelynion yn bur ddrwg. Yn wahanol i'w feistr fe wellodd clwyfau'r milgi a chafodd ei anfon at Harri II yn dystiolaeth o'i wrhydri.[47]

Milgi brych Owain ap Caradog.

45 CHC 3, 251–3
46 ITW, 130
47 ITW, 63

Yn ystod y cyfnod cythryblus a ddilynodd farwolaeth Harri I yn 1135 fe symudodd mynaich Llanddewi Nant Hodni o'u cynefin anghysbell yn y mynyddoedd rhwng y Gelli Gandryll a'r Fenni i le diogelach ar gyrion tref Caerloyw. Ond wedi profi bywyd esmwyth ar lawr gwlad doedd hi ddim yn hawdd eu cael i ddychwelyd i Landdewi, ac roedd eu dadl 'pwy fyddai'n mynd i ganu i fleiddiaid' ac 'ydi cenawon bleiddiaid yn mwynhau miwsig uchel' yn awgrymu bod bleiddiaid yn gyffredin yno ar y pryd.[48] Nid yw hynny'n syndod gan fod Gerallt tua'r un adeg wedi sylwi bod digonedd o geirw'n pori'r mynydd-dir o gwmpas.

Bleiddgi Iwerddon. Ci heb ei ail am hela bleiddiaid. Llun: British Library Board. Cedwir pob hawl: 64.E.1.

48 SALIP, 25

*Blaidd cynddeiriog
Caerfyrddin.*

Fel arfer, cilio o olwg dyn a wnaiff blaidd hyd yn oed pan fo'n eithriadol o newynog, ond os yw'n dioddef o'r gynddaredd mae ei natur yn newid yn llwyr. Bryd hynny fe fydd yn troi'n gwbl eofn ac yn ymosod ar unrhyw beth o fewn ei gyrraedd. Yn 1166, deng mlynedd ar hugain ar ôl brwydr y Garn Goch, fe aeth blaidd cynddeiriog (un yn dioddef o'r gynddaredd) i mewn i dref Caerfyrddin a brathu dau ar hugain o bobl cyn cael ei atal, a bu'r rhan fwyaf ohonynt farw.[49] Mae'r ffaith bod y blaidd hwnnw wedi mentro i mewn i dref â mur o'i chwmpas yn dangos pa mor wahanol yw ymddygiad blaidd cynddeiriog i un iach. Does dim modd gwybod pa mor gyffredin oedd y gynddaredd ymhlith bleiddiaid ond fe allai esbonio pam roedd ambell flaidd yn troi ar ddynion a'u lladd neu eu hanafu tra bod eraill yn cilio o'r neilltu. Byddai hefyd yn un modd o esbonio ambell gofnod sydd i'w gael mewn dogfennau Gwyddelig, fel yr un yn *Annals of Connacht* am 1420 sy'n dweud bod llawer o bobl wedi'u lladd gan fleiddiaid y flwyddyn honno.[50]

Ac eithrio'r hyn a gawn gan Gerallt Gymro, prin eithriadol yw unrhyw gofnodion am fleiddiaid yng Nghymru'r ddeuddegfed ganrif, felly nid oes modd barnu a oeddent yn parhau'n weddol gyffredin ai peidio. Ac nid oes fawr mwy o dystiolaeth o'r Gororau oherwydd y mae'n gyfyngedig i ambell gofnod cwta yn unig, fel yr un am awdurdodau esgobaeth Henffordd yn talu deg swllt am dri blaidd a laddwyd yn 1167: *pro tribus Lupis capiendis.*[51]

Soniwyd eisoes am gyfeiriadau'r beirdd cynnar yng Nghymru a Llychlyn at fleiddiaid yn gwledda ar y lladdedigion yn dilyn brwydr. Dyna ddarlun sydd i'w gael byth a beunydd yng ngweithiau'r beirdd a ganai i dywysogion Cymreig y ddeuddegfed ganrif hefyd. Gellid dadlau mai dilyn hen gonfensiwn oedd y beirdd ac nad oedd golygfeydd felly i'w gweld o reidrwydd

Pawen flaen

---

49 BAE, 137
50 EIF, 187
51 BAE, 137

erbyn y cyfnod dan sylw. Ond gan fod gennym dystiolaeth am yr hyn a ddigwyddodd yn dilyn brwydr y Garn Goch, fe fydd yn werth talu peth sylw i'r hyn sydd gan Feirdd y Tywysogion i'w ddweud.

Pan fu farw Owain Gwynedd yn 1170 fe sylwodd Cynddelw Brydydd Mawr y byddai'r bleiddiaid ymhlith y rhai fyddai'n galaru ar ei ôl gan y byddent wedi colli'r sawl oedd yn eu bwydo.[52] A da y gallai ddweud hynny ac Owain yn ystod gyrfa filwrol a barhaodd am oddeutu hanner can mlynedd wedi ymestyn terfynau Gwynedd o lannau Dyfrdwy hyd lannau Teifi trwy frwydro. Ar lannau Teifi, yn 1136, y cafodd Owain Gwynedd un o'i fuddugoliaethau mawr pan chwalodd fyddin gref o Normaniaid, tanio tref Aberteifi, a gyrru'r rhai oedd yn dal yn fyw ar ffo drwy'r afon. Fe fyddai wedi bod yn bur anodd i'r gwŷr meirch Normanaidd yn eu harfwisgoedd trymion rydio'r afon ar gwr y dref lle mae ei glennydd, hyd yn oed heddiw, yn lleidiog a chorsiog. Nid rhyfedd felly fod sôn am lif yr afon yn cael ei dagu gan gyrff milwyr a meirch. Fel y dywedodd Cynddelw am y frwydr:[53]

Owain Gwynedd a brwydr Aberteifi.

> Gwelais gadau geirw a rhudd feirw rhain
> *Gwelais fyddinoedd creulon a meirwon gwaedlyd, sythion*
> Oedd rydd i fleiddiau eu hargyfrain
> *Oedd yn rhydd i fleiddiaid eu claddu*

Mewn arolwg o Aberteifi a wnaed yn 1300 mae porth dwyreiniol y dref yn cael ei alw'n Borth y Blaidd (Porta Lupus).[54] Hawdd fyddai i rywun ddamcaniaethu iddo gael ei enw am fod bleiddiaid i'w gweld oddi yno yn gwledda ar gyrff lladdedigion y mynych sgarmesoedd yng nghysgod y castell, ond mae'n ddigon posibl bod esboniad symlach pe bai modd taro arno. O leiaf, nid dyma'r unig Borth y Blaidd gan mai Wolfgate oedd enw un o byrth dwyreiniol dinas Caer yn Lloegr.

---

52 GCBM 2, 65
53 CGBM 2, 8–10
54 CER 9, 336–

Owain Cyfeiliog yn porthi bleiddiaid.

Canodd Cynddelw i Owain Cyfeiliog, un o dywysogion Powys, hefyd, ac er mwyn cyfleu amlder ei frwydrau dywed fod Owain yn gynefin â gweld cnudoedd o fleiddiaid yn gwledda ar gnawd y meirw ar lawr dyffryn yn dilyn brwydr: [55]

> Brondor wrdd orddrud, orddyfniad – cnudoedd
> *Amddiffynnwr cadarn a rhyfygus,*
> *un cynefin â gweld chnudoedd*
> Uch cnawd meirw ar ystrad
> *Uwch cnawd meirwon ar lawr dyffryn*

Un o'r darluniau mwyaf trawiadol yn ymwneud â bleiddiaid yw'r un mewn cerdd gan y bardd Gwalchmai ap Meilyr i Rhodri, un o feibion Owain Gwynedd. Yn dilyn brwydr lwyddiannus darlunnir Rhodri'n mynd tua thre gyda gyr o wartheg ysbail yn brefu'n uchel wrth ddringo'r rhiw o'i flaen, ac o'i ôl adar sglyfaethus a bwystgunion (sef bleiddiaid) yn pesgi ar y lladdedigion: [56]

> Ban bref biw yn rhiw rhag ei ddeon
> *Swnllyd yw bref gwartheg ar riw o flaen ei bendefigion*
> Pan ortheol cad cedawl wron.
> *Pan yrra'r gwron hael [sef Rhodri] fyddin yn ei hôl*
> Ban baisg berïon a bwystgunion-coed
> *Pan besga adar prae a bleiddiaid coed*

bwystgunion = bleiddiaid

1200–1300

Er bod beirdd y drydedd ganrif ar ddeg yn parhau i gyfarch eu tywysogion fel bleiddiaid mewn brwydr, eithriad erbyn hynny oedd sôn amdanynt fel rhai fyddai'n porthi bleiddiaid â'r celanedd. Fodd bynnag, mae'n haws credu mai delwedd wedi chwythu ei phlwc oedd hi yn hytrach na bod lleihad sylweddol wedi bod yn nifer y bleiddiaid.

---

55 GCBM 1, 197
56 GMB, 244–6

O leiaf doedd dim prinder ohonynt ar y Gororau. Yn ôl un hanesyn, pan ddaeth Harri III i aros i Gastell Paen i'r gogledd o'r Gelli Gandryll am rai misoedd yn 1231, sylwodd fod bleiddiaid yn fwy niferus yno nag yn unrhyw ran arall o'i deyrnas a gorchmynnodd eu difa i gyd. Does yr un cofnod swyddogol o'r gorchymyn ar gael, ond mae digon o dystiolaeth iddo roi tiroedd i unigolion yn Lloegr ar yr amod eu bod yn difa bleiddiaid ble bynnag y byddent i'w cael.[57]

Harri III yng Nghastell Paen.

Os rhywbeth, fe fu Edward I, mab Harri III, yn fwy egnïol fyth yn gwaredu'r Gororau o fleiddiaid. Ar 30 Mawrth 1281 rhoddodd drwydded i Richard Talebot i ddifa'r llwynogod, y cathod gwylltion a'r bleiddiaid yn Fforest Dena, Swydd Gaerloyw rhag iddynt beryglu ei geirw a'i gwningod. Llai na deufis yn ddiweddarach, 14 Mai 1281, rhoddodd writ i Peter Corbet i ddifa'r bleiddiaid yn fforestydd a phercydd swyddi Amwythig, Henffordd a Chaerloyw. Ymhen wythnos go dda, ar 23 Mai 1281, rhoddodd drwydded i Abad Sain Pedr, Caerloyw, i dorri prysgwydd trwchus Hope Maloysel yn Fforest Dena am eu bod yn lloches i fleiddiaid – ac yn rhwystr i Richard Talebot fwrw ymlaen â'i orchwyl, mae'n bur debyg. Yna, ym mis Tachwedd yr un flwyddyn cafodd Roger Mortimer drwydded gan y brenin i hela llwynogod, ysgyfarnogod, moch daear, cathod gwylltion a bleiddiaid yn Swydd Amwythig.[58]

Difa bleiddiaid y Gororau.

Myn traddodiad fod y ddelw o ben blaidd sydd i'w gweld ar un o golfachau drws eglwys Abaty Deur (Abbey Dore) ar fin y B4347, ryw ddeuddeg milltir i'r gogledd-ddwyrain o'r Fenni, wedi'i gosod yno i gofio'r ymgyrch yn erbyn bleiddiaid y fro yn nyddiau Edward I.

O ystyried yr ymdrech a wnaed gan Edward i ddifa bleiddiaid ar y Gororau mae'n anodd credu na fyddai wedi gweithredu'r un polisi yng Nghymru

---

57 THSC 1910–11, 92; BAE, 141
58 CPR (1272–81), 429, 435–6

Llosgi cynefin bleiddiaid Cymru.

yn dilyn cwymp Llywelyn y Llyw Olaf yn 1282. Er nad oes tystiolaeth uniongyrchol i hynny ddigwydd, mae'n wybyddus bod torri a llosgi coedwigoedd o gwmpas cestyll a chreu ffyrdd llydain oddeutu lled ergyd bwa (200 llath) wedi digwydd yn nyddiau ei dad, ac fe gadwodd y mab at yr un cynllun. Dyna mae'n debyg yw arwyddocâd 'Coed Poeth' sy'n digwydd yn aml fel enw lle. Yn ystod ei ymgyrchoedd yng Nghymru yn 1277, 1282–3 ac wedyn yn 1294–5, fe gyflogodd Edward filoedd o goedwigwyr profiadol i gyflawni'r gwaith hwnnw. Yn fwy arwyddocaol fyth fe sefydlwyd nifer o fforestydd helaeth ledled y wlad i ddarparu helwriaeth ar gyfer y brenin a'i bendefigion; nid fforestydd fel y byddwn ni heddiw yn synied amdanynt ond tiroedd geirwon o bob math yn amrywio o fynydd-dir a rhostiroedd agored i goedwigoedd trwchus. Yn naturiol ddigon, y cam cyntaf a gymerid

Dim croeso i fleiddiaid yn y fforestydd.

i warchod ceirw o fewn y fforestydd oedd difa'r bleiddiaid, a phan ystyriwn fod dros gant o fforestydd yn ne Cymru, mae'n amheus a oedd braidd unman ble y gallent deimlo'n ddiogel.

　　Nid damwain chwaith yw'r ffaith fod dwy o'r fforestydd mwyaf wedi'u lleoli yng nghadarnleoedd y tywysogion Cymreig, broydd anhygyrch a fu'n lloches iddynt mewn argyfwng am ganrifoedd. Y naill, Fforest Glyncothi, rhwng afonydd Teifi a Chothi yn y Cantref Mawr, a'r llall, Fforest Eryri, yn y gogledd-orllewin;[59] broydd hefyd lle mae tystiolaeth enwau lleoedd a nodweddion eraill yn awgrymu i fleiddiaid fod yn gyffredin yno ar un adeg.

1300–1400

Mae'n deg gofyn felly a oes unrhyw arwyddion bod cynllun tybiedig Edward I wedi llwyddo ac nad oedd bleiddiaid mor niferus yng Nghymru yn ystod y ganrif ddilynol. Er mai tila iawn yw'r dystiolaeth y mae'n werth sylwi ar ambell lygedyn a allai awgrymu hynny.

59　WWF, 36

Bardd a fu byw drwy ran helaeth o'r ganrif oedd Dafydd ap Gwilym (bl. 1320–70). Teithiodd drwy Gymru benbaladr ac mae'n amlwg o'i ganu ei fod yn ymwybodol o'r natur wyllt o'i gwmpas. Canodd gywyddau i hanner dwsin o wahanol adar, i'r llwynog, i'r ysgyfarnog a'r carw.[60] Serch hynny does ganddo'r un cywydd i'r blaidd, neu o leiaf ni chadwyd yr un. I ddweud y gwir mae'n amheus a ddefnyddiodd Dafydd y gair blaidd fwy nag unwaith mewn dros gant a hanner o gywyddau. Hyd yn oed wrth gyfarch y carw a'i rybuddio i fod ar ei wyliadwriaeth rhag saethau a chŵn nid yw'n yngan gair am y blaidd, ei elyn traddodiadol. Tybed a oedd bleiddiaid mor brin erbyn cyfnod Dafydd fel na fyddent byth yn croesi ei lwybr?

Bleiddiaid yn prinhau?

Ymhlith dogfennau'n gysylltiedig â bwrdeistref Holt mae cofnod o'r tollau y byddai'n rhaid i'r sawl a werthai grwyn anifeiliaid gwylltion eu talu yn y ffeiriau tua 1391. Fe enwir crwyn ysgyfarnogod, cwningod, llwynogod, cathod (rhai gwylltion, mae'n debyg) a cheirw ond nid oes sôn o gwbl am grwyn bleiddiaid, sy'n awgrymu nad oeddent yn anifeiliaid cyffredin yn y parthau hynny chwaith erbyn diwedd y ganrif.[61] Fodd bynnag, camgymeriad fyddai mynd mor bell â dweud nad oedd yr un blaidd ar ôl yng Nghymru erbyn diwedd y bedwaredd ganrif ar ddeg.

Bleiddgwn Castell y Waun.

Eiddo'r Mortimeriaid, sef teulu'r gŵr a gafodd drwydded i ddifa bleiddiaid Swydd Amwythig yn 1281, oedd Castell y Waun ger Croesoswallt, ac yng nghyfrifon y stad hanner can mlynedd yn ddiweddarach mae cofnod am fagu torraid o fleiddgwn yno:[62]

> 1329/30   Expenses of the Lord's Wolfhound
> & her 8 puppies from the Feast of
> St Michael to the Feast of St Andrew   12s
> Expense of hound after delivering
> her puppies from St Andrew to St Michael   10s

60 GDG
61 TCHSDd 14, 36
62 CCC, 50

Awgryma'r cofnod hwn nad oedd bleiddiaid wedi llwyr ddiflannu o'r Gororau. Gwelir bleiddiaid ar lidiardau Castell y Waun hyd heddiw.

1400–1500

Yn ystod ail hanner y bymthegfed ganrif roedd gŵr tra diddorol yn byw yng Nghaer-gai, ffermdy sydd i'w weld o hyd uwchlaw Llyn Tegid rhwng Llanuwchllyn a'r Bala. Ei enw oedd Tudur ab Ieuan ab Iorwerth Foel, neu Tudur Penllyn, porthmon, masnachwr gwlân a bardd tan gamp.

Damwain anffodus Tudur Penllyn.

Roedd yn arferol i feirdd yr oes honno gael eu gwahodd i blasau'r bonheddwyr yn ystod gwyliau'r Nadolig, y Pasg a'r Sulgwyn i ymuno yn y wledd ac i ddiddanu'r cwmni drwy ganu cywyddau mawl i'r penteulu a'i wraig. I ychwanegu at y rhialtwch o gwmpas y byrddau byddai'r beirdd yn troi ar un o'u plith eu hunain gan anelu englynion ato yn ei ddychanu neu'n gwneud cyff gwawd ohono a byddai yntau'n ceisio'i amddiffyn ei hun ar gân. Mae'n bosibl mai ymateb i sefyllfa felly mae Tudur yn yr englyn a ganlyn:[63]

> Son a fu'n Nannau, yn sanan – am flaidd,
> > Erwraidd yw'r aran;
> > Son yn y Rug, synnwyr wan,
> > Troi i'm clun, taer y'm canlynan'.

Mae'r ystyr ymhell o fod yn eglur ond ymddengys fel petai rhyw flaidd *erwraidd* [64] wedi bod yn destun siarad mewn dau blas cyfagos, Nannau yn Llanfachreth a'r Rug ger Corwen, a bod rhywrai'n gwawdio Tudur ynghylch ei glun.

Efallai nad yw'r englyn hwn yn golygu nemor ddim ar ei ben ei hun ond mae cyfres o englynion a ganodd Ieuan mab Tudur, a oedd hefyd yn fardd, ac ymateb Guto'r Glyn, yn taflu rhagor o oleuni ar y

---

63   GTP, 61
64   erwraidd = dewr

sefyllfa. Dweud mae Ieuan nad oedd ganddo frodyr na chwiorydd am fod blaidd wedi sbaddu ei dad ac i hynny ddigwydd gerllaw Alltygwinau sydd ond rhyw bum milltir o Gaer-gai. Mae yno ffermdy o'r un enw heddiw (SH 839 254), islaw'r A494 rhwng Rhyd-y-main a Llanuwchllyn.

Ymateb ei fab, Ieuan ap Tudur.

Ieuan ap Tudur Penllyn yn Dywedyd Fyned o'r Blaidd â Cheilliau ei Dad[65]

Fy nhad oedd gachiad, guchiau – tylluan,
    Nid llawen ei ruddiau,
    Dyn a ŵyl dan ei aeliau
    Wedi'i radd y dŵr o'i iau.

Bwriad a wnaethoedd y borau – o'r blaen
    Heblaw Alltygwinau;
    Blaidd a wnaeth, chwe blwydd neu iau,
    Fry â dant ei frad yntau.

Gwylied ei fantais ddydd golau – ddigon
    Ar ei ddwygaill gnapiau;
    Glynu fyth, gwae'r galon fau,
    Yn ei rawn a'i arennau.

Bwriad yr eilwaith heb oriau – peraidd,
    Poered ar ei geilliau;
    Blaidd a gaiff, chwe blwydd ac iau,
    Fal y gleisiad fol gloesau.

Cyrchu'r oedd y pryf, ci o warchae – drwg,
    Wrth ei drwyn a'i ffroenau;
    Mae ôl dannedd, medd y mau,
    Hwnnw dan fy nhad innau.

---

65 GTP, 90–1

Nid oedd ef deilwng, medd dau, – i'w farwn
    I'w fwrw ymysg bleiddiau,
    Neu at lew wedi'i wtláu,
    Neu at gŵn neu gat gwinau.

Ni bydd chwiorydd, chwarae – bwriadus,
    Na brodyr i minnau;
    Ni chair had o'r meddwdad mau,
    Nis gall am nad oes geilliau.

ATEB GUTO'R GLYN [66]

Och wŷr, a glywsoch werin – y damwain,
    Fod yma ledfegin,
    Yn llwyd fal y dunnell win,
    Yn llawn hyd ei benllinin?

blaidd lledfegin =
blaidd wedi ei led
fagu, hynny yw,
wedi ei 'ddofi'.

Ni âd gwraig ar graig nac ar egin – haidd,
    Y dyrnflaidd cadarnflin,
    Nac yn ŵr heb gnoi'i eirin,
    Ni chal dew uwchlaw ei din.

Yseiliodd Dudur; oes Silin – a'i cudd
    Cywyddol fal Merddin?
    Ni mynnai fwyd mewn ei fin
    Eithr cwthr yr Athro Cethin.

Nid cyfan achlân uwch ei lin – a'i gorff
    Nac arffed na bontin,
    Na bol crych na balog crin,
    Na thor ffordd y gwnaeth eirin.

---

66 GGG, 93

Nid yw bodolaeth yr englynion hyn yn profi bod y stori'n wir, wrth gwrs; efallai mai tipyn o hwyl ddiniwed ymhlith cwmni o feirdd oedd y cwbl. Yn un peth roedd gan Tudur Penllyn o leiaf un ferch a dau fab. Serch hynny, mae'n anodd credu nad oedd rhyw lygedyn o wirionedd yn perthyn iddi.

Mae gan Tudur Penllyn un cywydd sy'n dangos bod gwartheg a lloi yn arfer pori'r llechwedd gyferbyn ag Alltygwinau o Gwmdadu cyn belled ag Aran Fawddwy yn y dyddiau hynny.[67] Petai bleiddiaid yn y cyffiniau byddent yn berygl bywyd iddynt, yn enwedig i'r lloi ifanc, a byddai'n naturiol i Tudur, ac yntau'n porthmon, ymuno â helfa i'w difa.

Natur blaidd ar ôl blino rhedeg yw sefyll i ymladd, a dyna pryd y bydd beryclaf. Ar adeg felly byddai'n hawdd iawn i heliwr gael ei anafu wrth ruthro ymlaen i'w ladd. Tybed ai dyna a ddigwyddodd i Tudur, ond bod y beirdd wedi gorliwio'r digwyddiad?

Yn ei englyn cyntaf mae Guto'r Glyn yn cyfeirio at y blaidd fel 'lledfegin', sef anifail gwyllt wedi'i ddofi. Os anifail dof oedd y blaidd a niweidiodd Tudur Penllyn, mae'n werth cyfeirio at anafiadau tebyg a gafodd dau ŵr yn yr Eidal yn gymharol ddiweddar. Cafodd y ddau eu brathu yn eu pidynnau yn hollol ddirybudd gan fleiddast ddof a oedd hyd hynny wedi ymddwyn yn gyfeillgar tuag atynt. Nodwyd mai gwŷr mewn oed, tawedog, eiddil a byr o gorffolaeth a ddioddefodd yr ymosodiadau hynny. Tybed ai gŵr felly oedd Tudur Penllyn?

Mae'n rhaid bod y porthmyn cynnar wrth yrru'u hanifeiliaid ar draws gwlad wedi bod yn ymwybodol iawn o'r perygl o du bleiddiaid, ond nid yw'n ymddangos i hynny fennu dim ar Guto'r Glyn pan oedd wrth y gorchwyl. Yn un o'i gywyddau mae'n sôn am ei

Tudur Penllyn y porthmon yn camu'n rhy agos i flaidd?

---

67 GTP, 54–6

drafferthion yn gyrru ŵyn o gyffiniau Corwen i Coventry rywbryd cyn 1465.[68] Boddai rhai wrth rydio afonydd tra câi eraill eu dal mewn mieri neu eu lladd gan gŵn. Nid yw'n dweud gair am fleiddiaid, sy'n awgrymu nad oedd yn eu gweld fel bygythiad mawr i'r dwyrain o Gorwen, beth bynnag am weddill Cymru erbyn canol y ganrif.

68 GGG, 84–6

3

Diflaniad y Blaidd

Cwestiwn y bydd yn rhaid ei ystyried yw a oedd yna gyflenwad digonol o anifeiliaid prae i gynnal y blaidd yng Nghymru hyd ddiwedd y bymthegfed ganrif, ac ai diffyg yn y cyflenwad hwnnw fu'n gyfrifol am ei ddiflaniad?

A barnu wrth y patrwm mewn gwledydd eraill, mae i geirw ran bwysig os nad hanfodol yng nghynhaliaeth bleiddiaid. O'r Ffindir daw sôn am un blaidd unig yn lladd un carw ar hugain mewn dau ddiwrnod ar bymtheg, er na lwyddodd i fwyta ond darnau ohonynt. Enghraifft eithafol, mae'n siŵr, ond un sy'n tanlinellu'r ffaith nad ar ryw sgyfarnog neu ddwy y bydd byw blaidd. Yn wir, mae un naturiaethwr wedi awgrymu bod angen cant o geirw i bob blaidd er mwyn sicrhau ymborth cynaliadwy i'r gnud. Un prawf o'u pwysigrwydd yw na pharhaodd bleiddiaid yn Bafaria ond am ryw ddeugain mlynedd ar ôl diflaniad y ceirw oddi yno.

Y mae'n amhosibl i ni heddiw amgyffred sut le oedd Cymru bum cant i fil o flynyddoedd yn ôl pan oedd y blaidd yn rhan o'r tirlun. Mae amlder enwau megis gwern, cors, gwaun, rhos, mign, morfa, craig a

'Cyn fached â chribau bleiddiau.'
cribau bleiddiau =
planhigyn cacamwnci

*Dibyniaeth y blaidd
ar geirw.*

choed, sy'n britho'r mapiau manwl,[69] yn brawf nad oedd y tir âr ond mân ynsoedd mewn môr o wylltineb yn y rhan fwyaf o'r wlad, a'r mannau gwylltion hynny fyddai cynefin y bleiddiaid a'u prae. Mae'r un mapiau hefyd yn fodd i ddangos pa mor aml mae ceirw, yn hyddod ac ewigod, iyrchod neu ieirch, wedi rhoi eu henwau i lu aneirif o fannau: Moel yr Hydd (Blaenau Ffestiniog), Cefn yr Hydd (Llangywair), Llwyn yr Hydd (Trefenter), Llety'r Hyddod (Llangadog), Moel yr Ewig (Berwyn), Gwern yr Ewig (Llanfor), Allt y Carw (Myddfai), Gallt y Carw (Llanfachreth), Llyn Carw (Abergwesyn), Llechwedd Ieirch a Cerrig yr Iwrch (Llanuwchllyn), Llwyn Iwrch (Pen-y-bont ar Ogwr), Nant Iwrch (Pumpsaint), Pwll Iwrch (Darowen), Pant yr Iwrch (Eglwys-bach), i enwi ond y mymryn lleiaf ohonynt.

*Cymru'n llawn
ceirw.*

Ond nid dyna'r unig dystiolaeth bod ceirw'n gyffredin yng Nghymru gynt. Pan aeth Gerallt Gymro ar ei daith adnabyddus drwy'r wlad yn 1188 yr hyn a sylwodd arno tra oedd yn aros yn Abaty Llanddewi Nant Hodni, rhwng y Gelli Gandryll a'r Fenni, oedd gyrroedd di-rif o geirw gwylltion yn pori'r mynydd-dir.[70]

> *Gnawd* [71] ym Muallt gwellt a gweunydd
> Ac ym mhob plwyf lwdwn hydd

meddai rhyw fardd anhysbys am ogledd Brycheiniog yn yr Oesau Canol, sylw sy'n awgrymu mai amlder y ceirw oedd un o nodweddion amlycaf cantref Buallt ar y pryd.[72]

Efallai mai'r dystiolaeth gadarnaf am fodolaeth ceirw gwylltion, yn ogystal â'r rhai a gedwid mewn percydd caeedig, yw'r cyfeiriadau mynych atynt yn y cywyddau a ganwyd i'r hen deuluoedd bonheddig sy'n dangos bod eu hela ar fynydd-dir Nantconwy, Hiraethog, Berwyn,

---

69 OS6
70 ITW, 36
71 *gnawd* = arferol
72 YCDH, 82

Pumlumon, Maelienydd a Phencarreg ymhlith eu hoff bleserau.[73]
Nid rhyfedd i Guto'r Glyn ddweud am un o'r bonheddwyr hynny, na
fyddai 'un Sul heb fensiwn'. Daw cyfle eto i drafod y milgwn mawr
blewyn garw a gâi eu defnyddio i hela. Yr hyn sy'n bwysig ar hyn o
bryd yw bod y cywyddau hyn yn cadarnhau bod ceirw gwylltion yn
parhau i fod ar yr ucheldir yn ystod yr ail ganrif ar bymtheg, hynny
yw, dros gan mlynedd ar ôl diflaniad y blaidd o'r wlad. Mae'n debyg na
chollwyd y ceirw cochion yn llwyr hyd ddiwedd y ddeunawfed ganrif
er bod yr iyrchod wedi diflannu'n llawer cynt. Go brin felly mai diffyg
cynhaliaeth o du'r ceirw, fel yn Bafaria, oedd achos eu difodiant.

Mae'n haws credu mai deddf gwlad yn hytrach na newyn
a laddodd y bleiddiaid yn derfynol. Ac nid eu harfer o ladd stoc y
tyddynnwr fyddai eu pechod mwyaf yng ngolwg y gyfraith honno
ond y ffaith eu bod yn bwydo ar y ceirw ac felly'n peryglu un o brif
bleserau a ffynhonnell fwyd y bonheddwyr. Dyna o leiaf oedd yr
agwedd yn Lloegr ble mae cofnodion swyddogol yn dangos yn eglur
mai amddiffyn helwriaeth yn hytrach nag arbed gwartheg a defaid
oedd pwrpas difa bleiddiaid.

YNYS MÔN: CYNEFIN Y BLAIDD OLAF?

Pe bai rhywun yn mynd ati i holi trwch y boblogaeth ble yn eu tyb
hwy yr oedd cynefin y bleiddiaid olaf yng Nghymru, mae'n debyg y
byddai'r mwyafrif yn dewis rhyw lecynnau anghyfannedd yn Eryri
neu fynydd-dir y canolbarth. Ychydig, efallai, fyddai'n enwi Môn, er
bod awgrym y gallai'r blaidd fod wedi cadw troedle ar yr ynys hyd
ddechrau'r unfed ganrif ar bymtheg.

Cyn manylu bydd yn werth cymryd cipolwg ar
dirwedd yr ynys fel yr oedd yn y Canol Oesau. Canmolodd
Gerallt Gymro ei thir ffrwythlon. Fe'i hadwaenid fel
Môn Mam Cymru, meddai, am ei bod yn cynhyrchu

Hela'r ceirw.

---

73 CGD

*Tir diffaith ar
Ynys Môn.*

mwy o rawn nag unrhyw ran arall o'r wlad. Ond nododd wedd arall arni hefyd, sef bod yno dir cras, caregog, garw ac annengar.[74] Gallai'n hawdd fod wedi ychwanegu ei thir corsiog. Cyn codi Cob Malltraeth a sychu'r tir, fe rennid yr ynys bron yn ddwy gan Gors Ddyga, sef Sir Fôn Fawr a Fach fel y'u gelwid. Roedd corsydd helaeth eraill yno hefyd: Cors y Bol, lle mae Llyn Alaw bellach, Cors Llanddynan a Chors Erddreiniog, i enwi ond tair. Felly, yn ogystal â thir amaethyddol o'r radd flaenaf roedd yno hefyd helaethrwydd o dir diffaith i gynnal bywyd gwyllt. Yn wir mae'r gair *blaidd* yn digwydd cyn amled os nad yn amlach mewn enwau lleoedd ym Môn nag yn unrhyw ran arall o Gymru. Mae'n wybyddus hefyd fod bleiddiaid yn ffafrio llecynnau sychion yng nghanol corsydd neu wernydd, fel mae Ynys Gnud yn tystio.

*Bleiddiaid yn udo
yn angladd yswain
Bodychan?*

Rhywbryd oddeutu'r flwyddyn 1503 bu farw Rhys ap Llywelyn ap Hwlcyn o blas Bodychen, rhwng Bodedern a Llangefni ar ganol yr ynys. Roedd yn fonheddwr cefnog a fu'n siryf Môn am dros bymtheng mlynedd. Bardd mwyaf yr ynys ar y pryd oedd Lewys Môn ac fe ganodd gywydd marwnad i Rhys. Y drefn bryd hynny oedd claddu o dan lawr yr eglwys ei hun, ac ar ddiwedd ei gywydd, wrth gyfeirio at y teulu'n gadael yr eglwys wedi'r angladd, mae Lewys fel pe bai'n awgrymu bod ei alar yn cael ei adleisio gan sŵn udo bleiddiaid:[75]

> Crio, galw, cwyr ac elawr
> Cau'r eglwys fyth, creglais fawr
> Och roi bloedd a chri bleiddiau
> A mwy och oedd am ei chau.

Mae'n bur debyg y byddai Rhys wedi'i gladdu yn Llandrygarn, eglwys fechan unig ar ben ffordd las, lai na hanner milltir o'i gartref. O'i chwmpas mae mân geinciau blaen afon Caradog, a'u glannau'n

---

74 ITW, 120
75 GLM, 44

lled gorsiog. Byddent wedi bod yn fwy felly ganrifoedd yn ôl. Enw un o'r ceinciau yw Nant y Bleiddiau, ac roedd Tyddyn Bleiddyn yn y cyffiniau. Tybed felly, nad dychmygu oedd Lewys Môn, ond bod sŵn udo bleiddiaid i'w glywed mewn gwirionedd ar ddiwrnod claddu Rhys ap Llywelyn.

Rai blynyddoedd yn gynharach roedd Guto'r Glyn yn cyfarch pâr o filgwn o Goetmor, Llanllechid, fel 'bleiddiau Môn', sylw sydd fel petai'n ategu'r posibilrwydd.[76] Byddai hynny'n cyd-fynd â thystiolaeth o wledydd Ewropeaidd eraill sy'n dangos nad mewn coedwigoedd a mynyddoedd uchel mae bleiddiaid yn goroesi hiraf ond ar foelydd, rhostiroedd a chorsydd.[77]

Os oedd cnud neu ddwy o fleiddiaid yn dal ar Ynys Môn ar ddechrau'r unfed ganrif ar bymtheg does dim tystiolaeth eu bod yn peri trafferth mawr yng Nghymru'n gyffredinol. Mae'n wir bod rhai awduron diweddar yn honni i'r blaidd oroesi yng Nghymru bron hyd ddiwedd cyfnod y Tuduriaid ond does gan yr un ohonynt dystiolaeth gadarn i'w chynnig. Cadwyd cyfrifon lled fanwl o stoc amaethyddol Stad Gwedir a borai'r mynydd-dir ym mlaenau Nantconwy yn ystod y blynyddoedd 1569–71. Tra bod sôn ynddynt am gŵn yn lladd defaid ac am hesbwrn yn cael ei ladd gan eryr yng Ngorddinan, Dolwyddelan, does yno'r un cyfeiriad at fleiddiaid.[78]

Eryr Gorddinan.

Dau ŵr a adawodd gofnodion o'u teithiau trwy Gymru oddeutu'r un cyfnod oedd John Leland a William Camden. Troediodd Leland rai ardaloedd digon anghysbell yn ystod y blynyddoedd 1536–9 ond nid yw'n sôn gair am fleiddiaid, er bod natur ei sylwadau'n awgrymu y byddai wedi gwneud hynny pe bai rhai yno. Rhyw hanner can mlynedd yn ddiweddarach mynnai Camden y gallai diadelloedd Sir Feirionnydd bori mewn heddwch gan nad oedd bleiddiaid i aflonyddu arnynt bellach.

---

76 GGG, 195
77 LBB, 128
78 CLlGC 30, 141

Dyna farn George Owen o'r Henllys yn Sir Benfro ar ddiwedd y ganrif hefyd: 'the wolves are banished the land', meddai.[79]

LLADD Y BLAIDD OLAF

Mewn nifer o ardaloedd ar hyd a lled y wlad, ond yn amlach yn y de, mae hanesion neu straeon i'w cael am hela neu ladd y blaidd olaf. Weithiau maent yn gysylltiedig ag enw lle, sy'n gwneud i rywun amau nad ydynt mewn gwirionedd ond ymgais i esbonio enwau megis Cerrig y Bleiddiau neu Ffynnon y Fleiddast. Caiff y rheini sylw o dan enw'r lle yn Rhan II. Mae yna hanesion eraill nad ydynt yn gysylltiedig ag unrhyw enw lle ac felly'n debycach o fod yn seiliedig ar ddigwyddiad dilys. Cânt hwy y sylw nesaf.

BLAIDD OLAF GWENT

Tomas Herbert Gloff a blaidd olaf Gwent.

Yng nghanol y bymthegfed ganrif, yr un cyfnod â Tudur Penllyn, y teulu mwyaf ei ddylanwad yng Ngwent, os nad yn ne Cymru, oedd Herbertiaid Rhaglan. Dyma gyfnod cythryblus Rhyfel y Rhosynnau, ac ym mrwydr Banbri yn 1469 cymerwyd Wiliam Herbert, y penteulu, a'i frawd iau, Rhisiart, yn garcharorion a'u dienyddio. Ymhlith lliaws o blant Wiliam Herbert roedd mab gordderch, Tomas Herbert Gloff o'r Tŷ Mawr (Goetre Hall bellach) ym mhlwyf Goetre ar fin yr A4042, bedair milltir i'r gogledd-ddwyrain o Bont-y-pŵl, a hwn, yn ôl y sôn, a laddodd y blaidd olaf yn y gymdogaeth.[80]

I gael yr hanes, rhaid neidio ymlaen i'r ddeunawfed ganrif, oherwydd yn 1708, fe anwyd gŵr tra diddorol ym Mhont-y-pŵl. Ei enw oedd Charles Hanbury; Charles Hanbury Williams yn ddiweddarach, wedi iddo etifeddu stad Charles Williams, ei dad bedydd. Bu Charles Hanbury'n wleidydd ac yn ddiplomat, ond yn bwysicach i ni, yn fardd a mydryddwr medrus.[81]

---

79 IW; CW, 69; DP 1, 265
80 WG² 5, 784; HM 1²ᵇ, 415
81 CLC, 619

Does dim sôn bod Charles Hanbury'n ddisgynnydd i Tomas Herbert Gloff ond mae'n sicr y byddai wedi adnabod disgynyddion iddo a oedd yn parhau i fyw yn Nhŷ Mawr, Goetre. Efallai mai ar aelwyd Tŷ Mawr y clywodd hanes Tomas Herbert Gloff a'i gymdogion yn hela'r blaidd olaf, ac mai dyna sail y berl o faled a ysgrifennodd; baled sy'n esbonio achos cloffni'r hen wron. Caiff y faled, sydd yn Saesneg, siarad drosti'i hun, ond dylai'r map o faes yr helfa yng ngogledd Gwent, sy'n nodi'r holl fannau a enwir ynddi, fod yn fodd i'w gosod yn ei chynefin.

Y FALED [82]

Here's thunder on the Blorenge,
    Hark! echoing far it sounds
O'er fair Llanover's sloping sides,
    And Goytrey's woody bounds;
Again it peals – than comes a pause –
    And then it peals more nigh,
But in that pause did you not mark
    A clear, far-ringing cry?

A hollow, wailing, long-drawn cry,
    The Gwentians know the tone:
The last old wolf, his race all slain,
    Howls on the hills alone,
Howls and then listens – but in vain,
    There comes no answering cry;
The last of all the wolves is he,
    And 'tis his turn to die.

82 TWNFC 1893–4, 254–

*'Yn y croen y ganer y
blaidd y bydd marw.'*

O'er Brecon's hills, for years he roamed
    A terror to the land,
The kine were killed, the lambs were torn,
    Even from the shepherd's hand.
Young boys in fear approached the hills,
    With caution crossed the plain,
For there were mothers who still wrung
    Their hands for children slain.

A gaunt, grim, savage beast was he,
    Who man himself would dare;
Was he not monarch of the woods,
    Throned in his mountain lair?
His monstrous paws, his broadened jaws,
    The wild fire in his eye;
Beware, beware! there's danger there
    When 'tis his turn to die.

His shaggy hide of dusky gray
    Is bloodied, seamed, and torn,
By hunter's spear, by gripping trap,
    By crag, and stake, and thorn.
His jaws are working till the foam
    Is churned like ocean spray,
His lurid eyes have gleams within
    Unlike all light of day.

But yestermorn he sallied forth,
    He and his mate, to seize
Some ragged bone or sucking babe,
    His ravenous brood t'appease.

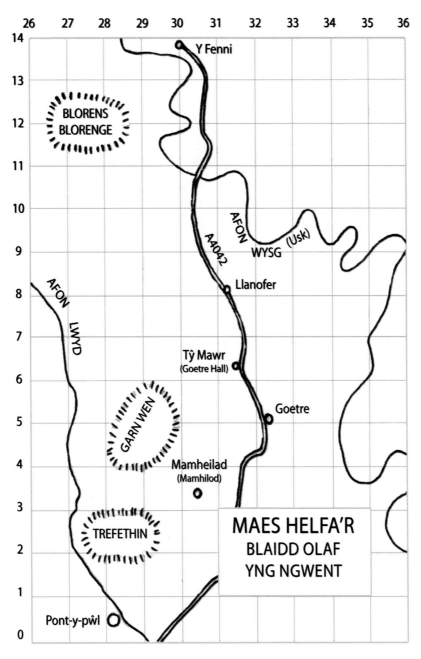

*Roedd awdur y faled,
Charles Hanbury
Williams, yn wleidydd,
yn ddiplomat, ond
yn bwysicach i ni, yn
fardd a mydryddwr
medrus.*

*Yn seiliedig ar fap
gwreiddiol yr awdur.*

The she-wolf slain, he fled amain
    To hunger and despair,
And strewed the limbs of his torn cubs
Last night about his lair.

Ho! bring the wolf-staves from the wall,
    See that your knives are keen;
Come men of hearts and sinews strong,
    No child's play this, I ween.
Send through the land and make them come,
    This touches great and small,
And bid the good old squires of Gwent
    To meet at Goytrey Hall.

Rides Williams from Llangibby,
    Rides Lewis from St. Pierre;
And Morgan, for the nobler game,
    Quits his ancestral deer.
The Herbert race of fiery souls
    Could not be absent then,
And Cliffords feel their Norman blood
    Rush through their hearts again.

The wolf dog's bay was heard that day
    Through many a wood and glen;
Three times they swam the flooded Usk,
    Three times they topped Garnwen.
Mamhilod sees them reckless ride
    Her sloping sides along,
Up Trefthyn hill the gray wolf still
    Swings onward fierce and strong,

Till mad to find that still behind
 The rout and turmoil swell,
Through brake and flood to Goytrey wood
 He rushes fierce and fell:
Scraping his paws, grinding his haws,
 Fresh lightning in his eye,
Both hound and man shall shrewdly know
 When comes his turn to die.

With glistening teeth and blazing eyes,
 And with a panther's spring.
The foremost hunter sees him leap
 Within his wolf-staff's swing.
A shout, a blow, and writhing low,
 The monster's spun around;
But darting up he grips his foe,
 And both are on the ground.

Man, dogs, and beast in thicket dense
 Struck, wrestled, bit and tore,
Till rolled against a jutting crag
 The panting hunter bore
The wolf's head back, and brake his neck,
 Dead the last robber lay;
But Herbert went from the gray wolf's grip
 Lame to his dying day.

Now hang the wolf staves on the wall,
 To take them down no more,
Save when our sons would tell their sons
 Of stalwart deeds of yore.

Shut out the storm, we've had enough,
    Heap logs upon the flame;
Spread loads of venison on the board,
    Well flanked with piles of game.

This night we'll have a merry night,
    If there is worth in wine,
And if to-morrow's sun looks in,
    Why let him look and shine.
The wolves are dead – even so, alack!
    No pleasure without pain:
The last wolf's dead, and never comes
    Such sport, brave hearts, again.

Dywed Anthony Dent i un o'i gydnabod weld palf wedi'i hoelio ar dderwen yng Nglynheulog ger Brynbuga yn 1928 a honni ei bod yn perthyn i'r blaidd a laddwyd yng nghoed y Goetre yng nghyfnod y Tuduriaid neu'n ddiweddarach.[83] Saif Glynheulog ym mhlwyf Gwehelog ychydig i'r gogledd o Frynbuga, ac wedi peth holi llwyddwyd i gysylltu â merch y gŵr oedd yn byw yno yn 1928. Cadarnhaodd hi fod yna draddodiad llafar yn lleol am balf blaidd wedi'i hoelio ar dderwen, nid yng Nglynheulog ond yn y Llwch, llwyn o goed derw ryw bum can llath i'r dwyrain o Dŷ Mawr Goetre, cartref Tomas Herbert Gloff. Flynyddoedd lawer yn ôl fe dorrwyd y llwyn derw, gan gynnwys pren y blaidd – y *wolf tree* fel y'i hadwaenir – ac ailblannwyd y safle â choed meddal.[84]

Rhyw gan mlynedd yn ôl ymwelodd Fletcher Moss â Thŷ Mawr, ac yn ei waith *Pilgrimage to Old Homes* mae'n adrodd hanes am helfa fawr a drefnodd Tomas Herbert i gael gwared â

---

83 LBB, 131
84 (DLl)

blaidd trafferthus o'r ardal. Ymunodd llu o wŷr a chŵn â'r cyrch a'i ymlid cyn belled â choed Llwch lle safodd y blaidd a'i gefn i'r graig i wynebu'r helwyr. Pan ruthrodd Tomas Herbert amdano â'i gleddyf neu ei gyllell hela, cydiodd y blaidd yn ei glun a bu'n gloff o'r brathiad hwnnw gydol ei oes.

Mae'n anodd peidio â chredu nad oes cnewyllyn o wirionedd yn yr hanesyn hwn er bod y dyddiad, cyfnod y Tuduriaid neu'n ddiweddarach, yn llawer rhy hwyr. Yn ôl ei addefiad ei hun roedd Wiliam Herbert, y tad, yn hen ŵr adeg ei ddienyddiad yn 1469, a Thomas ei fab yn ŵr yn ei oed a'i amser erbyn hynny. mae'n siŵr. Felly mae'n bur debyg y byddai blaidd y Goetre wedi'i ladd cyn diwedd y bymthegfed ganrif.

Pren y blaidd yng nghoed Llwch.

Er bod 'pren y blaidd' wedi hen ddiflannu, rhywle o'r golwg dan ganghennau pin ym mhlanhigfa Llwch mae'r graig fu'n gefn i flaidd olaf Gwent pan wnaeth ei safiad olaf yn erbyn Tomas Herbert Gloff.

BLAIDD OLAF SIR FAESYFED

Pentref bychan tawel, o'r neilltu, ar lan afon Edw ryw bum milltir tua'r dwyrain o Lanfair-ym-Muallt yw Craig Furuna, neu Cregrina fel y'i hadwaenir bellach. Mae'r sôn yn gryf o gwmpas yr ardal mai yno y lladdwyd y blaidd olaf yn Sir Faesyfed os nad yng Nghymru gyfan. Sail y traddodiad yw nodyn a oedd, yn ôl pob hanes, wedi'i ysgrifennu yn un o gofrestri cynnar y plwyf. Yn anffodus mae'r gyfrol honno wedi bod ar goll ers cenedlaethau felly nid oes modd gwybod beth yn union oedd cynnwys y nodyn.

Blaidd Cregrina.

Fel hyn y cyfeiriodd y Parchedig D. Edmondes Owen ato tua 1910: 'Yn hwyr yng nghyfnod y Tuduriaid, yn ôl nodyn ar ymyl dalen yn un o gofrestri coll Cregrina, lladdwyd y blaidd olaf yn y wlad ar un o'r llethrau serth uwchlaw afon Edw.'[85] Ychwanegodd Francis Payne, rhwng lol a difrif, fod ei balfau wedi'u hoelio ar ddrws yr eglwys,

---

85 THSC 1910–11, 92

ond mae'n anodd gwybod a oedd hynny'n rhan o'r traddodiad ai peidio.[86]

Mae'n amlwg nad oedd D.E. Owen, a fu'n offeiriad Llanelwedd gerllaw, wedi gweld y cofnod ei hun a'i fod yn dibynnu ar dystiolaeth rhywun arall; rhywun a roddai fwy o bwys ar sefydlu Cregrina fel cynefin y blaidd olaf yng Nghymru, efallai, a dyna graidd y broblem. Faint o sail sydd i'r cymal cyntaf, 'yn hwyr yng nghyfnod y Tuduriaid', sef rhywbryd rhwng 1550 a 1600? Achos os yw hynny'n gywir fe oroesodd y blaidd o leiaf hanner can mlynedd yn hwy nag y tybiwyd o'r blaen.

Beth bynnag yw'r amheuon ynghylch dyddiad diflaniad y blaidd o'r wlad, ni ddylid dibrisio gwerth gweddill y cofnod. Dro yn ôl cafwyd sgwrs â Charles Evans, hynafgwr hoffus sydd wedi byw yng Nghregrina am yn agos i gan mlynedd. Yn yr ysgol gynradd ddechrau'r ganrif ddiwethaf mae'n cofio Miss Rees eu hathrawes, Cymraes o Sir Gaerfyrddin, yn dweud wrth y plant fod y blaidd olaf yn y fro wedi'i ladd yng Nghoed Penarth o war y pentre. Mae'r coed i'w gweld yno o hyd, nid yn hollol ar lethr uwchlaw afon Edw fel y mynnai D.E. Owen, ond yn lled agos, uwchben llednant iddi.

Coed Penarth

Wrth odre Coed Penarth mae ffermdy presennol Penarth. Ei enw gwreiddiol oedd Bryn Pennardd, cartref Bedo Chwith, bonheddwr y bu Lewys Glyn Cothi yn canu cywyddau iddo ef a'i deulu yn ail hanner y bymthegfed ganrif.[87] Pe bai cofrestr coll Cregrina yn dod i'r fei a'r cofnod ynddo'n profi mai yn gynnar ac nid yn hwyr yng nghyfnod y Tuduriaid y lladdwyd y blaidd yng Nghoed Penarth, byddai siawns go dda fod Bedo Chwith neu ei feibion yn rhan o'r helfa hanesyddol honno. Yn anffodus mae Lewys Glyn Cothi yn dawedog iawn ar y mater.

Bedo Chwith

---

86 CSF 1, 116
87 GLGC, 335–8

Palfau blaidd yn Nhalacharn. Tybed a ddaeth y palfau o Gastell Dinefwr?

BLAIDD OLAF SIR GAERFYRDDIN

Wrth odre'r castell yn Nhalacharn mae tŷ hynafol Island House, adeilad sy'n dyddio'n ôl i ddechrau'r unfed ganrif ar bymtheg yn ôl rhai. Tua 1880 fe werthwyd y tŷ ac aeth y cyn-berchennog i fyw i Loegr. Cyn mynd fe dynnodd ryw hen greiriau oedd wedi bod yn hongian dan y simdde agored yn y neuadd fawr ers cyn cof a'u rhoi i ficer Talacharn i'w cadw. Yn eu plith roedd gweddillion anifeiliaid oedd wedi hen ddiflannu o Gymru: dau benglog baedd gwyllt, cyrn a charnau iwrch, a phedair palf blaidd. Rhoddodd y ficer y creiriau i gadw mewn hen ddaflod ac anghofiwyd amdanynt. Tua 1904 fe brynwyd Island House gan ryw Cyrnol Congreve a phan fu farw hwnnw yn 1923 etifeddwyd y tŷ gan ei fab, Anthony Congreve. Mae'n amlwg bod gan y mab ddiddordeb mewn hela a byd natur, a rywsut neu'i gilydd daeth i wybod am yr hen greiriau a chael un benglog baedd a thair palf blaidd yn ôl yn 1926. Roedd y gweddill wedi mynd ar goll. Yn 1928 anfonodd y benglog a'r palfau i'r Amgueddfa Brydeinig i gael eu harchwilio gan R.I. Pollock. Roedd Pollock yn fodlon credu mai eiddo blaidd oedd y palfau, er ei fod yn cyfaddef ar yr un pryd na ellid gwahaniaethu rhwng palf blaidd a phalf ci mawr. Ar un adeg roedd y palfau ar gadw yn Amgueddfa Caerfyrddin ond erbyn hyn maent yn yr Amgueddfa Genedlacthol yng Nghaerdydd.

Yn ddiweddar fe anfonwyd sampl ohonynt i'r Eidal ar gyfer arbrofion DNA ac mae'r canlyniadau'n dangos eu bod yn ymdebygu i fleiddiaid gorllewin a chanolbarth Ffrainc o ble y byddai rhywun yn disgwyl i fleiddiaid ddod i Gymru ar ôl Oes yr Iâ. Ond nid yw hynny'n profi bod palfau Island House yn perthyn i flaidd o Gymru, wrth reswm. Yn wir, fe ddywed rhai yn Nhalacharn mai anturiaethwr oedd perchennog Island House cyn Congreve a bod llawer o'r gweddillion anifeiliaid oedd yno wedi dod o wledydd tramor.

Yn gam neu'n gymwys nid dyna ddiwedd y dirgelwch. Mewn llyfryn am Landeilo gan Eirwen Jones a gyhoeddwyd yn 1984 mae llun o balfau blaidd Island House gyda'r pennawd 'Wolf pads found at Dinefwr'.[88] Nid oes gan yr awdur unrhyw eglurhad yng nghorff y llyfr ac fe allai fod yn llithriad, ond a hithau'n hanesydd profiadol, tybed a oedd ganddi dystiolaeth i'r palfau fod yng Nghastell Dinefwr, gerllaw'r dref, cyn cael eu symud i Island House yn Nhalacharn. Efallai na ddylid rhoi gormod o bwys ar hynny ond mae'n werth nodi bod

88 LlD, 19

Castell Talacharn yn rhan o stad Syr Rhys ap Gruffudd o Ddinefwr yn nyddiau olaf y blaidd. Fe gofir hefyd fod dau benglog baedd gwyllt ymhlith 'trysorau' Island House, tra bod traddodiad llafar yn mynnu mai ym mhentref Derwydd, ryw ddwy filltir a hanner i'r de o Gastell Dinefwr, y lladdwyd y baedd gwyllt olaf yn y wlad.[89]

I ddychwelyd at Congreve, yn dilyn archwiliad Pollock o'r palfau yn 1928 fe ddechreuodd holi'r trigolion lleol a chael ar ddeall bod traddodiad cryf yn y gymdogaeth mai yn 'Panteague' ym mhlwyf Marros, ryw saith milltir i'r gorllewin o Dalacharn, y lladdwyd y blaidd olaf. Yn anffodus ni chafodd wybod pa bryd na chan bwy.

Go brin bod unrhyw amheuaeth nad 'Teague', ceunant coediog sy'n ymestyn o gyffiniau eglwys Marros i lawr i'r traeth, yw'r 'Panteague' a enwir gan Congreve. Dyna farn teulu Ebworth sydd wedi byw ar fferm ger yr eglwys ers cenedlaethau, ond er eu bod yn gyfarwydd â'r traddodiad ni allent gynnig unrhyw fanylion ychwanegol. Erthygl Congreve yn *Trafodion Cymdeithas Hynafiaethol Sir Gaerfyrddin* yn 1932 yw'r ffynhonnell gynharaf sydd ar gael am ladd y blaidd yng ngheunant 'Teague' ac nid oes unrhyw wybodaeth ychwanegol o bwys wedi ymddangos ers hynny.[90]

Yr hyn sy'n peri i rywun amau dilysrwydd tystiolaeth Congreve yw bod dau awdur wedi rhoi sylw pur fanwl i geunant 'Teague' hanner can mlynedd ynghynt ond heb sôn gair am y traddodiad. Yn 1880 fe gyhoeddwyd *The Antiquities of Laugharne, Pendine and Their Neighbourhoods* gan Mary Curtis. Mae'n amlwg ei bod yn gydnabyddus iawn â chymdogaeth Marros ac yn sôn am 'Teague's Valley' fel lle llawn llwynogod, dyfrgwn a moch daear, ac yno ddigonedd o redyn, creigiau a hen chwareli i'w llochesu, ond does ganddi'r un gair i'w ddweud am y blaidd. Fodd bynnag, wrth drafod y groes hynafol ym mynwent Marros, dywed bod pennau bleiddiaid

Baedd gwyllt Derwydd.

Blaidd Marros a hongian pennau bleiddiaid ar y groes hynafol.

89 (RD)
90 TCAS 21, 46–9

yn cael eu harddangos arni am gyfnod cyn talu'r sawl a'i lladdodd, a bod pobl yn defnyddio'r eglwys fel lloches rhag bleiddiaid. A hithau'n adnabod yr ardal a'i phobl cystal, oni fyddai wedi crybwyll lladd y blaidd olaf yno pe bai'r fath draddodiad yn bodoli? Mewn man arall yn y llyfr, mae troednodyn ganddi hi neu'r cyhoeddwr yn dweud i'r blaidd olaf yng Nghymru gael ei ddal yn Reynalton yn Sir Benfro.[91]

Tua'r un cyfnod fe ganodd y bardd, Joannes Towy, gerddi sy'n cyfeirio at 'Teague' fel lloches i lwynogod, ond nid yw yntau chwaith yn sôn am fleiddiaid.[92]

Y gofeb ger tref Caerfyrddin.

Cyn ymadael â Sir Gaerfyrddin bydd rhaid cyfeirio at lythyr a ymddangosodd yn y cylchgrawn *Field*, 21 Awst 1948, ble mae Syr Hugh Rankin, yr awdur, yn sôn am gofeb yn agos i dref Caerfyrddin a gofnodai ladd y blaidd olaf yng Nghymru. Ei union eiriau yw: 'There is a monument close to Carmarthen Town, which records that the last Welsh wolf was killed nearby in the reign of Henry VIII.' Byddai hynny rywbryd rhwng 1509 a 1547. Yn anffodus mae'r gofeb honedig yn ddirgelwch llwyr i drigolion Sir Gaerfyrddin, a llythyr Rankin yw'r unig gyfeiriad sydd gennym at ei bodolaeth.

Tystiolaeth Syr Hugh Rankin.

Cyn ystyried y mater ymhellach bydd yn werth sôn rhyw gymaint am awdur y llythyr a oedd yn gymeriad lliwgar a dweud y lleiaf. Albanwr oedd Syr Hugh, yn fagwr defaid, cneifiwr a chleddyfwr tan gamp ac ymgyrchwr dros Alban Goch Annibynnol. Roedd hefyd yn hanner Cymro, yn fab i Nest ferch Arglwydd Dinefwr, yn gallu siarad Cymraeg ac yn Weriniaethwr Cymreig.[93]

Hyd y gwyddys, nid oes bellach yr un gofeb o'r fath ac arysgrif arni yng nghyffiniau Caerfyrddin ac mae'n anodd dirnad sut y gallasai strwythur sylweddol fod wedi diflannu mor llwyr o'r tirlun ar gwr y dref heb fod rhywun arall wedi cyfeirio ati. Fodd bynnag, mae nifer o feini hirion hynafol yn yr un cylch, amryw ohonynt ym

91 ALP, 98, 289, 321–2
92 PS
93 WWW 8, 624

mhlwyf Abergwili. Saif un ar gae Parc y Maen Llwyd sy'n perthyn i
fferm Pantyglien rhwng Abergwili a'r Capel Gwyn. Heb fod ymhell
mae cae Llain Blaidd, felly tybed a oedd Syr Hugh yn ailadrodd
rhyw draddodiad llafar a glywsai yn cysylltu lladd blaidd â'r maen
hwnnw? Sylwyd droeon fod tuedd gan rai i fethu gwahaniaethu
rhwng y fleiddast a'r filiast (milgi benyw). Os digwyddodd hynny yn
achos Twlc y Filiast, sef cromlech tua phum milltir i'r de-orllewin o
Gaerfyrddin, digon hawdd fyddai i rywun geisio esbonio'r enw trwy
honni bod bleiddast wedi'i lladd yno.

Twlc y Filiast.
Y filiast =
milgi benyw

BLAIDD OLAF SIR BENFRO

Yn y gyfrol ar Dalacharn y cyfeiriwyd ati eisoes mae troednodyn swta
yn cyfeirio at ddal y blaidd olaf yng Nghymru ym mhlwyf Reynalton,
'chwe milltir o Ddinbych-y-pysgod' yn Sir Benfro. Yn rhyfedd iawn
does yr un o'r awduron a fu'n ysgrifennu am Reynalton, na chynt nac
wedyn, wedi dweud gair am y traddodiad, heb sôn am ychwanegu
ato. Siomedig hefyd fu'r ymateb ym mhentref Reynalton ei hun.
Yn wahanol iawn i Gregrina ble roedd braidd pob un a holwyd yn
gyfarwydd â hanes lladd y blaidd yno, mae'n amlwg, a barnu wrth
ymateb nifer o frodorion y pentref, fod blaidd Reynalton wedi'i lwyr
anghofio. Yn wir, oni bai am y llun pen blaidd sydd i'w weld yn un o
dri symbol ar bentan cerrig gweddol ddiweddar ar ochr ogleddol y
pentre i groesawu gyrwyr gofalus i Reynalton, fe fyddai rhywun yn
amau dilysrwydd y troednodyn bondigrybwyll.

Dal blaidd
Reynalton.

Er hynny mae yn y cyffiniau gystal lle ag unman i fod yn gynefin
i fleiddiaid. Tua'r gorllewin o'r pentre mae'r tir yn goleddfu'n raddol
i lawr at afon fechan sy'n rhedeg drwy dir corsiog wedi'i orchuddio a
choed. Mae'n lle diffaith heddiw a byddai wedi bod yn llawer mwy felly
bum can mlynedd yn ôl; yr union fath o dir lle byddai bleiddiaid wedi
teimlo'n ddiogel rhag ymyrraeth gan ddynion, a lle mae llwynogod
yn parhau i gael lloches, mae'n debyg. Mae'n werth sylwi mai'r hyn a
ddywedir am flaidd Reynalston yw iddo gael ei ddal, nid ei ladd, ac

mae'n sicr y byddai wedi bod yn haws ei hudo i drap neu fleiddbwll na'i hela mewn lle mor ddiffaith.

BLAIDD OLAF SIR FEIRIONNYDD

Yn ei gyfrol *Cantref Meirionydd* (1890) mae gan yr awdur, Robert Prys Morris, hanesyn am ladd bleiddast ar lethrau gogleddol Cadair Idris. Gan ei fod yn dweud i hynny ddigwydd mor ddiweddar â 1785, o leiaf ddau gan mlynedd yn hwyrach nag unrhyw gyfeiriad arall, mae'n werth rhoi sylw manwl i'w ddisgrifiad. Cadwyd orgraff y gwreiddiol:

Ogo'r Fleiddiast, neu Twll Y Fleiddiast

Y mae lle o'r enw Twll y Fleiddiast wrth neu o dan hen glawdd adfeiliedig, yr hwn sydd yn derfyn rhwng mynydd Cefnyrywen Isa (Cefn yr Erw Wen) a Chefnyrywen Ucha. Dywed traddodiad, pa un, fel yr ymddengys, oedd yn tynu at fyned ar ddifancoll, i fleiddiast a'i chenawon gael eu lladd mewn lle o'r enw Ogo'r Fleiddiast yn rhywle yn y gymydogaeth, a thebygol mai dyma'r fan y cyfeirir ato. A thybir fod yr amser eu lladdwyd tua'r flwyddyn 1785. Yr oedd cryn ddinystr yn cael ei wneyd ar ŵyn yn yr ardal; ac o'r herwydd aeth mab Cefnyrywen Fawr neu Cefnyrywen Isa, yr hwn a ystyrid yn un craff iawn fel bugail, a brawd iddo yn ei ganlyn, i geisio cael allan pa beth oedd yn eu hysgleifio. Nid oedd y brawd feallai mor gyrhaeddgar a'r cyffredin; ac yr oedd diffyg ar ei siarad. Ac wedi gweled arwyddion o'r dinystr tua'r fan, aeth y brawd o fugail i mewn i edrych beth a ganfyddai, gan roi gofal ar y llall rhag gadael i ddim fyned i mewn ar ei ol. Wedi iddo fyned i'r twll, canfyddodd y cenawon, a dechreuodd ymosod arnynt i'w lladd. Tynodd eu nadau y fam ar frys gwyllt tuag atynt; ond fel yr oedd yn rhuthro i mewn, cipiodd y gwyliwr afael tyn yn ei chynffon. Pan glywodd y llall sŵn

Gorchest meibion Cefn'rywen Isaf.

y cynwrf mewn canlyniad, gofynai ynghylch yr helynt, pryd ei hatebwyd gan ei frawd yn ei ddull aneglur i'r ystyr mai os gollyngai y gynffon y cai wybod. Ar hyn, daeth yr holydd atynt, a chan ymosod ar y bwystfil cafwyd y trechaf arni yn ei lladdiad.

Dal bleiddast gerfydd ei chynffon.

Dichon yr ystyrir nad oedd bleiddiaid i'w cael ar fynyddoedd Meirionydd mor ddiweddar a hyn. Modd bynag, nid yw yn ymddangos y gellir dilyn y traddodiad yn well, yn ol eglurhad fy hysbysydd, na thrwy osod yr amseriad fel y gwnaed. Ond ymddengys yn rhyfedd hefyd i'r traddodiad am y digwyddiad fyned yn lled agos ar ddifancoll yn y cymydogaethau, fel yr ymddengys, os cymerodd le mor ddiweddar; ac feallai wedi'r cwbl iddo gymeryd lle yn foreuach o rai ugeiniau o flynyddoedd.

Mae amryw o anawsterau'n codi ynglŷn â'i adroddiad y bydd rhaid tynnu sylw atynt er mwyn cael darlun cliriach o'r cyfan. Yn ôl y person dienw a adroddodd yr hanes wrth Robert Prys Morris, Ogo'r Fleiddast oedd enw'r lle, rywle yng nghymdogaeth Dolgellau. Gan na wyddai Robert Prys Morris am le o'r fath, fe gymerodd yn ganiataol ei fod yr un man â Thwll y Fleiddast ar fynydd Cefn'rywen. Ond cystal dweud yma mai Ogo'r Fleiddast oedd hen enw'r ogof yng Nghwm Cynllwyd, Llanuwchllyn, sydd heb fod ymhell iawn i ffwrdd, felly rhaid peidio anwybyddu'r posibilrwydd mai perthyn i'r fan honno mae'r hanes.

Mae'n werth nodi hefyd fod hanes am fleiddast yn cael ei lladd dan amgylchiadau hynod o debyg yn Glen Loth, swydd Sutherland yn yr Alban oddeutu 1690–1700:[94]

Bleiddiaid Glen Loth yn yr Alban.

A man named Polson, of Wester Helmsdale, accompanied by two lads, one of them his son and the other an active

---

94 BAE, 176–7

herdboy, tracked a Wolf to a rocky mountain gully which forms the channel of the Burn of Sledale in Glen Loth. Here he discovered a narrow fissure in the midst of large fragments of rock, which led apparently to a larger opening or cavern below, which the Wolf might use as his den. The two lads contrived to squeeze themselves through the fissure to examine the interior, whilst Polson kept guard on the outside.

The boys descended through the narrow passage into a small cavern, which was evidently a Wolf's den, for the ground was covered with bones and horns of animals, feathers, and eggshells, and the dark space was somewhat enlivened by five or six active Wolf cubs. Polson desired them to destroy these; and soon after he heard their feeble howling. Almost at the same time, to his great horror, he saw approaching him a full-grown Wolf, evidently the dam, raging furiously at the cries of her young. As she attempted to leap down, at one bound Polson instinctively threw himself forward and succeeded in catching a firm hold of the animal's long and bushy tail, just as the forepart of her body was within the narrow entrance of the cavern. He had unluckily placed his gun against a rock when aiding the boys in their descent, and could not now reach it. Without apprising the lads below of their imminent peril, the stout hunter kept a firm grip of the Wolf's tail, which he wound round his left arm, and although the maddened brute scrambled and twisted and strove with all her might to force herself down to the rescue of her cubs, Polson was just able with the exertion of all his strength to keep her from going forward. In the midst of this singular struggle, which passed in silence, his son within the cave, finding the light excluded from

Dymunai Polson iddynt ladd y pothanod.

above, asked in Gaelic, 'Father, what is keeping the light from us?' 'If the root of the tail breaks,' replied he, 'you will soon know that.' Before long, however, the man contrived to get hold of his hunting-knife, and stabbed the Wolf in the most vital parts he could reach. The enraged animal now attempted to turn and face her foe, but the hole was too narrow to allow of this; and when Polson saw his danger he squeezed her forward, keeping her jammed in whilst he repeated his stabs as rapidly as he could, until the animal being mortally wounded, was easily dragged back and finished.

These were the last Wolves killed in Sutherland, and the den was between Craig-Rhadick and Craig-Voakie, by the narrow Glen of Loth, a place replete with objects connected with traditionary legends.

'Os torriff ben y gynffon, fe gei weld yn ddigon buan!'

Fe allai rhywun ddadlau mai cyd-ddigwyddiad yw'r ffaith fod dau hanesyn tebyg yn cael eu hadrodd am lecynnau dri chant a hanner o filltiroedd ar wahân, ac mae'n bosibl bod atal blaidd drwy gydio yn ei gynffon yn thema llên gwerin sy'n gyffredin i lawer o wledydd. Rhaid ystyried hefyd y byddai hanes lladd bleiddast Glen Loth wedi mynd yn rhan o draddodiad llafar bugeiliaid Ucheldiroedd yr Alban yn ystod y ddeunawfed ganrif. Yn dilyn y Chwalfa Fawr (Highland Clearance) fe ymsefydlodd amryw ohonynt – teuluoedd megis Beattie, Dinwoodie, a MacCall – yng Nghymru. Tybed ai un o'r rheini a ddaeth â'r stori i Gymru a'i chysylltu ag Ogo'r Fleiddast ym Meirionnydd?

Os oes coel o gwbl i'r hanes, y maen tramgwydd pennaf yw'r dyddiad, 1785, sydd mor ddiweddar a phendant. Mae teulu presennol Cefn'rywen wedi byw yno ers pum cenhedlaeth, sy'n mynd â'i gysylltiad â'r fferm yn ôl yn lled agos i'r dyddiad hwnnw. Eto, mae'r hanes fel y'i cofnodwyd yn *Cantref Meirionydd* yn ddieithr iawn i

Y llecyn ar fynydd Cefn'rywen Isaf lle saethwyd y fleiddast. Safai'r milwr ar ben y bryn creigiog, 'A', tra bod y fleiddast yn y pant i'r chwith, 'B', yn anelu am ei gwâl, Twll y Fleiddast, ganllath y tu hwnt i'r wal.

Arthur Thomas sy'n ffermio yno ar hyn o bryd. Yr hanesyn a glywodd ef gan ei daid oedd mai milwr a saethodd y fleiddast. Ar y pryd roedd yn sefyll ar dap (darn o graig) mewn plygiad yn y wal rhwng mynydd Cefn'rywen Isaf ac Uchaf (SH 682 138) tra bod y fleiddast mewn pant rhwng dwy graig tua'r dwyrain ohono (SH 683 138). Mae Twll y Fleiddast ei hun ychydig i'r gorllewin o'r tap, wrth odre Llwybr Cam Rhedynen (SH 680 139), llwybr igam-ogam sy'n arwain i fyny i'r bwlch yn y Graig Las.

Gŵr arall a fentrodd ei big i mewn i hanes Twll y Fleiddast oedd Trebor Môn. Er ei fod yn gyfarwydd â *Cantref Meirionydd* mae ei fersiwn ef o'r hanes, a gyhoeddwyd yn 1904, yn dra gwahanol, sy'n awgrymu iddo fanteisio ar ryw draddodiad llafar lleol. Mae'n dyddio'r digwyddiad tua chanol y ddeunawfed ganrif, 1754, pan oedd bleiddiaid yn achosi colledion trymion i ffermwyr defaid y gymdogaeth. Aed ati i'w difa unwaith ac am byth ac fe laddwyd nifer o fleiddiaid yn eu llawn dwf yn ogystal â chenawon.[95]

Dyna swm a sylwedd y dystiolaeth gymysglyd am fleiddiaid ar lethrau Cadair Idris nad yw'n debyg o berswadio'r person mwyaf hygoelus iddynt oroesi yno hyd y ddeunawfed ganrif. Os oes rhyw gnewyllyn o wirionedd yn yr hanes, efallai mai'r hyn a gafwyd yn Nhwll y Fleiddast oedd anifail wedi dianc o gaethiwed, yr un fath â'r blaidd yng Nghwm Penmachno yn 1916.

Yn rhyfedd iawn mae'r rhan fwyaf o'r hanesion am ladd y blaidd olaf yn perthyn i ardaloedd yn siroedd y de; prin iawn yw'r rhai a oroesodd yn y gogledd. Mae'n wir fod mwy nag un awdur a ysgrifennai gan mlynedd yn ôl wedi cyfeirio at lu o hanesion am fleiddiaid oedd ar lafar ledled Cymru, yn enwedig yn Eryri.[96] Yn anffodus nid aeth yr un ohonynt i'r drafferth o'u cofnodi, a chollwyd llawer ohonynt yn y cyfamser fel mai eithriad bellach yw dod o hyd i'r sawl sydd â mwy na brith gof amdanynt.

Yr hanes yn ôl Trebor Môn.

Ceir mwy o hanesion am ladd y blaidd yn ne Cymru nag a geir yn y gogledd.

---

95 DN, 44
96 VFNW, 27

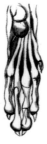

4

Hela'r Blaidd a Gwarchod y Praidd

BLEIDDBWLL ~ Yma ac acw yng Nghymru mae yna fannau sy'n cael eu galw'n *bleiddbwll*, dro arall, *pwll y blaidd*. Yn ôl *Geiriadur Prifysgol Cymru* ystyr bleiddbwll yw: 'Pwll neu drap wedi ei orchuddio â changhennau a dail i ddal bleiddiaid.'[97]

Mae'n siŵr fod strwythur a thechneg y pwll wedi amrywio o wlad i wlad ac o gyfnod i gyfnod, a heb gael un wedi'i gloddio gan archaeolegwyr mae'n anodd dweud pa fath oedd i'w gael yng Nghymru. Ond mae un peth yn sicr, mae'n rhaid eu bod yn strwythurau parhaol iawn gan fod ffermydd, ac mewn dau achos, plasty hynafol, wedi cymryd eu henwau oddi wrth ambell fleiddbwll.

Os bleiddbwll sy'n cael ei ddarlunio yn y llun gyferbyn a gymerwyd allan o hen lyfr Almaenig, roedd y pwll yn un crwn ac wedi'i walio ar y tu mewn yn ddigon tebyg i ffynnon, a hwyaden mewn cawell ar yr ochr bellaf i ddenu'r blaidd ymlaen.

Mae'n debyg y byddai bleiddbyllau eraill yn sgwâr neu'n hirsgwar, a chlwydi â gorchudd o dywyrch yn cael eu gosod drostynt.

---

97 G, 285

Pwll i ddal bleiddiaid.

Am ganrifoedd y gred oedd, hyd yn oed ym mysg clerigwyr, bod natur y blaidd yn un anfad a pheryglus. Doedd ganddynt ddim amheuaeth ychwaith bod bleidd-ddynion yn bod.

Y dechneg oedd colfachu'r glwyd yn ei chanol a'i gosod yn y fath fodd fel bod ei bôn yn gorffwys ar un ymyl i'r pwll tra bod y tair ochr arall fymryn yn brin o'r ymylon. Felly, cyn gynted ag y byddai'r blaidd yn camu ar hanner blaen y glwyd byddai honno'n troi ar ei cholfachau gan ei ollwng i mewn i'r pwll.

Dro arall ceid colofn neu bentan yng nghanol y bleiddbwll, math o lwyfan cyfyng i glymu anifail prae bychan arno er mwyn hudo'r blaidd i geisio'i gyrraedd.[98]

Yn ôl pob tebyg nid oedd gofyn i'r bleiddbwll fod yn ddwfn iawn cyn belled nad oedd modd i'r blaidd ddringo allan ohono. Ceir hanesyn lled ddoniol am heliwr o Sweden yn clywed sŵn udo'n dod o'i fleiddbwll, a phan gyrhaeddodd yno roedd wedi dal amryw o fleiddiaid. Yn anffodus, wrth iddo geisio'u lladd fe lithrodd i mewn i'w canol. Yn groes i'r disgwyl, yr hyn a wnaeth y bleiddiaid oedd nid ymosod arno ond manteisio ar y cyfle i ddianc drwy neidio allan dros ei ysgwyddau.

Nid ar chwarae bach mae denu blaidd i unrhyw fath o drap, ac mae angen rhywbeth sy'n mynd i'w hudo yn fwy hyd yn oed na'i awydd am fwyd pan fo'n newynog. Yr arfer hyd heddiw ymhlith brodorion

---

98 WNA, 289

mynyddoedd Carpathia yw arllwys hylif drewllyd, megis cynnwys
pledren llwynog, dros foncyffion coed neu greigiau o gwmpas y pwll
ble mae'r blaidd fel arfer yn troethi. Wrth ffroeni'r arogleuon hynny
mae yntau'n cynhyrfu, yn mynd yn llai gwyliadwrus ac yn debycach
o gael ei ddal.

Drwy chwilio mewn hen weithredoedd, siarteri, mapiau a
dogfennau eraill, llwyddwyd i ddod o hyd i nifer o fleiddbyllau a
phyllau bleiddiaid yng Nghymru a'u lleoli ar y map isod. Does dim
modd bod yn sicr mai'r un ystyr oedd i bwll y blaidd a bleiddbwll
wrth reswm, ac nid dyna'r unig anhawster. Gyda threigl amser aeth
bleiddbwll yn *bribwll* ar lafar, ac wrth y ffurf honno yr adwaenir y
rhan fwyaf ohonynt bellach. Yr enw cyfatebol yn Lloegr oedd *wolfpit*
a cheir ambell un o'r rheini ar y Gororau. Y mae'n werth tynnu sylw

▼ *Trawsdoriad
fertigol*

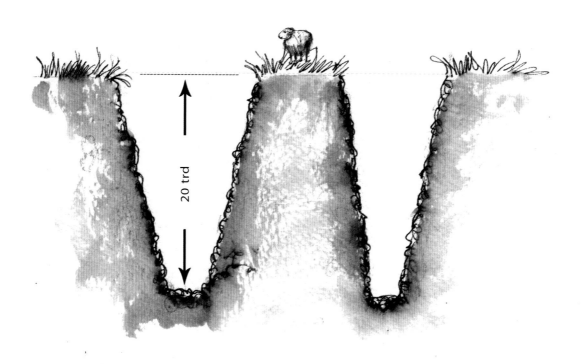

20 trd

at le o'r enw Boarspitt ger Ystumllwynarth ar benrhyn Gŵyr, sy'n awgrymu bod y baedd gwyllt yn cael ei ddal yn yr un modd.[99]

Er bod cynifer ag ugain o safleoedd wedi'u bras leoli, nid oes gweddillion bleiddbwll wedi'u darganfod ar yr un ohonynt. Fodd bynnag, bydd yn werth cyfeirio at un llecyn arall ar arfordir Meirionnydd gan i rywun hawlio bod yno fleiddbwll ar un adeg.

Bedd, odyn neu fleiddbwll yn Llwyngwril.

Ar gae rhwng ffermdy Carnygadell Uchaf a'r sgubor, dri chwarter milltir i'r de o bentref Llwyngwril, mae siambr gerrig a ddehonglwyd mewn sawl ffordd. I rai, mewn ymgais i esbonio enw'r fferm, dyna fedd Cadell, un o feibion Rhodri Mawr, ac yn wir, ar yr olwg gyntaf mae'n ddigon tebyg i siambr gladdu hynafol. Boed a fo am hynny,

Pwll i ddal baedd gwyllt.

99 MD Ystumllwynarth, rhif 342

y farn gydnabyddedig bellach yw bod yno odyn sychu grawn ar un adeg, ac mae'r cerrig oddi mewn i'w gweld wedi duo gan y tân.

Pan aeth y fferm ar werth yn 1987 roedd nodyn yn y catalog arwerthiant yn cyfeirio at yr hyn a elwid yn drap bleiddiaid ar y tir, ac er na ellir bod yn sicr, mae'n bur debyg mai'r siambr oedd dan sylw. Efallai fod y perchennog ar y pryd yn gwybod bod y lle'n cael ei adnabod fel bleiddbwll ar lafar, neu bod enw'r cae yn awgrymu hynny. Ond os oedd y fath draddodiad yn bodoli ugain mlynedd yn ôl, aeth yn angof bellach ac ni roddir enw i'r cae ar y map degwm.

Mae'r siambr, sydd o dan y ddaear, yn un gron, yn mesur saith troedfedd ar ei thraws a chwe troedfedd o ddyfnder. Braidd yn gyfyng at ddibenion bleiddbwll, efallai, ond os dyna beth ydoedd yn wreiddiol mae'n amlwg iddo gael ei addasu i fod yn odyn sychu grawn yn ddiweddarach.[100]

O chwilio'n fanylach, mae'n bur debyg y byddai rhywun yn dod o hyd i aml i fleiddbwll[101] (neu bwll y blaidd) arall, ond o gymryd y map fel ag y mae, mae dau beth yn tynnu'r sylw. Yn gyntaf, y clwstwr o byllau sy'n lled agos at ei gilydd yng nghlymiad siroedd Ceredigion, Penfro a Chaerfyrddin. Gellir mentro awgrymu mai'r rheswm am hynny oedd presenoldeb ceunentydd dyfnion a choediog afonydd Cleddau Ddu a Thaf a fyddai wedi cynnig lloches ac ysglyfaeth i fleiddiaid. Yn ail, mae'n amlwg bod llawer mwy o fleiddbyllau yn y gorllewin nag yn y dwyrain, sy'n peri i rywun amau tybed a oedd enw arall arnynt yn y mannau hynny, neu a ddefnyddid techeg wahanol. Efallai fod yr ateb i'w gael yng Nghyfraith Hywel sy'n cyfeirio at fratbwll [brad (= *twyll neu gynllwyn*) + pwll], sef pwll ar gyfer dal anifeiliaid o bob math yn hytrach na dim ond bleiddiaid. Mae'n bosibl nad oedd llawer o wahaniaeth rhwng bratbwll a bleiddbwll o ran cynllun. Nid yw Cyfraith Hywel yn cynnig disgrifiad ohono, dim

Bratbwll a bratffos.

---

100 Cofnodion RCAM; (EP)
101 Ceir rhagor o fanylion am fleiddbyllau yn Rhan II

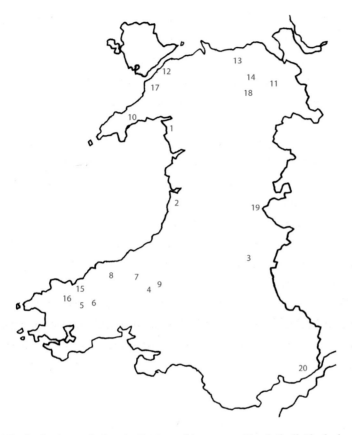

Bleiddbyllau Cymru

1   Bleiddbwll, Llanfair, Ardudwy, Sir Feirionnydd
    (SH 608 292)

2   Bleiddbwll, Tal-y-bont, Ceredigion (SN 656 895)

3   Bleiddbwll, Llandeglau, Sir Faesyfed (SO 13 62)

4   Bleiddbwll, Capel Dewi, Llandysul, Ceredigion
    (SN 44 43)

5   Bleiddbwll, Llanfyrnach, Sir Benfro (SN 206 296)

6   Bleiddbwll, Llanglydwen, Sir Gaerfyrddin
    (SN 170 271)

7   Bribwll, Rhydlewis, Ceredigion (SN 346 488)

8   Bribwll, Cenarth, Sir Gaerfyrddin (SN 285 410)

9   Bribwll, Llanfihangel-ar-arth, Sir Gaerfyrddin
    (SN 432 391)

10 Bribwll, Llanbedrog, Sir Gaernarfon (SH 33 32)

11 Bribwll, Eryrys, Llanarmon-yn-Iâl, Sir Ddinbych
    (SJ 20 57)

12 Pwll y Blaidd, Bangor, Sir Gaernarfon (SH 561 702)

13 Pwll y Blaidd, Llanefydd, Sir Ddinbych (SH 96 67)

14 Pwll y Blaidd, Bontuchel, Sir Ddinbych (SJ 080 575)

15 Pwll y Blaidd, Brynberian, Sir Benfro (SN 108 330)

16 Pwll y Blaidd, Llangolman, Sir Benfro (SN 128 268)

17 Pwll y Bleiddiau, Groeslon, Sir Gaernarfon
    (SH 48 56)

18 Pwll y Fleiddast, Derwen, Sir Ddinbych (SJ 07 50)

19 Wolfpit, Yardro, Sir Faesyfed (SO 218 589)

20 Wolfpit, Cil-y-coed, Sir Fynwy (ST 471 877)

'Na ddos at flaidd cyd bytho'n cysgu.'

ond nodi bod rhaid i'r sawl a'i cloddiai ofalu am ei gau pan nad oedd yn cael ei ddefnyddio a thalu iawn i berchen unrhyw anifail dof a syrthiai i mewn iddo'n ddamweiniol. Cadwyd cofnod am dri bratbwll mewn enwau lleoedd, a hynny yng ngogledd-ddwyrain Cymru lle nad oes sôn am fleiddbyllau: dwy Nant y Bratbwll – y naill ger Llansilin a'r llall i'r de o Lanarmon Dyffryn Ceiriog yn ne-ddwyrain Sir Ddinbych – ac un Bratbwll yn ardal Manafon, Sir Drefaldwyn.

Rhyw ddwy filltir i'r gogledd o gronfa ddŵr Llyn Celyn ym Mhenllyn mae darn o fynydd rhwng afon Hesgyn a Nant y Coed a elwir yn Brotos. Ar sail tystiolaeth hen ddogfen wedi'i dyddio 1322, sy'n cyfeirio at Nant y Coed fel Nant y Bratffos, fe ddadleuodd y diweddar Bedwyr Lewis Jones mai Bratffos [brad + ffos] oedd ffurf wreiddiol Brotos a bod yno unwaith strwythur digon tebyg i fratbwll i ddal anifeiliaid gwylltion.[102] Os felly, dyna bedwar bratbwll/ffos mewn rhan o Gymru sy'n amddifad o fleiddbyllau. Mae'n anodd barnu ag unrhyw bendantrwydd beth oedd y gwahaniaeth sylfaenol rhwng bratbwll a bratffos, oni bai bod y naill yn bwll crwn neu sgwâr, tra bod y llall ar ffurf cafn hir.

Os oedd yna fratffos yn ogystal â bratbwll, tybed a oedd cymar tebyg i'r bleiddbwll a elwid yn fleiddffos neu'n ffos y bleiddiaid? Y rheswm dros awgrymu hynny yw bod yng Nghymru o leiaf dri lle a elwir yn Ffos y Bleiddiaid: un yn ymyl Abergele, Sir Ddinbych, a'r ddau arall yng Ngheredigion, y naill ger pentref Swyddffynnon a'r llall ym mhlwyf Llanllwchaearn ger y Ceinewydd.

BUARTH BLAIDD

Yn y llun gyferbyn a welir mewn hen lawysgrif Ffrengig o'r bymthegfed ganrif, ar gadw yn y Bibliothèque Nationale de France yn Paris, fe ddarlunnir dull arall o ddal bleiddiaid. Mae yna ddwy gorlan, y naill o fewn y llall, wedi'u hadeiladu o glwydi pren plethedig. Yn y cylch

---

102 YEE, 26

Buarth blaidd mewn llawysgrif o'r bymthegfed ganrif. Llun: Bibliothèque Nationale de France.

Lloc y Llwynog ger Cwm Cywarch. Gallai'r llwynog neidio i mewn yn rhwydd ond ni allai neidio allan. Llun: W.D. Llewelyn.

mewnol gosodid dafad fyw, ynghyd â darn o gig, i ddenu'r blaidd drwy'r drws i'r cylch allanol ond heb allu cyrraedd y ddafad ei hun. Nid yw'n glir o'r darlun pwy oedd yn gyfrifol am gau'r drws ar ei ôl. Cail oedd yr hen enw Cymraeg am gorlan a wnaed o glwydi pren plethedig, ond byr iawn fyddai eu hoes ac nid oes unrhyw dystiolaeth i strwythurau o'r fath gael eu defnyddio i ddal bleiddiaid yng Nghymru. Fodd bynnag, mae'n bosibl i rai ohonynt gael eu codi ag amgenach deunydd, yn enwedig yn yr ucheldir ble roedd coed yn brin. Yn ystod y ddeunawfed ganrif roedd sôn am adfail crwn a elwid yn Wolf Fold yn Barkisland ger Halifax.[103] I ddod yn nes adref, ar y Gororau ceir Welfehay a Woluedish yn Swydd Gaer, Wolphy yn Swydd Henffordd

---

103 BAE, 156

a Wooferton yn Swydd Gaerloyw, y pedwar yn cael eu dehongli gan arbenigwyr ar enwau lleoedd fel 'wolf enclosures', sef strwythurau amgaeedig i ddal bleiddiaid.[104]

Yn ei lyfr *Hynodion Gwlad y Bryniau*, mae gan Steffan ab Owain adran eithriadol o ddiddorol ar fuarth neu loc llwynog, sef math o gorlan gerrig i ddal llwynogod a allai'n hawdd fod ar batrwm y Wolf Fold yn Lloegr. Yn wir, dywed yr awdur ei fod yn deall i fleiddiaid gael eu dal yn yr un modd mewn sawl gwlad dramor. Mae ganddo ddisgrifiad manwl o ddau fuarth llwynog yn seiliedig ar dystiolaeth gwŷr a'u gwelodd yn cael eu defnyddio dros ganrif yn ôl. Safai'r cyntaf ar Waun Gynfi, Llanddeiniolen, a dywedir ei fod fel 'corlan wedi ei hadeiladu'n gron, mewn pant dwfn, neu wedi ei suddo i'r ddaear . . . ac wedi ei gweithio tros ei throed, tros blwm [hynny yw gyda'r muriau'n gwyro i mewn tua'r canol] a'i chodi i uchder digonol fel na allai y cadno neidio ohoni.' I ddenu'r llwynogod i neidio i mewn iddi byddent yn casglu cyrff defaid wedi marw o gryn bellter o gwmpas ac yn eu taflu i mewn. Mae'r ail fuarth llwynog, sydd i'w weld o hyd ar ben Aran Fawddwy, yn ddigon tebyg i'r cyntaf o ran ei wneuthuriad ond bod ynddo gwt bychan gyda drws arno ble byddai gŵydd dew yn cael ei gosod i ddenu'r llwynogod; cynllun digon tebyg i'r un i ddal bleiddiaid yn y llun o Ffrainc, ond bod y naill o gerrig a'r llall o goed.

Cystal nodi bod amryw o'r buarthau llwynogod hyn yng ngogledd-orllewin Cymru. Clywyd am rai eraill ar fynydd Pen yr Ole Wen yn Nant Ffrancon, ar fynydd Glanllugwy, Capel Curig, ac ar Foel Isbri, Llanelltud.[105] Os oedd ein cyndeidiau'n defnyddio'r dull hwn o ddal llwynogod mae'n anodd credu na fyddent, mewn oes gynharach, wedi dal bleiddiaid, a oedd yn greaduriaid llawer peryclach, yn yr un modd. Mae'n wir nad oes prawf pendant o hynny ond mae'n werth sylwi bod unwaith ffermdy a elwid yn Fuarth-y-

Buarth neu loc llwynog.

104 MR 25, 206–8
105 (EJ); (KJ); (SO)

blaidd rywle yng nghwr uchaf plwyf Llansawel yn Sir Gaerfyrddin. Yn anffodus mae pob cof am ei safle wedi diflannu bellach ond fe allai'r enw fod yn nodi'r fan lle roedd buarth i ddal bleiddiaid ar un adeg. Eto, ar Ynys Môn roedd lle ger Bryngwran a elwid yn Fuarth Bleiddyn.

CAE BLAIDD

Cae'r Blaidd y gwledydd Celtaidd.

Enw arall a allai fod yn cadw cof am strwythur i ddal bleiddiaid yw Cae'r Blaidd. Fel arfer bydd rhywun yn synied am gae fel darn helaeth o dir porfa wedi'i amgylchynu â gwrych, ond fe all olygu unrhyw damaid o dir sydd wedi'i amgáu â gwrych neu fur. Felly, tybed a yw Cae'r Blaidd yn cyfateb i'r Wolf Fold a'i debyg yn Lloegr? Mae enwau lleoedd sy'n cyfateb i Gae'r Blaidd yn weddol gyffredin yn y gwledydd Celtaidd eraill hefyd. Dyna, mae'n debyg, yw arwyddocâd enwau fel Braco a Blairmaddie yn yr Alban, a Breaghva neu Breaghwy yn Iwerddon. Yng Nghernyw, dywedir bod yr enw lle Carblake yn tarddu o *ker bleit*, sef Cae'r Blaidd yn yr iaith Gernyweg.[106]

Ceir o leiaf wyth Cae'r Blaidd, tri Chae Wlff, dau Gae'r Fleiddast a deg Cae Bleiddyn yng Nghymru sydd wedi'u lleoli ar y map gyferbyn.

Cae'r Blaidd: ar ganol llechwedd neu lan afon.

Nodwedd sy'n gyffredin i amryw o'r mannau hyn yw eu bod wedi'u lleoli tua hanner y ffordd i fyny llechweddau serth uwchlaw cymoedd culion neu geunentydd. A bwrw bod rhan isaf cymoedd o'r fath yn goediog ganrifoedd yn ôl, fel y mae rhai yn parhau i fod, efallai fod y strwythurau hyn wedi'u gosod yn y mannau lle byddai bleiddiaid yn gadael y coed am y tir agored i hela. Mae safleoedd eraill nid nepell o lannau afonydd helaeth, megis Conwy, Clwyd, Dyfrdwy a Gwy, ac mae'n bosibl iddynt gael eu gosod ble roedd llwybrau bleiddiaid yn eu croesi.

Nid oes amheuaeth nad y Cae'r Blaidd sy'n agos at eglwys Llanfaredd yn Sir Faesyfed (heb fod ymhell o faes y Sioe Amaethyddol

---

106 MR 25, 206, 212–3

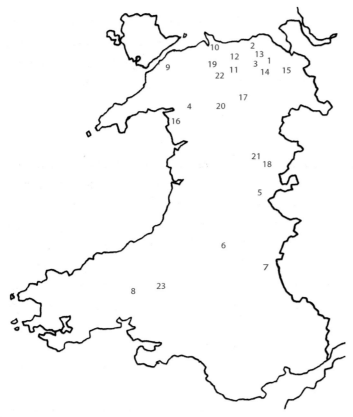

Cae Blaidd

CAE'R BLAIDD

1   Maes-hafn, Sir Ddinbych (SJ 197 609)

2   Llanelwy, Sir y Fflint (SJ 04 75)

3   Rhyd-y-mwyn, Sir y Fflint (SJ 204 672)

4   Ffestiniog, Sir Feirionnydd (SH 704 428)

5   Ceri, Sir Drefaldwyn (SO 128 887)

6   Llanfaredd, Sir Faesyfed (SN 067 513)

7   Yr Eglwys Newydd, Sir Faesyfed (SO 211 499)

8   Gwernogle, Sir Gaerfyrddin (SN 524 336)

CAE BLEIDDYN

9   Penisa'r-waun, Sir Gaernarfon (SH 561 636)

10   Mochdre, Sir Ddinbych (SH 82 77)

11   Llansannan, Sir Ddinbych (SH 938 646)

12   Cefn Meiriadog, Sir Ddinbych (SH 998 727)

13   Tremeirchion, Sir y Fflint (SJ 08 73)

14   Treuddyn, Sir y Fflint (SJ 264 593)

15   Yr Hob, Sir y Fflint (SJ 32 59)

16   Llanfair, Sir Feirionnydd (SH 606 310)

17   Y Ddwyryd, Sir Feirionnydd (SJ 044 430)

18   Y Trallwng, Sir Drefaldwyn (SJ 21 03)

CAE WLFF

19   Caerhun, Sir Gaernarfon (SH 77 70)

20   Llandderfel, Sir Feirionnydd (SH 979 373)

21   Meifod, Sir Drefaldwyn (SJ 14 14)

CAE'R FLEIDDAST

22   Llanrwst, Sir Ddinbych (SH 806 605)

23   Cwrtycadno, Sir Gaerfyrddin (SN 684 456)

yn Llanelwedd) yw'r safle mwyaf diddorol o'r cyfan. Yng nghanol y cae mae pant gweddol ddwfn a charegog o'r golwg mewn llwyn o goed derw; yr union fath o safle lle y gallai rhywun fod wedi codi buarth o gerrig i ddal bleiddiaid. Ni wyddai perchennog presennol y cae am unrhyw hanes i'r lle, a chan fod y Gymraeg wedi'i cholli yno nid yw'r enw'n golygu dim bellach. Eto, mae traddodiad llafar byw iawn am ladd blaidd yng Nghoed Penarth yn y plwyf agosaf.

TRAP BLAIDD

Yn Swydd Gaer ar y Gororau ceir dau le y mae eu henwau, Woefy a Woolfall o'r Hen Saesneg *wulf-fealle*, yn cael eu dehongli fel trap bleiddiaid.[107] Dyma'r unig ddwy enghraifft yn Lloegr, ac yn anffodus nid oes modd gwybod a oedd gwahaniaeth sylfaenol rhyngddynt a'r *wolf pit* neu'r *wolf fold*.

Y gist i ddal llwynogod.

Yn ddiweddar cafwyd sgwrs ddiddorol iawn â William Harris o bentref Crai sydd wedi bugeilio defaid ar Fannau Brycheiniog gydol ei oes. Sôn yr oedd am y clystyrau cerrig breision yma ac acw ar y Bannau lle bydd llwynogod yn llechu ac yn magu, ac am *gistiau* – trapiau cerrig y byddai'r hen fugeiliaid yn eu codi i'w dal. Er nad oes unrhyw brawf bod trapiau o'r fath wedi cael eu defnyddio i ddal bleiddiaid yng Nghymru, mae rhywbeth ynghylch eu hadeiladwaith sy'n awgrymu iddynt gael eu cynllunio ar gyfer rhywbeth amgenach na llwynog. Yn sylfaenol, yr hyn ydyw yw twnnel o gerrig sychion wedi'i adeiladu yn erbyn genau'r lloches. O fewn y twnnel mae drws o lechen y gellir ei godi i'r nenfwd a'i ddal ar agor â hoelen. Ym mhen yr hoelen clymir darn o linyn sydd â thamaid o gig ynghlwm yn ei ben arall. Y syniad yw bod y llwynog (neu'r blaidd), wrth gydio yn y cig a'i dynnu i mewn i'r lloches i'w fwyta, yn rhyddhau'r hoelen sy'n cadw'r drws ar agor gan ei garcharu ei hun oddi mewn. Does dim rheswm pam na allasai bleiddiaid fod wedi defnyddio'r llochesau hyn

---

107 MR 25, 206

ar un adeg gan eu bod yn ddigon helaeth i ddyn gropian i mewn iddynt.

Yr un egwyddor o ddal bleiddiaid oedd gan frodorion Canada ond bod eu dull ychydig yn wahanol. Gan fod dyfnder y rhew yn gwneud cloddio bleiddbyllau yn anodd byddent yn clymu cig wrth bentwr o gerrig a choed a osodwyd yn y fath fodd fel y byddai unrhyw flaidd a dynnai wrth y cig yn amharu ar gydbwysedd y strwythur gan achosi i'r cyfan syrthio am ei ben a'i ladd neu ei garcharu.[108]

BACH BLAIDD

Gan fod y blaidd yn greadur mor wyliadwrus mae'n anodd iawn ei ddal ag abwyd hyd yn oed pan fo ar ei gythlwng gefn gaeaf. Er hynny, bu gosod darn o gig ar fachyn a'i hongian ar gangen coeden ryw chwe throedfedd o'r ddaear yn ddull cyffredin ond digon aflwyddiannus o'i ddal mewn llawer gwlad. Y syniad oedd bod y blaidd yn neidio am y cig, yn cael ei ddal gerfydd ei geg fel pysgodyn, ac yn dihoeni yno hyd nes i'r heliwr ddod heibio i'w ladd.[109]

Dull aneffeithiol o ddal blaidd.

ANNEL

Yn ogystal â'r bratbwll, mae yng Nghyfraith Hywel gyfeiriad at fagl neu drap a elwid yn annel, er mai prin iawn yw'r wybodaeth amdano. Roedd yn rhaid i'r sawl fyddai'n claddu annel ar dir rhywun arall dalu dirwy o bedair ceiniog ac ildio'r anifail a ddelid i berchennog y tir. Felly mae'n rhaid fod yr annel yn fath o declyn a gâi ei gladdu

Safleoedd anelau.

---

108 WNA, 260
109 W, 309

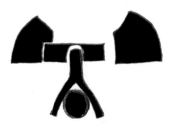

Annel: Byddid yn cuddio safn y trap o dan orchudd o redyn neu fwsog neu debyg.

neu ei led gladdu ar lwybr neu drywydd yr anifail y gobeithid ei ddal.[110] Efallai mai rhyw gilfach lle byddai'r trapiau hyn yn arfer cael eu gosod oedd y lle a elwid gynt yn Bachyranelau yng nghyffiniau Castell Dolforwyn ar lan afon Hafren ger Aber-miwl.[111] Llecynnau eraill sy'n cadw'r enw yw Coed Annel, y Ganllwyd, rhwng Dolgellau a Thrawsfynydd,[112] Bwlch Anela, Dyffryn Ogwen,[113] Nant yr Anele, dair milltir i'r gogledd-ddwyrain o Lanwrin yn Nyffryn Dyfi, a Chwm yr Annel yng Nghwm Llwyd i'r gogledd o Garno. Yn ôl hen ddogfen sy'n perthyn i ogledd Lloegr, yr amser gorau i osod trapiau i ddal bleiddiaid oedd yn ystod misoedd Mawrth a Medi. Y gred oedd nad oeddent mor abl i synhwyro pridd newydd ei gloddio ar yr adegau hynny.[114]

Darganfyddiad gŵr Nant-yr-ast.

Yn 1875 daeth gŵr Nant-yr-ast, fferm ddiarffordd ym mlaen afon Cothi yng ngogledd Sir Gaerfyrddin, o hyd i declyn anghyffredin wrth dorri mawn. Roedd wedi'i wneud o bren ac yn mesur tair troedfedd a naw modfedd o hyd a saith modfedd o ddyfnder, a chanddo fwlch

---

110 CHDd, 80
111 B 10, 307
112 *Nannau*, rhif 3729
113 HLlLl, 60
114 CPR (1436–41) 353

pymtheng modfedd wrth bedair modfedd drwy ei ganol. Mae nifer fawr o'r teclynnau hyn wedi'u darganfod ledled Ewrop, gan gynnwys yr Alban ac Iwerddon, a chredir iddynt gael eu defnyddio o gyfnodau cynnar iawn i ddal anifeiliaid gwylltion, rhai cymaint â cheirw, efallai.[115]

Does dim sicrwydd mai annel yw'r teclyn dan sylw er bod tebygrwydd arwynebol rhyngddynt. Nid oes ychwaith dystiolaeth bod y naill na'r llall yn cael eu defnyddio i ddal bleiddiaid. Serch hynny, gan fod nifer o enwau lleoedd yn tystio i fodolaeth bleiddiaid hyd lannau'r Cothi, fe dâl inni roi peth sylw iddo.

Y farn gydnabyddedig yw y byddai'r teclyn yn cael ei osod ar ei orwedd dros wyneb twll bas wedi'i gloddio yn y ddaear. Câi dwy ran o dair o'r bwlch yn ei ganol ei lenwi gan ddrws bychan pren a gynhelid ar gau gan ffon ar ffurf bwa (gw. llun). Wrth i'r anifail sathru'r drws yn y bwlch byddai'r ffon yn rhoi ryw gymaint fel bod y droed yn llithro drwy'r bwlch, ond nid yn ormodol, er mwyn i'r drws weithredu fel lletem i rwystro'r anifail rhag ymryddhau.

BLEIDDGWN

Prin eithriadol yw unrhyw gyfeiriad at fleiddgwn, sef cŵn i hela bleiddiaid, yng Nghymru, sy'n awgrymu eu bod yn cael eu hadnabod wrth ryw enw arall. Nid oes ychwaith unrhyw awgrym o sut yr eid ati i hela bleiddiaid â chŵn.

Pan awdurdodai Edward I, brenin Lloegr, 1272–1307 wŷr i ddifa bleiddiaid, roeddent i wneud hynny 'with men and dogs and ingenus sins', dro arall 'with hounds and with . . . nets and in other ways', sy'n awgrymu bod rhwydo yn rhan o'r gorchwyl.[116]

Does dim sôn am hela'r blaidd yng Nghyfraith Hywel ond fe enwir dau fath o helgi, sef y gellgi a'r milgi.[117]

---

115 AC 1924, 198–204
116 CPR (1272–81) 429, 436
117 CHDd, 53

MILGWN

*Milgi yn hela
â'i lygad.*

Yn yr hen chwedl neu ramant 'Peredur fab Efrog' mae disgrifiad o helfa geirw sy'n dangos yn eglur beth oedd y gwahaniaeth sylfaenol rhwng y ddau fath o helgi: byddai'r gellgi yn hela â'i ffroen a'r milgi â'i lygaid.[118] Y gellgi a gâi ei ddefnyddio i hela'r coetiroedd, ond wedi codi'r carw byddai'r milgi'n cael ei ollwng i'w ymlid dros y tiroedd agored a'i lorio. I gyflawni'r gorchwyl hwnnw roedd gofyn bod gan y milgi lawer o anian y blaidd, ac nid rhyfedd felly bod sôn am y Celtiaid yn croesi'u cŵn â bleiddiaid.

Mae'n amlwg bod gan Gymry'r Oesau Canol barch rhyfeddol at eu milgwn. Sut arall mae esbonio bod dros ugain o ffynhonnau, cromlechi a meini hynafol drwy Gymru benbaladr wedi'u galw ar enw'r milgi – neu'r filiast, gan amlaf: Carnedd y Filiast, Llech y Filiast, Gwâl y Filiast, Ffynnon y Milgi, ac yn y blaen.

*Cyflymder, dewrder
a ffyrnigrwydd
wrth hela: rhai o
nodweddion y Milgi
Cymreig.*

Y Milgi Cymreig, ochr yn ochr â'r Ddraig Goch, sydd i'w weld yn cynnal y Corn Hirlas a gafodd Dafydd ab Ieuan o Lwyn Dafydd, Ceredigion, yn rhodd gan Harri Tudur, yn ôl hen draddodiad. Cymaint oedd eu bri fel bod dysenni o gywyddau wedi'u canu gan wahanol feirdd yn gofyn am filgi yn rhodd gan y naill uchelwr i'r llall, ac mae'r cywyddau hyn yn cynnig darlun byw ohono bum cant a mwy o flynyddoedd yn ôl.[119] O ran lliw roedd y milgi'n ddu neu'n frych a chanddo fron wen a blew hir a garw. Nodweddion eraill sy'n cael eu pwysleisio yw'r fynwes laes a'r bol main, ynghyd â'i gyflymder, ei ddewrder a'i ffyrnigrwydd wrth hela. Mae'n wir mai sôn am hela ceirw mae'r beirdd yn ddieithriad, ond os oedd llorio hydd o fewn eu gallu gallent ladd blaidd hefyd. Does dim amheuaeth nad oeddent yn perthyn yn agos i'r cŵn o deip milgi mewn gwledydd Celtaidd eraill, megis yr Hyddgi Albanaidd (Scottish Deerhound) a'r Bleiddgi Gwyddelig (Irish Wolfhound neu Longhound), ci heb ei ail

*Milgi Cymreig du
neu frych, blewyn
garw.*

---

118 HPVE, 48
119 CGD

Y Corn Hirlas. Rhodd i Dafydd ab Ieuan gan Harri Tudur a oedd ar ei ffordd i Frwydr Bosworth. Milgi Cymreig, ochr yn ochr â'r Ddraig Goch, sy'n cynnal y corn.

am hela bleiddiaid. Mae'n rhaid bod Tudur Penllyn yn ymwybodol o'r tebygrwydd cyn iddo alw milgi o'r Branas, fferm rhwng y Bala a Chorwen, yn Wyddel Hir.[120]

GELLGWN

Nid yw pawb yn cytuno pa fath o gi yn union oedd y gellgi, a chymharol ychydig sy'n wybyddus amdano. Er mai fel ci yn hela â'i ffroen y mae i'w weld yn chwedl Peredur, câi ei adnabod hefyd fel *molossus*, ci mawr cydnerth a ffyrnig a ddefnyddid i warchod. Efallai

---

120 GTP, 57

*Gellgi yn hela
â'i ffroen.*

ei fod yn cyfuno'r ddwy swyddogaeth ac mai dyna pam mae Cyfraith Hywel yn rhoi pris mor uchel arno, uwch hyd yn oed na'r milgi. Gan mai gwinau neu ryw wawr o goch yw *gell*, bernir mai dyna liw y gellgi. Yn rhyfedd iawn, yn un o'i gywyddau mae Dafydd ap Gwilym yn sôn am gi coch ffyrnig yn ymosod arno wrth iddo geisio cael mynediad i dyddyn un o'i gariadon:[121]

> Neidiodd, mynnodd fy nodi
> Ci coch o dwlc moch i mi

Os gellgi oedd y ci hwnnw dyna gadarnhad pellach o'i allu i warchod.

BUGEILGWN

Yn ogystal â meddu ar gŵn â'r gallu i hela bleiddiaid, yr oedd yr un mor hanfodol i gael rhai i warchod y praidd rhag eu hymosodiadau.

*Bugeilgi i warchod
y praidd.*

Ystyr bugeilgi neu gi bugail heddiw yw ci sy'n gallu trafod defaid, eu cyrchu o bell a'u corlannu, ond datblygiadau cymharol ddiweddar yw'r sgiliau hynny. Cŵn gwarchod y praidd rhag lladron, bleiddiaid ac anifeiliaid ysglyfaethus eraill oedd bugeilgwn yr Oesau Canol. Yn ôl Cyfraith Hywel gallai bugeilgi fod o unrhyw rywogaeth neu frid cyn belled â'i fod yn abl i gyflawni gorchwylion arbennig: blaenu'r praidd – boed yn wartheg neu ddefaid – yn y bore, cadw o'r tu ôl iddynt yn y pnawn a gwarchod y gorlan lle caent eu cadw yn ystod y nos. O gael cadarnhad dau gymydog agosaf ei berchennog ei fod yn abl i wneud hynny, roedd y ci yn werth cymaint â'r anifail gorau a warchodai.[122] Mae'n amlwg felly mai gwarchod y praidd

*Roedd bugeilgi yn
ddwywaith gwerth
yr anifail gorau a
warchodai.*

oedd swyddogaeth y bugeilgi; bob amser yn cymryd ei le ar gyrion y meysydd pori i amddiffyn y praidd rhag ymosodiadau. Trefn debyg oedd yn yr Iwerddon ble roedd gan y Gwyddel ei *conbuachaill* (ci bugail). Rhaid oedd i'r sawl a laddai gi *conbuachaill* dalu dirwy o bum

121 GDG, 220
122 CHDd, 53

Helfa flaidd.
Ysgythriad o'r unfed
ganrif ar bymtheg.

buwch, rhoi ci cyffelyb i'r perchennog yn ei le, a gwneud iawn iddo
am yr holl dda byw fyddai'n cael eu lladd gan fwystfilod ysglyfaethus
o hynny i ben blwyddyn – sylw sy'n awgrymu y cymerai flwyddyn i gi
newydd gynefino â'i orchwylion.[123]

Mae bugeilgwn o'r fath yn parhau i gael eu defnyddio i warchod
defaid mewn gwledydd lle mae bleiddiaid yn boen. Barn y milwyr
Cymreig a welodd fugeilgwn y Flachiaid, bugeiliaid crwydrol
Macedonia, yn ystod y Rhyfel Mawr oedd eu bod yn rhai neilltuol o
ffyrnig os mentrai rhywun yn agos at y corlannau.[124] Er mwyn sicrhau
na chaiff eu bugeilgwn eu brathu yn eu gyddfau gan fleiddiaid mae

Bugeilgwn y
Flachiaid ym
Macedonia.

123 CAI, 22
124 *Arch. G*, XM/623

hoelion pigfain yn cael eu gosod ar du allan eu coleri. Atgof o'r arfer hwnnw, mae'n debyg, yw'r stydiau pres neu loyw sy'n addurno coleri cŵn heddiw.

Y cŵn defaid Cymreig cynhenid.

Un o hanfodion bugeilgi yw ei fod yn sefyll yn uwch na'r defaid mae'n eu gwarchod, gan mai greddf blaidd yw osgoi ymladd â chi sy'n amlwg yn fwy nag ef ei hun.[125]

Barnai'r diweddar C. L. B. Hubbard, Cymro a wyddai gymaint â neb am gŵn y Cymry, mai o blith y gellgwn yn bennaf y tarddodd y bridiau cynhenid Cymreig fel y Welsh Hillman a'r Welsh Black and Tan, bugeilgwn mawr coch a du-torgoch.[126] Er eu bod fel eu disgynyddion presennol, y Cŵn Defaid Cymreig wedi datblygu eu dull trafod defaid eu hunain mae'r reddf hela a gwarchod yn parhau'n gryf ynddynt.

AMDDIFFYN Y PRAIDD RHAG BLEIDDIAID

Efallai mai dyma'r lle i ddweud ychydig am ddulliau'r hen fugeiliaid o amddiffyn eu hanifeiliaid rhag ymosodiadau gan fleiddiaid, er bod y dystiolaeth o Gymru ei hun yn brin ar y naw.

'Gwaeth un blaidd cloff na dau iach.'

Does dim amheuaeth nad oedd anifeiliaid dof yn cael eu targedu gan fleiddiaid o gyfnod cynnar iawn. Bron i bymtheg can mlynedd yn ôl canodd y bardd Taliesin am Owain ab Urien o Reged, un o arwyr yr Hen Ogledd, yn difa'i elynion fel blaidd yn llarpio praidd o ddefaid, gan awgrymu y byddent yn hollol ddiymadferth i'w wrthsefyll. Mae'n wir dweud hefyd mai blaidd wedi'i anafu fyddai debycaf o ladd anifeiliaid dof am eu bod cymaint â hynny'n haws eu dal na rhai gwyllt. Dyna, mae'n debyg, yw arwyddocâd yr hen ddihareb: 'Gwaeth un blaidd cloff na dau iach'. Mewn cyfnod cymharol ddiweddar gorfu i rai ardaloedd yn y Ffindir roi'r gorau i gadw defaid yn gyfan gwbl gan gymaint y colledion a achosid gan

125 (EMK)
126 WDW, 153

fleiddiaid. Mewn un rhan o'r wlad honno yn ystod y flwyddyn 1962 roedd 86% o'r prae a laddwyd gan y bleiddiaid yn anifeiliaid dof, 63% yn ddefaid, 12% yn gŵn, 10% yn wartheg a lloi, ac 1% yn geffylau.[127] Dim syndod bod sôn yn chwedloniaeth Iwerddon am gytundeb rhwng dynion a bleiddiaid i sicrhau na fyddent yn mynd â mwy nag un anifail o bob praidd mewn blwyddyn. Y traddodiad llafar, digon credadwy, yng Nghwm Tryweryn heddiw yw na ddechreuwyd cadw defaid ar fynydd-dir Penllyn hyd nes i'r bleiddiaid olaf gael eu difa yng Nghreigiau'r Bleiddiaid wrth odre Arennig Fach yn nyddiau Harri Tudur (1485–1509).

Dechrau cadw defaid ar fynydd-dir Penllyn.

BUARTHAU

Fe oroesodd bleiddiaid mewn rhannau o Iwerddon hyd y ddeunawfed ganrif gan achosi colledion enbyd ymhlith gwartheg, os oes coel ar yr hanesion sydd wedi'u cofnodi. Yn yr ardaloedd hynny mae gweddillion hen fuarthau i'w gweld o hyd, rhai helaeth â dwy fynedfa, un ym mhob pen, lle byddai gwartheg yn cael eu gwarchod rhag bleiddiaid yn ystod y nos. Gan fod bleiddiaid wedi diflannu o Gymru o leiaf ddwy, efallai cymaint â thair canrif ynghynt, ni chadwyd yma yr hanesion sydd gan y Gwyddyl, ond tybed nad oes gweddillion hen fuarthau tebyg i rai Iwerddon yma yng Nghymru hefyd? Soniwyd eisoes am Fuarth y Blaidd a Buarth Bleiddyn, ac am aml i Gae'r Blaidd neu Fleiddast, gan dybio y gallent fod yn drapiau i ddal bleiddiaid, ond ni ddylid anwybyddu'n llwyr y posibilrwydd y gallai rhai ohonynt fod yn fuarthau i warchod praidd rhag bleiddiaid.

Amddiffyn y praidd yn Iwerddon.

Mae nifer o hen strwythurau cerrig sychion a elwir yn fuarthau neu ffeldydd i'w gweld ar fynydd-dir Cymru o hyd, er nad oes dim i'w cysylltu â bleiddiaid hyd y gwyddys. Mae dau ohonynt ym mlaen afon Rheidol ar fynydd-dir Pumlumon; y naill, Ffaldyfuches-wen, ar fin y gronfa ddŵr ger safle Nant-y-moch, a'r llall, y Ffald-las, yn ymyl lluest

Ffeldydd Pumlumon ac Eryri.

---

127 AZF 2, 239

Ffald-las. Y 'gorlan' gerrig yng nghanol yr hen lun. Ai corlan ynteu buarth blaidd anghofiedig?

Nant-y-llyn. Mae'r ail, sy'n dal ar ei draed ac ar ffurf cylch aflêr, yn mesur yn agos i ganllath o'i amgylch. Esboniad y diweddar John a Jim James, Nant-y-moch, oedd bod y ffeldydd hyn yn cael eu defnyddio i gorlannu gwartheg dros nos rhag iddynt grwydro, pan fyddent yn cael eu hanfon i fyny i bori'r mynydd dros fisoedd yr haf yn y dyddiau gynt. Soniodd yr un o'r ddau air am fleiddiaid yn aflonyddu arnynt. Ond nid oedd chwedlau am fleiddiaid yn rhan o'r traddodiad llafar ar Bumlumon fel yr oeddent ar Fynydd Mawr Tregaron.

Dywed Steffan ab Owain mai fel Corlannau Gwŷr Môn neu Gorlannau Gwyddelod yr adwaenid y buarthau yn Eryri, a bod rhai ohonynt yn dyddio nôl ganrifoedd.[128]

---

128 HGB, 63

Y TARW A'R YCH

Soniwyd eisoes am y teirw o blith gyr o fuail gwylltion yn Canada yn amddiffyn llo bach drwy sefyll yn gylch amdano a rhuthro ar y bleiddiaid. Mae'n sicr bod amddiffyn y gyr yn un o gyneddfau greddfol y tarw. Yn yr Iwerddon ceir cyfeiriadau at y *dam conchaid*, ych a ymladdai â bleiddiaid, a'r tarw brych a warchodai ei wartheg rhag eu hymosodiadau.[129] Does dim cyfeiriadau tebyg wedi'u cadw yng Nghymru, er bod sôn am Ych Brych fel un o dri phrif ych Ynys Prydain ond heb sylwi ar ei arbenigrwydd.[130]

Yr ych a ymladdai â bleiddiaid.

O ystyried y cyrn llydain a'r ysgwyddau cyhyrog sydd gan deirw o fridiau cyntefig fel Gwartheg Gwynion Dinefwr, mae'n siŵr y gallent fod yn berygl bywyd i flaidd.

RHUGL GROEN

Gynt, yn Sweden, adeg troi'r gwartheg allan i'r caeau yn y gwanwyn, byddai llu o wŷr, gwragedd a phlant yn mynd o gwmpas y meysydd yn gwneud sŵn byddarol i godi'r bleiddiaid a'u dychryn i ffwrdd. Yn ôl pob sôn roedd yn ddull tra effeithiol o warchod y praidd er y byddai rhaid gwneud hynny droeon os oedd arwyddion bod y bleiddiaid yn symud yn ôl i'r ardal.

Nid yw'n eglur sut y byddai'r sŵn yn cael ei gynhyrchu, ond tybed ai dyna ddiben y rhugl groen neu'r wrach rhugl groen, teclyn swnllyd y byddai'r bugeiliaid yn ei ddefnyddio yng Nghymru ganrifoedd yn ôl? Cwdyn o groen amrwd, llawn cerrig mân neu bys yn cael ei gario ar flaen polyn oedd y rhugl groen. Mae'n anodd gwybod beth oedd ei faint na sut yn union y câi ei ddefnyddio ond mae'n debyg bod ei sŵn yn gwbl fyddarol.

Cwdyn o groen amrwd yn llawn cerrig mân i greu sŵn byddarol.

A throi at Dafydd ap Gwilym unwaith eto, yn un o'i gywyddau mae'n sôn amdano'i hun, ryw ddydd o haf, yn caru mewn llwyn ar

---

129 EIF, 49
130 TYP, 117

*Sŵn byddarol yn
tarfu ar gariad
Dafydd ap Gwilym.*

gwr mynydd pan ddaeth hen fugail heibio yn creu'r fath sŵn â'i rugl groen fel na allai'r ferch oddef aros yno.[131] Yn ffodus ddigon mae yn y cywydd aml i gymal yn darlunio'r teclyn: 'cod ar ben ffon yn sonio, cloch sain o grynfain (cerrig crynion) a gro', 'cawell teirmil o chwilod', 'ceidwades gwaun', 'cloch ddiawl a phawl yn ei ffwrch' a 'cron sercel y bugelydd', ond nid yw rhywun fawr callach sut yn union oedd creu'r sŵn.

Gan mai 'ceidwades gwaun' mae Dafydd yn ei galw, a chan mai ar gwr y mynydd y crwydrai'r bugail yn hytrach nag ar dir âr, mae'n haws credu mai dychryn anifeiliaid ysglyfaethus fel y gwneid yn Sweden oedd diben y rhugl groen, ac nid cadw brain draw o'r cnydau.

Y BIBGORN

Pan fo rhywun yn ystyried y diadelloedd helaeth y byddai'r mynaich Sistersiaidd yn eu cadw ar fynydd-dir Cymru, mae'n rhaid bod eu gwarchod rhag bleiddiaid yn broblem enfawr yn y cyfnod cynnar. Does eisiau ond darllen am brofiadau ffermwyr defaid yng Ngogledd America ganrif neu ddwy yn ôl i sylweddoli mor enbyd fyddai'r colledion.[132] Ac eto, yn rhyfedd ddigon, ni cheir cymaint ag un cyfeiriad at ymosodiadau gan fleiddiaid yng nghofnodion abatai Cymru.

*Canu cyrn i
ddychryn bleiddiaid.*

Mae'n weddol amlwg bod defaid yr abatai yn cael eu bugeilio'n barhaus a bod canu cyrn yn rhan o'r arfogaeth i gadw'r bleiddiaid draw. Yn niwedd y ddeuddegfed ganrif dywedir bod bugeiliaid Esklets, mynachdy anghysbell yn perthyn i Abaty Rievaulx yn swydd Efrog, yn cario cyrn oherwydd anifeiliaid gwylltion a herwyr, 'because of wild animals and bandits'.[133] Ac nid bugeiliaid yr abatai oedd yr unig rai i ddefnyddio cyrn. Yn nechrau'r bymthegfed ganrif

---

131 GDG, 331
132 WNA, 252
133 (DHW)

mae sôn am ddynion yn cael eu gwobrwyo â darnau bychain o dir mewn rhannau o Loegr am chwythu cyrn i ddychryn bleiddiaid a'u herlid i ffwrdd.[134]

Mewn gwledydd eraill yn Ewrop ac Asia lle mae defaid yn parhau i gael eu gwarchod yn y dull traddodiadol, mae gan y bugeiliaid gyrn i wneud nifer o wahanol alwadau: galwad i gynnull y defaid at ei gilydd, galwad i'w harwain i borfeydd newydd, galwad i ofyn cymorth bugeiliaid cyfagos, galwad i rybuddio bod storm yn agosáu, ac yn ddiddorol iawn, galwad i godi braw ar anifeiliaid gwylltion megis bleiddiaid.

O ran eu cynllun mae'r cyrn hynny'n ddigon tebyg i'r bibgorn Gymreig, hen offeryn chwyth y mae cyfeiriadau ato yn mynd yn ôl i'r amser pan oedd bleiddiaid i'w cael yng Nghymru. Darn hir o bren neu asgwrn ac iddo chwe thwll i'r bysedd ac un i'r bawd a chorn ar bob pen oedd y bibgorn.

Mae digon o dystiolaeth bod bugeiliaid Môn, Berwyn a mynydd-dir canolbarth Cymru yn arfer chwarae'r bibgorn yn ystod y ddeunawfed ganrif, os nad yn ddiweddarach, er na fyddai angen yr alwad i ddychryn bleiddiaid erbyn hynny, wrth gwrs.[135]

134 WNA, 339
135 (WT)

5

Blaidd: Enw a Chyfenw

OES dim amheuaeth nad oedd gan genhedloedd cyntefig barch arbennig at fyd natur. Cymaint oedd eu hedmygedd o gyneddfau rhai anifeiliaid fel eu bod yn gwisgo'u crwyn gan gredu y byddai hynny'n atgyfnerthu eu galluoedd a'u dewrder hwy eu hunain.

Fel arfer byddai gan bob llwyth ei anifail totem ei hun. Hwnnw fyddai arwydd y llwyth, a gosodid penddelw ohono ar bawl neu bostyn uchel mewn safle amlwg. Mae enghraifft o un o'r pyst totem hynny a phen carw ar ei frig i'w weld ger yr aneddiad Oes Haearn sydd wedi'i ail-greu ar safle Castell Henllys rhwng Nanhyfer ac Eglwyswrw yn Sir Benfro.

Pyst totem Cymru.

Myn rhai fod enwau lleoedd fel Pen-tyrch: *pen + twrch* (*baedd*) yn cadw'r cof am byst totem i faedd gwyllt a oedd i'w gweld yno ganrifoedd yn ôl. Mae o leiaf dri Pen-tyrch yng Nghymru: un ger Llanfair Caereinion, un arall ger Tyndyrn yn Sir Fynwy, a'r trydydd ar gyrion Caerdydd. Dywed eraill mai ystyr gwreiddiol buddel (postyn i glymu buwch wrtho mewn beudy) oedd postyn totem a phenddelw o fuwch arno: *bu*[*wch*] + *d*del[*w*]. Gan mai hen air Cymraeg am fuwch ifanc yw anner, tybed a oedd pen buwch i'w weld ar byst totem yn Nôl

Penanner, Llanfair Talhaearn a Chwm Penanner, Cerrigydrudion ar un adeg? Neu yn fwy perthnasol, ai cof am bostyn i'r blaidd sydd yn enwau fferm Pen-blaidd ar fin yr A466 rhwng Trefynwy a Henffordd ar y Gororau, a chae Pen-wlff yn ardal Llidiart-y-waun ger Llanidloes?

Credid gynt bod perthynas waed rhwng y llwyth a'i anifail totem ac nid oedd hawl gan yr aelodau i ladd na bwyta'r anifail hwnnw. Nid oedd hawl chwaith i ladd gŵr na phriodi merch o lwyth arall a oedd yn rhannu'r un anifail totem. Dan yr amodau hynny peth digon naturiol fyddai i aelodau o lwyth cyntefig alw eu plant ar enw eu hanifail totem, ac roedd i'r blaidd le amlwg yn y patrwm ym mhob cwr o'r byd.

Y Celtiaid yn croenliwio cyrff eu bechgyn.

Yn ôl y Rhufeiniaid byddai Celtiaid Prydain ac Iwerddon yn croenliwio cyrff eu bechgyn â lluniau lliw o anifeiliaid. Wrth i'r bechgyn dyfu'n ddynion datblygai'r lluniau a chaent eu harddangos gyda'r balchder mwyaf. Enw'r Gwyddelod ar y lluniau hyn oedd *rind crechad* ac mae'n bur debyg bod gair cyfatebol yn y Gymraeg ar un adeg.[136] Er nad oes modd cadarnhau hynny mae'n anodd credu nad oedd cysylltiad rhwng croenluniau ac anifail totem y llwyth, ac efallai mai'r croenluniau hyn yw un o'r rhesymau pam mae cynifer o enwau personol yn deillio o enwau anifeiliaid.

Roedd gan frodorion Gogledd America eu Blaidd Melyn, Blaidd Cwsg a Llygad Blaidd, neu o leiaf yr enwau cyfatebol yn eu hiaith hwy. Ymhlith y Saeson cynnar ceid Berthwulf (blaidd enwog), Ealdwulf (hen flaidd), Ethelwulf (blaidd bonheddig) ac Eadwulf (blaidd llewyrchus), ac roedd gan yr Almaenwyr eu Adolf (blaidd nobl), Wolfram (blaidd-frân), Rudolf (blaidd buddugoliaethus) a Wolfgang (cynflaidd neu flaidd blaen).

Y Cymry'n galw eu plant ar enwau anifeiliaid.

Nid oedd Cymru'n eithriad, ac mae'n amheus a oes unrhyw anifail wedi rhoi cymaint o enwau priod i ni fel cenedl na'r blaidd, fel y tystia'r rhestr a ganlyn:

---

136 EC 33, 164

Arthflaidd: arth + blaidd = cyfuniad o arth a blaidd.

Bledri: blaidd + rhi (brenin) = blaidd frenin.

> Bledri ap Cydifor, gŵr o gyffiniau Caerfyrddin yn y 12fed ganrif; cyfarwydd (storïwr) tan gamp a lladmerydd (cyfieithydd) rhwng y Cymry a'r Normaniaid. Mae lle i gredu mai ef a gyflwynodd yr hen chwedlau Arthuraidd i'r Normaniaid, a thrwyddynt hwy i wledydd Ewrop.

Bledrws: blaidd + rhwys (nwyf) = blaidd nwyfus.

Bleddyn: blaidd + hynt (teulu) = un o deulu'r blaidd.

> Enw sy'n lled gyffredin o hyd. Efallai mai'r enwocaf oedd Bleddyn ap Cynfyn (m. 1075) Brenin Powys

Blegywryd: blaidd + Cywryd (enw gŵr).

> Roedd Blegywryd ab Einion yn gyfreithiwr nodedig yn nyddiau Hywel Dda.

Bleiddfyw: blaidd + byw = bywiog fel blaidd.

Bleiddgi: blaidd + ci = cyfuniad o flaidd a chi o ran ei natur neu ei allu. Lladdwyd Breint mab Bleiddgi ym mrwydr Catraeth.

Bleiddian: blaidd + ian (bach) = blaidd ifanc.

Bleiddig: blaidd + ig (bach) = blaidd ifanc.

> Lladdwyd Bleiddig mab Eli ym mrwydr Catraeth.

Bleiddudd: blaidd + udd (arglwydd) = blaidd arglwydd.

> Bleiddudd oedd enw pennaeth y fro o gwmpas Dinbych-y-pysgod yn y nawfed ganrif. Ceir cyfeiriad ato yn y gerdd enwog 'Edmyg Dinbych'.

Bleiddwan: blaidd + gwân (hollti) = un sy'n lladd fel blaidd.

> Roedd Bleiddwan ymhlith yr arwyr a laddwyd ym mrwydr Catraeth.

Bleiddwn: enw mab Gwydion a Gilfaethwy a aned iddynt pan oeddent yn fleiddiaid.

Cynflaidd: cyn (blaen) + blaidd = arweinydd y llwyth.

Gwrgenau: gŵr (dyn) + cenau (blaidd neu gi ifanc). Gwrgenau oedd enw tad Rhirid Fardd.

Doedd hi ddim yn beth anghyffredin i berson gael ei adnabod wrth lysenw anifeilaidd yn yr Oesau Canol. Rhyw saith gan mlynedd yn ôl roedd yna Ithel Daeargi yng Nghlyndyfrdwy, Einion Ceiliog yn Llangâr, Hanner Hwch yn Arfon, Pendafad ym Maentwrog, Madog Llwynog ym Mryneglwys-yn-Iâl, Llywelyn Oen yng nghyffiniau Wrecsam, ac Ieuan Llygaid Baedd mewn carchar yn Aberteifi.[137] O sylwi'n benodol ar y blaidd roedd dau ŵr, y naill yn Llygad Blaidd a'r llall yn Troed Blaidd, yn Sir y Fflint, yn ogystal â'r Cylla Blaidd a Ieuan Bol Blaidd y soniwyd amdanynt eisoes. Yn achos y pedwar hyn mae'n hawdd credu iddynt gael eu henwau am fod iddynt rai o nodweddion blaidd, sef craffter, cyflymdra a gwanc. Dro arall fe ddigwydd Blaidd fel enw neu gyfenw ac yn yr achosion hynny nid yw lawn mor amlwg pam y byddent wedi'u henwi felly. Efallai fod yr enw'n cyfeirio at ffyrnigrwydd y person fel ymladdwr mewn brwydrau, neu wrth ysbeilio. Adwaenid Alecsander Steward o Lochindorb yn yr Alban fel Blaidd Badenoch oherwydd ei ymosodiadau didrugaredd ar diroedd breision Moray yn y bedwaredd ganrif ar ddeg.[138]

Posibilrwydd arall yw bod yr unigolion hyn yn adnabyddus fel helwyr bleiddiaid, yn gofalu am fleiddbyllau, wedi lladd blaidd o dan amodau gorchestol, neu eu bod yn cael eu hamau o fod yn flaidd-ddynion.

Yn Lloegr, fe geid gynt yr hyn a elwid yn *fugaco'm lupi*, sef tir a gâi ei osod i ddeiliad ar yr amod y byddai'n ymrwymo

Enwau rhai o'r cyndadau.

---

137 CCR, 17; FEBY, 93, 117; MLSR, 74–5; PWLMA, 208
138 TGB, 263

i ladd bleiddiaid. Yn nechrau'r drydedd ganrif ar ddeg roedd teulu o'r enw Luvet neu Lovett o blwyf Bulwick yn swydd Northampton yn dal tir ar yr amodau hynny.[139] Arfbais y teulu oedd tri blaidd rhygyngog (yn cerdded). Mae'n debyg mai gair Ffrangeg am flaidd ifanc yw Luvet ac felly'n cyfateb i'r cyfenw Pothan a geid mewn ambell i ardal yng Nghymru.

Arddel enw'r blaidd yn weithred wleidyddol?

Yn nechrau'r bedwaredd ganrif ar ddeg roedd teulu â'r cyfenw Wolfhunt yn dal tiroedd yn Swydd Derby ar yr amod ei fod yn difa'r bleiddiaid yn fforest frenhinol eang y Peak.[140] Soniwyd eisoes am y fforestydd a sefydlwyd yng Nghymru yn dilyn cwymp Llywelyn y Llyw Olaf yn 1282, ac o gofio'r ymdrech a wnaed gan Edward I i ddifa'r bleiddiaid yn fforestydd Lloegr a'r Gororau, mae'n sicr y byddai'r un polisi wedi'i weithredu yng Nghymru er mwyn diogelu'r ceirw. Byddai hynny'n un modd o esbonio pam roedd rhai Cymry a breswyliai yng nghyffiniau fforestydd yn arddel enwau fel Madog Blaidd neu Phylip Pothan yn y ganrif neu ddwy ddilynol.

Pe bai rhywun yn mynd ati i chwilio'n ddyfal drwy hen gofnodion, mae'n sicr y byddai rhai ugeiniau o enwau gwŷr ac ambell wraig oedd yn arddel enw'r blaidd yn dod i'r amlwg. Yn y cyfamser bydd rhaid bodloni ar y pump ar hugain canlynol fel rhagflas.

MÔN

Cyfeiriwyd eisoes at y posibilrwydd bod Ynys Môn, gyda'i chorsydd helaeth, wedi cynnig lloches ddelfrydol i fleiddiaid yn yr Oesau Canol. Yn ogystal â'r dystiolaeth a nodwyd yno gellir ychwanegu bod amryw o Fonwyson wedi arddel rhyw ffurf ar yr enw Blaidd.

Y Blaidd Goeg ap Gwrydr (g. c. 1030)[141]

Gŵr o Drewastrodion ger Trefdraeth yn ne'r ynys oedd hwn,

---

139 BAE, 139
140 BAE, 145
141 WG¹ 1, 44

a'i enw 'Goeg' yn awgrymu bod rhyw ddiffyg ar ei olwg. Mae'n werth sylwi y byddai ei gynefin wedi bod ar fin Cors Ddyga a oedd yn ymestyn o'r môr i gyffiniau Llangefni cyn codi Cob Malltraeth. Gan nad oedd Aberffraw, prif lys tywysogion Gwynedd, ond rhyw dair milltir oddi yno, tybed a oedd gan y Blaidd Goeg ryw swyddogaeth i reoli niferoedd y bleiddiaid yn yr ardal?

Ynys Môn: lloches ddelfrydol i fleiddiaid yn yr Oesau Canol.

Blaidd ab Elfarch (g. c. 1070)[142]

Does dim sicrwydd ymhle ar yr ynys yr oedd gwreiddiau'r gŵr hwn. Am ryw reswm anhysbys symudodd i fyw i Benrhos Fwrdois ger Caerllion yng Ngwent lle roedd disgynyddion iddo'n gwisgo tri phen blaidd ar eu harfbais. Dywedir mai ef a gododd y capel yn y Brithdir yng Nghwm Rhymni.

Mab Blaidd[143]

Yn y flwyddyn 1352 roedd yna diroedd yn ardal Cemais ar arfordir gogleddol Môn a gâi eu hadnabod fel Gafael Map Bleith. Enw'r gŵr a roddodd ei enw i'r gafael fyddai Map Bleith neu Mab Blaidd, naill ai am ei fod yn fab i ŵr o'r enw Blaidd, neu fod yna gred iddo gael ei fagu gan fleiddast, fel y brenin Cormac yn Iwerddon. Mae'n bur debyg y byddai Mab Blaidd ei hun wedi byw rywbryd yn y ddeuddegfed ganrif, onid ynghynt.

Iorwerth Pothan (bl. 1380)[144]

Yn y flwyddyn 1414 roedd rhyw Dykus ap Ior Pothan ymhlith nifer fawr o wŷr Môn a gafodd bardwn gan frenin Lloegr am gefnogi Owain Glyndŵr. Byddai ei dad, Iorwerth Pothan, yn

142 WG¹ 1, 27
143 RC, 64
144 B 38, 132

perthyn i genhedlaeth gynharach. Gan nad yw enw Iorwerth yn ymddangos ar y rhestr, efallai ei fod wedi marw erbyn 1414 neu wedi ei ladd yn ystod y Gwrthryfel. Tybed ai ef, neu ryw Bothan arall, y dylid ei gysylltu â Cae Bothan, Caergybi?

Ieuan Bothan (bl. 1430) a *Rolant Bothan* (bl. 1472)[145]

Roedd Gronw mab Ieuan Bothan, a Rolant Bothan, ill dau yn dystion i weithredoedd ynglŷn â thir yn ardal Porth-aml ger Brynsiencyn yn 1462 a 1472. Mae'n fwy na thebyg bod y ddau yn aelodau o'r teulu a roddodd ei enw i Ros Bothan ryw ddwy filltir i'r gogledd o Borth-aml.

SIR GAERNARFON

Y Blaidd Rhudd (g. *c.* 1000)[146]

Gŵr o Eifionydd oedd y Blaidd Rhudd a anwyd oddeutu mil o flynyddoedd yn ôl, ac felly'r cynharaf, hyd y gwyddys, o'r gwŷr yn dwyn yr enw Blaidd. Fe'i hadwaenid fel Cillyn y Blaidd Rhudd o Ddunoding (Dunoding oedd yr hen enw am Eifionydd ac Ardudwy), neu'r Blaidd Rhudd o'r Gest, sef yr ardal o gwmpas Moel y Gest a Phorth y Gest ger Porthmadog. Byddai'r ardal hon, cyn codi'r Cob, wedi cynnig digonedd o diroedd diffaith i lochesu bleiddiaid, fel yn achos cynefin y Blaidd Goeg ger Malltraeth a Chors Ddyga.

Yn draddodiadol yr oedd yng Nghymru ddau ar hugain o hen deuluoedd, neu lwythau fel y'i gelwid, y byddai ein cyndeidiau'n hoff o olrhain eu hachau iddynt. Pum brenhinlwyth (teuluoedd brenhinol), deuddeg llwyth o uchelwyr a phum 'costawglwyth', neu deuluoedd o wreiddiau distadl neu israddol. Pennaeth y cyntaf o'r costoglwythau hyn

Dau lwyth ar hugain y Cymry.

---

145 *Llanfair*, rhif D11 a D1136
146 WG[1] 1, 28

oedd Cillyn y Blaidd Rhudd. Ni wyddom pam y cafodd ei ddyrchafu'n bennaeth costoglwyth, na pham y cafodd yr enw Blaidd Rhudd. Digon tebyg bod y ddau beth yn gysylltiedig â rhyw wrhydri a gyflawnodd mewn brwydr neu frwydrau a'r cof amdanynt ar ddifancoll bellach. (Yn ogystal â lliw coch gall rhudd hefyd olygu 'wedi'i orchuddio â gwaed'). Os cywir yr amcangyfrif iddo gael ei eni ar ddechrau'r unfed ganrif ar ddeg, roedd yn byw pan oedd byddinoedd buddugoliaethus Gruffudd ap Llywelyn ap Seisyll (brenin Cymru gyfan) yn ddychryn i Saeson y Gororau, a byddai wedi cael digon o gyfleoedd i arddangos ei gyneddfau bleiddig bryd hynny.

Rhudd = coch neu 'wedi ei orchuddio â gwaed'.

Un peth sy'n sicr, fe gadwodd ei ddisgynyddion y cof amdano'n fyw am ganrifoedd, fel y gwelir wrth sôn am ei orwyr, Rhirid Flaidd.

Iarddur Flaidd (g. 1170?)[147]

Ar ochr orllewinol afon Conwy, islaw Pont Tal-y-cafn, mae fferm Llwydfaen. Yno, yn y bedwaredd ganrif ar ddeg, roedd lleiniau o dir a elwid yn afaelion Iarddur Flaidd. Perthynai Iarddur ei hun i gyfnod llawer cynharach, sef y ddeuddegfed ganrif fwy na thebyg. A barnu yn ôl nifer ei afaelion roedd yn ŵr gweddol gefnog, ac fe hawliai hen deulu plas Caerhun (Davis-Griffith) gerllaw eu bod yn ddisgynyddion iddo.

Fel yn achos y Blaidd Goeg ym Môn a'r Blaidd Rhudd yn Eifionydd, mae'n weddol sicr bod helaethrwydd o dir diffaith ar Forfa Llwydfaen yn nyddiau Iarddur. Yn wir, rhywle yn y cyffiniau, er nad oes sicrwydd ym mhle'n union, roedd Dôl y Bleiddior (sef Dôl y Bleiddiaid), sy'n peri i rywun feddwl tybed a oedd gan y gwŷr hyn ryw gyfrifoldeb i ddifa bleiddiaid?

---

147 MWS, 201, 205–9; WG¹ 3, 526

SIR DDINBYCH

Llygad Bleiddyn[148]

Yn niwedd y bedwaredd ganrif ar ddeg roedd llain o dir a elwid yn 'Tier Llygat Bleiddyn' yn nhreddegwm Banhadla, plwyf Llanrhaeadr-ym-Mochnant. Does fawr o amheuaeth nad llysenw dyn, perchennog gwreiddiol y tir, oedd Llygad Bleiddyn, ond mae'n bur debyg ei fod ef ei hun yn byw rai cenedlaethau ynghynt. Yn yr adran ar Sir y Fflint fe welir bod yno ŵr a lysenwyd yn Llygad Blaidd yn niwedd y drydedd ganrif ar ddeg.

Ieuan Bol Blaidd (bl. 1294)[149]

Gŵr o Ddyffryn Clwyd oedd Ieuan (Boolbleyt), yn byw naill ai ym mhlwyf Llanfair neu blwyf Llanelidan tua diwedd y drydedd ganrif ar ddeg. Yn 1294 cafodd ddirwy am bori tir oedd yn eiddo i rywun arall.

SIR Y FFLINT

Troed Blaidd, Llygad Blaidd, Cylla Blaidd a *Blaidd Burffor* (bl. 1282)[150]

Yng ngogledd-ddwyrain Cymru y dechreuodd y rhyfel a welodd ladd Llywelyn y Llyw Olaf a Dafydd ap Gruffudd ei frawd, a cholli o Gymru ei hannibyniaeth. Noswyl Sul y Blodau 1282 fe gipiodd Dafydd gastell Penarlâg ac ysbeilio'r wlad o gwmpas, a cheir peth o hanes yr anrhaith mewn achosion cyfreithiol a ddilynodd y rhyfel. Cyhuddwyd gŵr o'r enw Troed Blaidd ac wyth arall o ladrata defaid, ychen ac anifeiliaid eraill, ynghyd â grawn a llestri gwerth deugain punt o dŷ Madog Broughton gan achosi gwerth canpunt o ddifrod. Cymro arall a gyhuddwyd oedd Llygad Blaidd ap Gwilym,

148 EOC, 83
149 CRLR, 3
150 FHSP 8, 29–120

er nad oedd ei ysbail ef lawn mor werthfawr. Dywedir iddo ladrata gwerth wyth swllt o frethyn oedd yn eiddo i ryw Margery gwraig Richard o Shatton, sef y Shotton presennol, mae'n debyg. Gan fod y ddau a ysbeiliwyd yn gysylltiedig â Broughton a Shotton sydd yng nghyffiniau Penarlâg, mae'n bur debyg bod Troed a Llygad Blaidd yn rhan o fyddin Dafydd a gipiodd y castell yno, ond does dim i awgrymu ble roedd eu cynefin.

Achosion llys a 'bleiddiaid'.

Dau ŵr arall a enwir yn yr achosion, er na chawsant eu cyhuddo o unrhyw drosedd, oedd Cylla Blaidd a Blaidd Burffor, ond fel meichiaid byddai ganddynt gysylltiad agos â rhai o'r ysbeilwyr. Mae'r enw Cylla Blaidd yn awgrymu ei fod, fel Ieuan Bol Blaidd o Ddyffryn Clwyd, yn ŵr hoff o'i fwyd, ac mae'n debyg mai brodor o Borffordd (Pulford yn Saesneg), pentref bychan ar fin yr A483 rhwng Caer a Wrecsam, oedd Blaidd Burffor.

SIR FEIRIONNYDD
Madog Blaidd (bl. 1292)[151]

Yn y flwyddyn 1292 roedd Madoco Bloyth neu Bleyth, yn dal tiroedd yn Nanffreuer, plwyf Llandderfel ac yn y Faerdref Isaf ger Corwen. Gan mai ef oedd yn gwneud y taliad uchaf yn Nantffreuer mae'n lled debyg ei fod yn ŵr gweddol gefnog.

Phylip Pothan (bl. 1325-6)[152]

Gŵr o Landecwyn, pentref rhwng Harlech a Phenrhyn-deudraeth, oedd 'Philip Pothoun'.

---

151 MLSR, 15, 85
152 B 4, 154

SIR DREFALDWYN

Rhirid Flaidd (m. 1160+)[153]

Dyma'r cymeriad mwyaf diddorol ohonynt i gyd am fod cymaint mwy'n wybyddus amdano na'r un o'r lleill. Cysylltir ei dad, Gwrgenau ap Collwyn, â Phennant Melangell ger Llangynog wrth odre deheuol Berwyn, ac yno, mae'n ymddangos, y cartrefai yntau. Ar ochr ei fam roedd yn orwyr i'r Blaidd Rhudd y soniwyd amdano eisoes, ac yn ôl un hen gofnod cafodd ei enwi'n Rhirid Flaidd 'am ei hanfod o etifedd y Blaidd Rhudd'.

Gan fod ei nain Haer wedi bod yn briod â Bleddyn ap Cynfyn, brenin Powys, roedd Rhirid yn gefnder i'r tywysog Madog ap Maredudd ac fe elwodd ar y berthynas honno. Daeth yn berchen tiroedd ar y ddwy ochr i Ferwyn ac yng Nghroesoswallt, lle roedd darn o dir a elwid yn Gwely Rhirid Flaidd.[154]

Ieuan ap Gruffudd ap Madog a'i fleiddiaid yn eglwys Llanuwchllyn.

Y Blaidd Rhudd:

Bleddyn ap Cynfyn (m. 1075) = Haer = Cynfyn Hirdref

Maredudd (m. 1132)   Generis = Gwrgenau

Madog (m. 1160)   *Rhirid Flaidd*

Cynddelw Brydydd Mawr oedd bardd mwyaf Cymru ar y pryd a chanodd gyfres o englynion i ddiolch i Ririd am gleddyf a gawsai'n rhodd ganddo. Yn ddiweddarach, pan laddwyd Rhirid a'i frawd Arthen mewn brwydr, a hwythau ym mlodau eu dyddiau, canodd awdl farwnad i'r ddau. Nid yw'n

---

153 WG¹ 4, 747
154 AC 1959, 108–13

glir ble bu'r frwydr ond mewn cyfres arall o englynion mae
Cynddelw'n edliw i ryw Goronwy iddo gam-drin corff marw
Rhirid, rhywbeth na fyddai wedi meiddio ei wneud ac yntau'n
fyw.[155] A yw hynny'n awgrymu mai â'u cyd-Gymry yr oedd
y brodyr yn ymladd ar y pryd, yn erbyn byddin o Wynedd,
efallai?

Ym mhlwyf Cerrigydrudion, ar ochr Gwynedd i'r ffin
rhyngddi â Phowys, mae nant a elwir hyd heddiw yn Nant
Rhirid Flaidd.[156] Tybed ai yno y lladdwyd y ddau frawd?

Does wybod ble claddwyd Rhirid ond mae bedd-ddelw
un o'i orwyrion, Madog ab Iorwerth ap Madog ap Rhirid
Flaidd, i'w weld heddiw yn eglwys Pennant Melangell, ac un
arall i'w ŵyr yntau, Ieuan ap Gruffudd ap Madog yn Eglwys
Llanuwchllyn, a llun dau ben blaidd i'w weld ar ei gwnsallt.

Roedd llu o hen deuluoedd yng ngogledd-ddwyrain
Cymru yn ddisgynyddion i Ririd ac yn gwisgo tri phen blaidd
ar eu harfbeisiau. Disgrifiwyd yr arfbeisiau hyn droeon gan y
cywyddwyr wrth ganu eu clodydd:

*Arfbais lladdwr
bleiddiaid.*

> Dwl dri phenn blaidd o'r gwreiddyn
> A'i lle yn wyrdd a'i lliw'n wyn
> > (Gutun Owain)

> A thri phen blaidd diwreiddiawg
> Yn lle rhoir arianlliw rhawg
> Arfau Rhirid a orfydd
> Flaidd ar Ddeifr filoedd rhiw ddydd
> > (Gruffudd Hiraethog)

hynny yw, tri phen blaidd wedi'u tynnu o'r gwraidd, o liw
gwyn neu arian ar gefndir gwyrdd.

---

155 GCBM 1, 283, 290, 317
156 (HM)

*Delwedd y blaidd
wedi ei gadw dros y
cenedlaethau.*

Glynodd rhai o ddisgynyddion Rhirid wrth ddelwedd y blaidd am genedlaethau. Roedd gorwyr iddo yn arddel yr enw Rhirid y Pothan neu Pothan Flaidd, enw yr oedd yn ei lawn haeddu yn ôl un hanesyn amdano. Nid yw cefndir yr helbul yn eglur ond mae'n rhaid bod gorthrwm y Saeson a oedd yn rheoli'r wlad yn y bedwaredd ganrif ar ddeg wedi'i gythruddo ac fe laddodd un o'u huchel swyddogion o'r enw John tra oedd hwnnw'n eistedd ar ei fainc mewn llys barn. Cadwyd cof am y digwyddiad mewn englyn:[157]

> Tarws digonws Duw ac Einion Yrth
>   i nerthu y Pothon
>   wyr Ririd flaidd o'r gwraiddion
>   a sigodd gern Seisnig Sion

Mabwysiadodd ŵyr Pothan Flaidd y cyfenw Myddelton neu Midleton, ond ailgydiodd un o'i wyrion yntau yn y Pothan a bu un aelod o'r gangen honno o'r teulu, Roger Pothan, yn byw ym mhlwyf Llangurig yn nechrau'r unfed ganrif ar bymtheg.[158]

Bu Castell y Waun ger Croesoswallt yn gartref i genedlaethau lawer o'r Midletoniaid ac mae'r bleiddiaid i'w gweld yn amlwg ar y llidiardau haearn ysblennydd sy'n arwain at y plas. Yng nghyfrifon y teulu mae cofnod ar 13 Hydref 1719 am dalu John Parry 'for work done . . . putting up and taking down ye engine to raise ye wolves & urns on ye Iron Gates'.[159]

*Cadw blaidd byw
yn y castell.*

Ar un adeg byddent yn cadw blaidd byw mewn rhan o'r ffos sych sy'n amgylchynu'r castell, ac unwaith eto ceir cyfeiriadau at hynny yn eu cyfrifon:[160]

---

157 NLW 7008, 109; HPF 4, 43
158 WG² 9, 1473
159 CCA², 410
160 CCA², 145, 405, 427, 450

23 Nov 1680.
Payd the man that came from llewenie [plas yn Nyffryn
Clwyd] with the wolfe 2s.-0
Note Mr Bell Jones has informed me that you have an
inclination to have a wolfe and I have a very fine one that
is pretty tame.

3 Apr 1721.
pd John Davies, Husbandman his expenses with 2 horses.
Att Whitchurch to fetch ye wolfe, meat & drink & horses
hay & corne & meate for ye wolfe 6s 6p.

9 May 1723
pd to John Allen for caryage of ye wolfe £1-1-0

Llidiardau Castell
y Waun. Nodwch y
bleiddiaid.

Gwrgenau Flaidd (bl. ?1200)[161]

> Mewn hen weithred ddiddyddiad yng Nghastell y Waun
> mae cyfeiriad at ryw David filius Vrgenew Vleid (Dafydd
> fab Gwrgenau Flaidd) yn trosglwyddo tir yng nghyffiniau
> Trefaldwyn i ryw Baldwin, mab Wiliam. Gan mai Gwrgenau
> oedd enw tad Rhirid Flaidd, a'i frawd yn Gwrgenau Fychan,
> a bod y weithred wedi'i chadw yng Nghastell y Waun, mae'n
> anodd credu nad oedd Gwrgenau Flaidd yn aelod o'r un teulu.

SIR FAESYFED

Gruffudd Fele (bl. ?1130)[162]

> Erbyn heddiw anifail ychydig mwy na'r carlwm a'r ffwlbart
> yw'r bele ond ganrifoedd yn ôl gallai olygu blaidd hefyd. Yn
> achos Gruffudd Fele mae'n debyg mai blaidd oedd yr ystyr i
> ddynodi ei ffyrnigrwydd fel ymladdwr.
>
> Cafodd ei eni'n un o wyth mab y tywysog Madog
> ab Idnerth, meibion a dreuliodd eu hoes yn ymladd â'r
> Normaniaid i amddiffyn cymaint ag oedd yn weddill o'u
> hetifeddiaeth yn Rhwng Gwy a Hafren, Sir Faesyfed bellach.
> Lladdwyd o leiaf bedwar o'r brodyr yn yr ymdrech, un
> ohonynt, Einion Clud, ger y Maen Serth uwchlaw Rhaeadr
> Gwy, pan oedd ar ei ffordd adref o Eisteddfod Aberteifi yn
> 1176.
>
> Gan nad oes sôn ond am un plentyn i Gruffudd Fele, a
> chan nad oes unrhyw wybodaeth bellach am ei yrfa, mae'n
> fwy na thebyg iddo yntau hefyd gael ei ladd mewn brwydr pan
> oedd yn lled ifanc. Roedd dau Gruffudd Fele arall yn byw yn y
> gymdogaeth tua'r un adeg ac mae'n bur anodd gwahaniaethu
> rhyngddynt.

---

161 B 3, 38
162 WG¹ 2, 386

SIR BENFRO

Morfudd Blaidd (bl. 1326)[163]

> Gwraig o Dyddewi oedd 'Moruyth Bleyth', a chan ei bod yn
> talu rhent ar eiddo yno yn y flwyddyn 1326, mae'n debyg ei
> bod yn weddw ar y pryd.

SIR GAERFYRDDIN

Wiliam Blaidd, Dryslwyn (bl. 1326–8)[164]

> Yn ystod y blynyddoedd 1326–8 roedd rhyw 'William Blythe'
> neu 'Bleyth' yn Geidwad y Cyflenwadau yng Nghastell
> Dryslwyn rhwng trefi Caerfyrddin a Llandeilo. Ceir hefyd
> gyfeiriad at ei dŷ yno, 'the house of William Bleithe in
> Drosloun'.
>
> Does dim sicrwydd mai Cymro oedd William, wrth gwrs.
> Mae'r hen gyfenw Saesneg, Blythe, yn golygu llawen a siriol,
> a gallai fod yn un o'r swyddogion estron a ddaethai i'r ardal
> yn sgil cwymp tywysogion Deheubarth genhedlaeth ynghynt.
> Eto, mae digon o enghreifftiau o Gymry'n gwasanaethu yn y
> cestyll, a chan fod Wiliam yng ngofal y cyflenwadau, efallai
> fod cyflenwi offer i reoli bleiddiaid yn Fforest Glyncothi
> gerllaw yn rhan o'i ddyletswyddau.

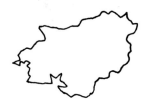

Dafydd Blaidd, Wigida (bl. 1400)[165]

> Nid oes gwybodaeth uniongyrchol ar gael am Dafydd Blaidd,
> ond gan fod ei fab Ieuan yn swyddog yn Wigida, yr ardal
> rhwng afonydd Gwili a Chothi i'r gogledd o dref Caerfyrddin,
> yn 1439, yno hefyd, mae'n debyg, yr oedd gwreiddiau y tad
> ryw genhedlaeth ynghynt.

---

163 BBSD, 31
164 PWLMA, 261–2; CAP, 271
165 PWLMA, 403

Unwaith eto, fel yn achos Wiliam Blaidd, dyma ŵr a'i gynefin ar gyrion Fforest Glyncothi, felly tybed a fu yntau neu ei gyndeidiau yn gyfrifol am ddifa bleiddiaid yno?

Meurig Goch o Gaeo [166]

Credir bod Meurig Goch yn byw yn Rhydodyn ger Talyllychau yn nechrau'r ddeuddegfed ganrif a bu disgynyddion iddo yn amlwg iawn yn y gymdogaeth am ganrifoedd. Fel yn achos disgynyddion Blegywryd ap Dinawal yng Ngheredigion, blaidd ymwthiol a hwnnw'n cael ei briodoli i Dudwal Gloff oedd ar eu harfbais hwythau.

Un o nodweddion mwyaf diddorol dalgylch Rhydodyn yw'r nifer mawr o enwau'n cynnwys yr elfen blaidd sydd yno. O fewn cylch o ddeng milltir ceir Cefn y Blaidd, Talyllychau; Buarth y Blaidd, Llansawel; Cae, Cefn a Chlun y Fleiddast, Caeo; Cwm Bleiddiaid, Llan-crwys; Cae'r Blaidd, Gwernogle; Crug y Blaidd, Llanymddyfri, a Chil y Blaidd, Pencarreg. O bwys hefyd yw'r ffaith fod tri o'r enwau, sef Buarth y Blaidd, Cae'r Blaidd a Chae'r Fleiddast, yn awgrymu mannau i ddal bleiddiaid.

Mae'n wir y byddai Meurig Goch ei hun wedi marw cyn gweld sefydlu Fforest Glyncothi pan fyddai rheoli nifer y bleiddiaid yn y gymdogaeth wedi bod yn hanfodol. Ond byddai wyrion a gorwyrion iddo'n parhau i fyw yno a phwy a ŵyr na ddaeth difa bleiddiaid yn un o amodau dal tir o fewn y Fforest. Byddai hynny'n ddigon o reswm i deulu Meurig Goch arddangos blaidd ar ei arfbais fel y gwnaeth teulu Luvet yn swydd Northampton.

Rhydodyn: ceir yr elfen 'blaidd' mewn nifer sylweddol o enwau lleoedd yn yr ardal.

---

166 WG[1] 4, 840; HCH[1], 61

Teulu Dwnn[167]

Cymdogaeth Cydweli, i'r de o dref Caerfyrddin, oedd cynefin y Dwnniaid ond nid oes sicrwydd beth oedd eu hynt a'u helynt cyn iddynt ddod i amlygrwydd adeg brwydrau parhaus y bymthegfed ganrif. Does wybod chwaith beth oedd arwyddocâd gwreiddiol y blaidd gwyn ymwthiol ar ei harfbais, ond i deulu o uchelwyr beilch fel y Dwnniaid a oedd yn byw mewn oes dreisgar, mae'n sicr y byddai wedi cynrychioli cyneddfau fel gwroldeb, beiddgarwch a ffyrnigrwydd.

Roedd llawer o natur y blaidd yn Henri Dwnn, un o gefnogwyr selocaf Owain Glyndŵr.

Bu'n hen arfer gan y beirdd i gyfarch pennaeth neu filwr llwyddiannus fel blaidd ac mae'n sicr mai felly y byddai'r Dwnniaid wedi gweld y symbol ar ei harfbais. Yn ôl pob sôn roedd llawer o natur y blaidd yn Henri Dwnn ac yntau'n un o gefnogwyr selocaf Owain Glyndŵr, tra bod Siôn ap Gruffudd Dwnn yn ystod Rhyfel y Rhosynnau, genhedlaeth neu ddwy yn ddiweddarach, wedi llwyddo i ddod yn Gwnstabl Cydweli, yn Senesgal Iscennen ac yn Arglwydd Talacharn. Aelod arall o'r teulu na fu mor llwyddiannus, er nad oes amheuaeth ynghylch ei feiddgarwch, oedd Dafydd Dwnn a ffodd i Bowys wedi iddo lofruddio maer Cydweli.

Gwelir blaidd gwyn y Dwnniaid ar arfbais tref Cydweli.

Efallai mai aelod mwyaf nodedig y teulu oedd Gruffudd Dwnn o Ferthyr Mawr, Cydweli. Roedd yn ŵr llengar ac yn noddwr hael i'r beirdd, a hwythau yn eu tro, ag un llygad ar yr arfbais, yn ei gyfarch fel 'y blaidd gwyn', 'y blaidd enwog bloedd anwar' ac 'yn iach flaidd iraidd eurwisg'.

Mae blaidd gwyn y Dwnniaid i'w weld o hyd ar arfbais tref Cydweli.

167 THSC 1941, 115–49

SIR FORGANNWG

Laurence/Llywarch Blaidd (bl. 1386)[168]

Yn y flwyddyn 1386 cafodd 'Laur' Bleyth' o Bennardd yn ne-ddwyrain Gŵyr ddirwy am fragu cwrw yn anghyfreithlon. Gan fod ei enw wedi'i dalfyrru nid oes modd dweud ai Laurence ynteu Llywarch sy'n gywir.

Hywel Blaidd[169]

Yn nechrau'r ail ganrif ar bymtheg roedd llain o dir a elwid yn 'Tir Hwel Blaÿtho' ym mhlwyf Llanwynno rhwng cymoedd Rhondda a Chynon. Does wybod pa bryd yr oedd yr Hywel a roddodd ei enw i'r tir yn byw; gallai fod cymaint â chanrif neu ddwy ynghynt ac felly mewn cyfnod pan oedd bleiddiaid yn parhau i fod yn yr ardal.

SIR FYNWY

Richard Blaidd (bl. 1412)[170]

Yn ôl cofnodion Abaty Tyndyrn am 1412 roedd 'Richard Blyth' yn fugail cyflogedig yn Rogerstone, ei graens neu fynachdy ger tref Cas-gwent. Ac yntau'n gyfrifol am warchod defaid niferus yr abaty, byddai ganddo bob achos i reoli nifer y bleiddiaid.

Teulu Cooke, Goetre Uchaf[171]

Soniwyd droeon am Tomas Herbert Gloff o Dŷ Mawr Goetre yn lladd y blaidd olaf yng Ngwent. Gerllaw Tŷ Mawr mae Goetre Uchaf, ond gelwid ef hefyd yn Tŷ Cooke gan iddo fod yn gartref i'r teulu hwnnw ers diwedd yr ail ganrif ar bymtheg.

---

168   SC 37, 219
169   CLlGC 17, 255
170   WC, 252; MLSW, 52
171   HM 2, 419

Arfbais y Cookiaid oedd tri phen blaidd diwreiddiedig (wedi'u torri i ffwrdd yn y gwddf) ond nid yw'n glir ar ba sail yr oeddent yn ei arddel. Efallai eu bod o dras Tomas Herbert ar yr ochr fenywaidd, neu eu bod am eu cysylltu eu hunain â hela a lladd y blaidd olaf yng nghyffiniau eu cartref.

Wlffiaid Llanwynell [172]

Nid oedd yn fwriad i sôn am yr amryw deuluoedd o'r enw 'Wolf' yng Nghymru ond mae'n rhaid gwneud eithriad yn achos un ohonynt gan fod chwedl eu tarddiad yn un mor anhygoel.

Byddai llawer o deuluoedd yn yr Oesau Canol yn olrhain eu hach i ryw hen arwr fel modd o brofi hawl i diroedd arbennig. Hawliai Gruffudd ap Nicolas o Ddinefwr fod Arthur wedi rhoi tiroedd Cydweli a Carnwyllion i Urien Rheged, un o'i hynafiaid, wedi iddo gael gwared â'r Gwyddelod oedd wedi sefydlu yno. Ond byddai'n anodd curo chwedl hen deulu Wlff a roddodd ei enw i Wolvesnewton (Llanwynell) rhwng trefi Brynbuga a Chas-gwent. Mynnent eu bod o dras rhyw Bardwlff a ddaeth yr holl ffordd o Thurringia yn Awstria yn y flwyddyn OC 79 i gynorthwyo'r Rhufeiniaid i ddarostwng y Silwriaid yng Ngwent, a'u bod wedi bod yno byth er hynny. Roedd un gangen o'r teulu yn byw yn Werngochen ac yn arddel tri phen blaidd ar ei harfbais.

Yr ach yn ymestyn yn bell eithriadol.

CEREDIGION

Blegywryd ap Dinawal o Gaerwedros [173]

Brawd oedd Blegywryd i'r Cydifor ap Dinawal a gipiodd Gastell Aberteifi oddi ar y Normaniaid yn 1165. Arfbais ei

---

172 WG² 10, 1755; HV 1, 11
173 WG¹ 1, 126; WCD, 623

ddisgynyddion yn y gymdogaeth oedd blaidd gwyn ymwthiol (blaidd yn sefyll ar ei ddwy droed ôl) a hawliwyd ganddynt am eu bod o linach Tudwal Gloff, un o feibion Rhodri Mawr. Ond anaf i'w ben-glin wrth ymladd ag Edryd Wallt Hir ym mrwydr Cymryd Conwy oedd achos cloffni Tudwal, ac nid oes sôn iddo erioed gael ei frathu gan flaidd fel a ddigwyddodd i Tomas Herbert Gloff o'r Goetre

Llwydiaid, Ffosybleiddiaid, Swyddffynnon[174]

Y traddodiad yw mai un o'r teulu hwn laddodd y blaidd olaf yng Nghymru.

Arfbais y Llwydiaid oedd blaidd dywal, hynny yw blaidd yn sefyll yn dalsyth ar un droed ôl. Dro arall mae'n ymddangos fel tri phen blaidd diwreiddiedig (wedi'u torri i ffwrdd yn y gwddf) neu ddiferol (yn diferu gwaed).

Fel disgynyddion Blegywryd ap Dinawal hawliai'r teulu ei fod o linach Tudwal Gloff ond mae'n haws credu mai enw'r cartref, Ffosybleiddiaid, oedd sail ei arfbais. Mae cysylltiad y Llwydiaid â Ffosybleiddiaid yn mynd yn ôl i 1639 os nad ynghynt, a mynnent mai un o'u teulu hwy a laddodd y blaidd olaf yng Nghymru. Prin iawn yw'r dystiolaeth i gefnogi'r honiad, fodd bynnag. Ni ddywedir pa un ohonynt oedd yn gyfrifol am y weithred, pa bryd y bu hynny, nac ymhle. Mewn gwirionedd mae'n debyg nad oedd ond yn ymgais i gyfiawnhau'r enw Ffosybleiddiaid, gan fod achos cryf dros gredu mai Ffosybileiniaid oedd yr enw gwreiddiol. Yn ôl fersiwn arall o'r traddodiad lladdwyd dau flaidd ar yr un pryd mewn ffos ar y terfyn rhwng ffermydd Ty'nddraenen a Ffosybleiddiaid.

---

174 WG² 3, 360

BRYCHEINIOG

Bleddyn ap Maenyrch[175]

Ychydig iawn sy'n wybyddus am Fleddyn ap Maenyrch ar wahân i'r ffaith ei fod yn uchelwr blaenllaw yn niwedd yr unfed ganrif ar ddeg ac yn ôl rhai yn arglwydd neu'n rheolwr Brycheiniog. Lladdwyd ef a Rhys ap Tewdwr, brenin y Deheubarth, yn yr un frwydr ger Aberhonddu yn y flwyddyn 1093 wrth iddynt geisio atal y Normaniaid a oedd yn gorlifo de Cymru ar y pryd.

Roedd gan Fleddyn lu o ddisgynyddion ym Mrycheiniog a'r cyffiniau, a'r rheini'n arddel blaidd arian rhygyngog (yn cerdded) a saeth drwy ei safn ar eu harfbeisiau. Tybed a oedd traddodiad ymhlith ei dylwyth i Fleddyn gael ei ladd gan saeth i'w ben ac mai dyna arwyddocâd y symbolau ar yr arfbais?

Rhys Goch o Ystrad Yw (g. c. 1070)[176]

Gŵr o gyffiniau Crucywel yn nwyrain Brycheiniog oedd Rhys Goch ac roedd yn perthyn i'r un cyfnod â Bleddyn ap Maenyrch. Yn wir, myn rhai eu bod yn frodyr ond nid yw hynny'n debygol. Arfbais disgynyddion Rhys Goch oedd tri phen blaidd diwreiddiedig.

ARFBEISIAU

Ganrif a mwy yn ôl roedd ym mron pob plwyf yng Nghymru hen deuluoedd tiriog o dras fonheddig yn byw yn eu plasau ac yn arddel arfbeisiau. Mewn llawer o achosion roedd y symbolau ar eu harfbeisiau'n cynrychioli rhyw ddigwyddiad chwedlonol neu wirioneddol ymhell yn ôl yn hanes y teulu. Caiff y ddau hanesyn a ganlyn fod yn enghreifftiau.

---

175 WG¹ 1, 85
176 WG¹ 4, 806

Ymddangosai'r blaidd yn amlach ar arfbeisiau teuluoedd de Cymru na theuluoedd y gogledd.

Dwy ysgol oedd arfbais y teuluoedd o gyff Cydifor ap Dinawal yng Ngheredigion am mai ef yn ôl traddodiad a gipiodd Gastell Aberteifi oddi ar y Normaniaid yn 1165 drwy ddefnyddio ysgolion hir i ddringo i mewn yno dros y muriau.

Chwedl tipyn yn llai arwrol sy'n cael ei phortreadu ar arfbais teuluoedd Llwydiarth a Dolobran yn Sir Drefaldwyn a oedd yn hanfod o Gelynnin ap Rhirid ap Cynddelw. Yn ystod rhyw gythrwfl gorfu i'w fam feichiog ffoi o'i chartref i'w eni o dan lwyn o gelyn, sy'n esbonio'i enw, Celynnin. Tra oedd yn llechu yno daeth gafr i bori'r brigau celyn a dyna'r darlun ar yr arfbais.

Yn groes i'r hyn a ddywedir weithiau, fyddai Cydifor a Chelynnin ddim wedi arddel y symbolau hyn eu hunain gan na ddaeth arfbeisiau'n ffasiynol yng Nghymru tan y bedwaredd ganrif ar ddeg.

Nifer gymharol fechan o'r chwedlau hyn sydd wedi'u diogelu, ac yn anffodus nid oes, hyd y gwyddys, yr un i esbonio arwyddocâd y bleiddiaid neu'r pennau bleiddiaid sy'n digwydd ar rai ugeiniau os nad cannoedd o arfbeisiau. Fodd bynnag fe ellir awgrymu esboniad i rai ohonynt.

Ar wahân i ddisgynyddion niferus Rhirid Flaidd, mae'n amheus a oedd yr un teulu arall yn siroedd y gogledd yn arddangos blaidd ar ei arfbais. Roedd y blaidd yn ymddangos yn amlach ar arfbeisiau teuluoedd yn ne Cymru, a'r rheini'n perthyn i wyth cyff gwahanol, dau yr un ym mhob un o siroedd Ceredigion, Brycheiniog, Caerfyrddin a Mynwy.

6

Chwedlau

P ENYD GWYDION A GILFAETHWY[177] ∽ Pan nad oedd
Math fab Mathonwy, brenin chwedlonol Gwynedd, yn rhyfela
roedd yn rhaid iddo orffwys a'i draed ar liniau ei forwyn wyryfol
Goewin.

Gan fod ei nai Gilfaethwy wedi syrthio dros ei ben a'i glustiau
mewn cariad â Goewin fe gynllwyniodd Gwydion, ei frawd, ryfel
rhwng Gwynedd a Dyfed er mwyn rhyddhau Goewin o'i dyletswyddau
arferol i fod yn gariad iddo. Ond ni fu'r cynllwyn mor llwyddiannus
â'r disgwyl ac ar ddiwedd y rhyfel, fel cosb, fe orfododd Math ei ddau
nai i dreulio tair blynedd yn rhith anifeiliaid; blwyddyn yn hydd ac
ewig, blwyddyn yn faedd a hwch wyllt a'r drydedd flwyddyn yn flaidd
a bleiddast. Yn ystod y tair blynedd fe genhedlodd y ddau dri epil, un
o bob rhywogaeth, ac fe'u henwyd yn Hyddwn (carw), Hychdwn Hir
(mochyn) a Bleiddwn (blaidd).

Doedd dim yn well gan yr hen gyfarwyddiaid wrth adrodd y
chwedlau hyn na'u gwreiddio'n ddwfn yn naear eu cynefin. Mae llu

*Troi dau frawd
yn fleiddiaid.*

o enwau lleoedd yn Arfon ac Ardudwy sy'n cadw cof am gymeriadau chwedl Math fab Mathonwy, ac efallai y bu unwaith, os nad oes o hyd, lecyn yn yr ardal honno a elwid yn Fryn Bleiddwn, Pant y Bleiddwn neu rywbeth o'r fath.

LLARPIO MEMBYR GAN FLEIDDIAID[178] ∽

Trodd cnud o fleiddiaid arno a'i larpio i farwolaeth.

Un o frenhinoedd lled chwedlonol y Brythoniaid oedd Membyr, a fu'n teyrnasu yn Lloegr bron i dair mil o flynyddoedd yn ôl. Roedd yn frenin hynod o greulon. Lladdodd ei frawd ei hun tra oedd yn ffugio bod yn gyfeillgar ag ef, ac nid oedd ball ar ei ddrygioni yn ystod yr ugain mlynedd y bu'n teyrnasu. Ei ddifyrrwch pennaf oedd hela bleiddiaid, ond un diwrnod, wedi iddo golli cysylltiad â'r helwyr eraill, fe drodd cnud o fleiddiaid arno a'i larpio i farwolaeth.

Yn ôl traddodiadau eraill, Membyr sefydlodd dref Rhydychen, neu Caerfembyr fel y'i hadwaenid bryd hynny. Heb fod ymhell o Rydychen mae pentre Wolvercote sydd, meddir, yn nodi'r fan y lladdwyd Membyr gan y bleiddiaid.

BLEIDDUDD, BLEIDDIAID A CHAERFADDON[179] ∽

Darganfod dŵr iachusol Caerfaddon.

Brenin arall fu'n teyrnasu ryw ganrif ar ôl Membyr oedd Bleiddudd ap Rhun Baladr Bras. Câi yntau ei boeni gan fleiddiaid a fyddai'n ymosod ar ei yrroedd gwartheg byth a beunydd gan eu clwyfo'n ddrwg. Ond sylwodd fod y gwartheg hynny a âi i sefyll mewn pyllau o ddŵr a darddai mewn llecyn arbennig yn gwella o'u harchollion yn llawer cynt na'r rhelyw. Sylweddolodd fod rhinweddau iachusol yn perthyn i'r dyfroedd a gorchmynnodd adeiladu dinas yno.

A dyna hanes sefydlu Caerfaddon sydd wedi bod yn adnabyddus am ei ffynhonnau rhinweddol ar hyd yr oesau, diolch i'r bleiddiaid.

---

178 WCD, 471
179 WCD, 46–7

DAU GENAU'R FLEIDDAST RHYMI[180] ∾

Un o'r gorchwylion yr oedd yn rhaid i Culhwch eu cyflawni cyn y câi briodi Olwen oedd dod o hyd i 'ddau genau'r ast Rhymi' i hela'r Twrch Trwyth. Er mai fel helgwn yr oedd eu hangen arno, mae'n amlwg mai dynion oedd y ddau mewn gwirionedd gan eu bod yn cael eu henwi ymhlith gwŷr llys Arthur yn gynharach yn y chwedl.

      Pan holodd Arthur ble roedd dod o hyd i'r ddau genau fe ddywedwyd wrtho fod Rhymi 'yn rhith bleiddast' a'i dau genau gyda hi mewn ogof islaw Tŷ Trîngad yn Aberdaugleddyf. Y mae'n weddol amlwg oddi wrth y manylion yn y chwedl fod yr awdur yn

Ogof ger tref Penfro. Lloches dybiedig Rhymi a'i dau genau.

---

180 M, 105; GIG, 132–3

Canfod yr ogof.

gydnabyddus iawn â de Cymru a'i fod yn cyfeirio at y fan ble mae'r ddwy afon Cleddau, sef Cleddau Wen a Chleddau Ddu, yn llifo i'w gilydd ryw bedair milltir i'r de-ddwyrain o dref Hwlffordd (SN 003 118). Yn ddiddorol iawn mae yn y fan honno, ar drwyn Picton Point, olion amddiffynfa hynafol a allai fod yn cyfateb i Dŷ Trîngad yn y chwedl, ond yn ôl swyddogion Parc Arfordir Penfro does yno'r un ogof, ac o farnu wrth natur y lle mae'n annhebyg y bu un yno yn y gorffennol. Fodd bynnag, os ystyr 'Aberdaugleddyf' gynt oedd y fan ble mae'r ddwy Gleddau unedig yn llifo i'r môr oddeutu Doc Penfro, dyweder, yna mae yno ogof, yr unig un yn yr ardal, sy'n cyfateb i'r disgrifiad yn y chwedl. Mae i'w gweld yn y creigiau uwchlaw rhagafon i'r ddwy Gleddau ar gwr gorllewinol tref Penfro (SM 969 018). Yn fwy na hynny mae'n digwydd bod yn un o'r ogofâu ble y darganfuwyd esgyrn bleiddiaid.

Heddiw mae'r ogof i'w gweld wrth odre clogwyn bychan uwchlaw'r afon ac mae'n rhwydd dringo i lawr ati. Ond nid dyna'r sefyllfa o reidrwydd ganrifoedd yn ôl. Efallai fod y clogwyn yn codi'n dalsyth o fin yr afon bryd hynny ond bod y gwaith cloddio cerrig calch sy'n amlwg yn y cyffiniau wedi chwalu wyneb y graig gan adael llwyfan cul o dir garw rhwng yr ogof a thorlan yr afon. Byddai hynny'n esbonio pam y bu rhaid i Arthur hwylio i fyny'r afon yn ei long Prydwen i gyrraedd ati.

Gwydre ac Odrud, dau genau Rhymi?

Nid yw dau genau Rhymi yn cael eu henwi yn chwedl Culhwch ac Olwen ond efallai mai hwy oedd y Gwydre ac Odrud, dau ŵr yn rhith bleiddiaid, sy'n ymddangos mewn chwedl arall o Sir Benfro, chwedl a fyddai wedi mynd ar ddifancoll oni bai fod y bardd Iolo Goch wedi cyfeirio ati mewn cywydd a ganodd i Dewi Sant. Yn ôl Iolo cafodd Gwydre ac Odrud, dau ŵr 'o dir hud' (sef Dyfed, mae'n debyg) ynghyd â'u mam (nad yw'n ei henwi) eu troi'n fleiddiaid gan Dduw o achos eu drygioni. Ond fe dosturiodd Dewi wrth y tri yn eu henaint a'u hadfer i'w ffurfiau dynol:

Duw a rithiawdd, dygngawdd dig,
Ddeuflaidd anian ddieflig,
Deuwr hen oedd o dir hud,
Gwydre astrus ac Odrud,
Am wneuthur, drwgantur gynt,
Ryw bechod a rybuchynt;
A'u mam – baham y bai hi? –
Yn fleiddast, oerfel iddi;
A Dewi goeth a'u dwg wynt
O'u hirboen ac o'u herw hynt.

O ystyried bod y ddwy chwedl wedi'u lleoli yn Nyfed oddeutu'r bumed neu'r chweched ganrif mae'n hawdd credu mai Gwydre ac Odrud oedd meibion Rhymi.

BLAIDD MENWAEDD[181] ∽

Mae'r straeon y byddai hen frodorion Eryri yn arfer eu dweud am Flaidd Menwaedd wedi'u hanghofio ers cenedlaethau ond mae'n amlwg iddo fod yn greadur trafferthus ac yn boen i'r gymdogaeth yn nyddiau'r Brenin Arthur. Arglwydd Arllechwedd, y wlad i'r gorllewin o afon Conwy, oedd Menwaedd, a thrwy lwc fe gadwyd y chwedl sy'n esbonio sut y daeth y blaidd i'w feddiant.

Gwenith Gwent a haidd Penfro.

Mae'r hanes yn cychwyn yng Nghernyw ble roedd gan Dallwyr Dallben genfaint o foch a oedd yng ngofal Coll ap Collfrewi. Henwen oedd enw un o'r hychod ac yn ôl hen broffwydoliaeth fyddai hi ddim yn dda ar Ynys Prydain pe bai epil honno yn cael byw. Felly pan oedd Henwen yn dorrog galwodd Arthur ei farchogion at ei gilydd i'w difa. Ffodd yr hwch dros y môr i Gymru a Choll ar ei chefn yn cydio'n dynn yn ei gwrychyn.

Gollyngodd Henwen ronyn gwenith a gwenynen yng Ngwent a gronyn haidd a gwenynen ym Mhenfro. Dyna, yn ôl y chwedl,

---

181 WCD, 138–9

pam mai yn y mannau hynny mae'r cnydau gorau o wenith a haidd i'w cael.

Melltith Cath Palug.

Gwahanol iawn fu pethau yng Ngwynedd lle na ddaeth ond melltith o ymweliad Henwen. Islaw'r Maen Du, rhwng Caernarfon a'r Felinheli, gollyngodd gath fach a thaflodd Coll hi i afon Menai. Nofiodd hithau drosodd i Fôn a chael ei magu gan feibion Palug. Doed i'w hadnabod fel Cath Palug a thyfodd i faint anferth gan achosi pob math o ddifrod ar yr ynys cyn iddi gael ei lladd gan Cai, un o farchogion Arthur.

Ar Riw Gyferthwch gollyngodd Henwen gyw eryr a phothan blaidd, a rhoddodd Coll y naill i ŵr o'r Hen Ogledd a'r llall i Fenwaedd, Arglwydd Arllechwedd, a dyna ddechrau'r helbulon yn yr ardal. Mae'n debyg na cheir byth wybod union natur y trafferthion a achosodd Blaidd Menwaedd na sut y cafodd ei ladd ond mae'r fan lle gwelodd olau dydd am y tro cyntaf yn hysbys. Fe ddywedir mai Rhiw Gyferthwch oedd hen enw'r llwybr ar letcroes y llechwedd i'r gogledd o Frynllin-fawr, ffermdy ger Abergeirw ym mlaen afon Mawddach.[182]

Y DDAU FLAIDD AR YNYS ECHNI[183]

Dau flaidd yn llarpio defaid Cadog.

Rhyw ddwy filltir a hanner i'r môr o arfordir Morgannwg, rhwng Penarth a'r Barri, mae Ynys Echni (Flat Holm). Prin filltir o'r ynys yn ôl i gyfeiriad yr arfordir mae dwy graig yn brigo uwch wyneb y môr. Eu henw ar y mapiau diweddaraf yw 'The Wolves', ond yn Gymraeg yr hen enw oedd 'Cunbleid', sef, mae'n debyg, 'Y Cynflaidd'. Oddeutu mil o flynyddoedd yn ôl fe gofnodwyd chwedl i esbonio sut y cafodd creigiau Cynflaidd (The Wolves) eu henw.

Perchennog Ynys Echni yn y bumed ganrif oedd Cadog, un o saint amlycaf ei ddydd a mab i frenin. Roedd gan Cadog ddefaid yn

---

182 CCHSF, 3, 76
183 VSBG, 93

pori ar yr ynys, a rhyw ddiwrnod fe nofiodd dau flaidd yno o Wlad yr Haf yn Lloegr gan ymosod ar y ddiadell. Wedi lladd a llarpio llawer o'r defaid nofiodd y ddau ymlaen am arfordir Cymru. Pan welodd Cadog beth oedd wedi digwydd, 'trwy allu dwyfol' fe drodd y bleiddiaid yn gerrig ac yno maent o hyd.

    Nid dyma'r unig greigiau môr i'w galw'n fleiddiaid, ac mae'n debyg iddynt gael eu henwau am eu bod yn berygl i forwyr. Yn niwedd y bedwaredd ganrif ar ddeg fe ddrylliwyd y *Gabriell*, llong o Aberdaugleddau, ar greigiau 'Wolves' oddi ar arfordir Cernyw.[184] Eu henw erbyn heddiw yw Wolf Rock, ac mae yno oleudy unig, cwta ddwy filltir i'r de-orllewin o Land's End. Un arall yw Wolves Rocks rhyw filltir a hanner i'r de ddwyrain o Ddinbych-y-pysgod. Maent

Creigiau môr a elwid yn fleiddiaid ar Ynys Echni.
Llun:
Flat Holm Project.

---

184 CPR (1393–6) 442

o'r golwg dan y môr bellach a'u lleoliad wedi'i nodi â bwngi. Oddi ar arfordir gogledd Sir Benfro ryw filltir o draeth Abercastell, mae craig danfor arall a elwir yn Bola Bleiddyn.

TYDECHO YN DOFI CEIRW A BLAIDD[185] ∽

Ym mlaen eithaf afon Dyfi, dan gysgod Aran Fawddwy, mae cwm uchel a fu unwaith yn gartref i Tydecho y sant. Yno ar lan Llaethnant mae ei Wely, ei Ffynnon a'i Fuarth i'w gweld o hyd ac mae aml i chwedl amdano yn para'n fyw ar lafar gwlad yn y fro.

Maelgwn Gwynedd, arch elyn y seintiau, oedd y brenin ar y pryd, a chafodd Tydecho fel llawer o'r lleill ei erlid ganddo. Un tro, gadawodd Maelgwn nifer o feirch gwynion yng ngofal Tydecho ond yn lle talu'r sylw dyladwy i eiddo'r brenin fe drodd y sant y cwbl i'r mynydd i bori grug. Er bod y meirch yn llyfndew ac euraidd eu lliw pan ddaeth Maelgwn i'w nôl, roedd wedi'i sarhau am fod Tydecho wedi bod mor ddi-feind ohonynt a phenderfynodd ddial drwy gymryd ychen y sant oddi arno fel na allai aredig. Ond nid gŵr i gael ei drechu oedd Tydecho. Yn fuan iawn roedd yn aredig â gwedd o geirw gwylltion a blaidd llwyd yn llusgo'r og i lyfnu'r cwysi. Pan welodd Maelgwn hynny fe yrrodd ei helgwn ar ôl y ceirw a'r blaidd gan eistedd ar graig i wylio'r helfa. Ond pan ddaeth yn amser iddo godi roedd ei din wedi glynu wrth y graig a bu'n rhaid iddo addo seintwar neu loches i ddyn ac anifail yn nhiroedd Mawddwy am gan oes cyn i Tydecho fodloni i'w ryddhau. Y seintwar oedd y rheswm pam roedd cynifer o wylliaid wedi ymgartrefu ym Mawddwy, mae'n debyg.

Yn ôl traddodiad, ar gae Dôlyceirw ger Llanymawddwy y bu Tydecho'n aredig, a chan fod Tre'r Bleiddiau a Chastell y Blaidd yn y cyffiniau mae'n ddigon posibl bod i'r mannau hynny eu lle yn y chwedl ar un adeg.

Maelgwn Gwynedd, ffrewyll y saint.

Seintwar ym Mawddwy am gan oes dyn.

185 LBS 4, 283; GDLl, 117–9

BRYNACH WYDDEL, EI FUWCH A'I FLAIDD[186] ⤳

Meudwy o Iwerddon a ddaeth i fyw i Ddyfed ar droad y bumed a'r chweched ganrif oedd Brynach Wyddel, neu Byrnach fel y'i hadwaenid weithiau. Ei unig gwmni oedd buwch a gynhyrchai lawnder o laeth a blaidd a fyddai'n gwarchod y fuwch bob amser; âi â hi allan i'r maes yn y bore i bori a dod â hi nôl gyda'r hwyr. Fe dreuliodd Brynach gyfnod yn Llanboidy (lle cododd feudy i'w fuwch), Llanfyrnach (sy'n dwyn ei enw) a Chilmaenllwyd cyn ymgartrefu'n derfynol yn Nanhyfer lle mae Croes Fyrnach i'w gweld o hyd.

Un diwrnod fe ddaeth Maelgwn Gwynedd heibio a chipio'r fuwch, ac er bod y blaidd i fod yn ei gwarchod ar y pryd, y cyfan a wnaeth oedd rhedeg at Brynach gan udo'n gwynfannus, sy'n awgrymu bod y sant wrth ei ddofi wedi'i amddifadu o'i anian ymladdgar gynhenid.

A barnu wrth y llu cyfeiriadau at fleiddiaid sydd i'w cael mewn enwau lleoedd yng nghymdogaeth Nanhyfer a Llanfyrnach, megis Bleiddbwll, Castell Blaidd, Maen y Blaidd, Pant y Blaidd, Pistyll y Blaidd a Phwll y Blaidd, efallai eu bod yn rhan o chwedlau a adroddid am flaidd Brynach ar un adeg.

PEDROG A'R BLAIDD FFYDDLON[187] ⤳

Fe ddywedir mai mab i Glywys brenin Glywysing yng Ngwent yn y chweched ganrif oedd y sant, Pedrog, ac iddo fod yn dywysog llwyddiannus ei hun cyn iddo droi ei gefn ar y byd.

Treuliodd ran helaeth o'i oes yng Nghernyw ac ef yw prif sant de-orllewin Lloegr. Ond mae'n rhaid ei fod wedi byw yng Nghymru hefyd gan mai ef yw nawddsant tair eglwys ar arfordir y gorllewin: Llanbedrog yn Llŷn, y Ferwig yn ne Ceredigion, a St Petroc ger tref Penfro.

Pedrog a'r Blaidd yn Lew Trenchard, Dyfnaint.

---

186 LBS 1, 321
187 LBS 4, 94

Yn ôl arfer yr oes honno aeth Pedrog ar bererindod i Gaersalem, ac oddi yno hwyliodd ar ei ben ei hun i India mewn llong fechan ar ffurf bowlen arian. Cyn hwylio gadawodd ei ffon a chlogyn o groen dafad ar y traeth a phan ddaeth yn ei ôl ymhen saith mlynedd roeddent yn dal yno a blaidd yn eu gwarchod.

Daeth y blaidd yn ôl i Gernyw gyda'r sant ac yno yn eglwys Sain Pedrog Fechan (St Petroc Minor) mae cerflun o Bedrog a'r blaidd wrth ei ochr (mae un arall yn eglwys Padstow). Yn anffodus ni chadwyd dim o'r fath yn yr un o'r tair eglwys yng Nghymru.

SANT TATHAN, Y FLEIDDAST A'R MOCH BACH[188] ⤳

Yn ôl pob hanes, mab Tuathal brenin Iwerddon oedd Tathan, ond fel arfer fe'i cysylltir â phlwyf Sain Tathan ym Mro Morgannwg.

Arferai Tathan fagu moch, ac un diwrnod fe ddaeth Tesychues ei feichiad ato i achwyn bod bleiddast wedi cipio moch bach un o'r hychod. Er iddo'i ddilyn i'w ffau ni lwyddodd i'w hachub a chredai fod y fleiddast wedi'u bwydo i'w phothanod. Dywedodd Tathan wrtho am fynd yn ôl at ei waith a pheidio gofidio gan y byddai ef yn gweddïo ar i Dduw gymedroli creulondeb y fleiddast fel na fyddai'n ymddwyn yr un fath yr eildro. Bore drannoeth, pan gododd y meichiad, fe welai'r fleiddast yn dod ag un o'i phothanod ei hun yn ei cheg ac yn ei ollwng wrth ddrws ei dŷ. Magodd yntau'r bleiddyn bychan fel pe bai'n gi, a chymerodd y creadur at sugno'r hwch a gollodd ei moch bach fel petai'n fam iddo.

Hwch yn magu pothan blaidd.

Am dair blynedd fe fu'r blaidd yn gwarchod anifeiliaid Tathan fel na feiddiai na lleidr na bwystfil fynd yn agos atynt. Ond un diwrnod, am ryw reswm anhysbys, fe darodd y meichiad y blaidd ar ei ochr gan beri iddo rowlio drosodd deirgwaith. Yna diflannodd y blaidd i'r goedwig ac ni welwyd mohono byth wedyn.

---

188 LBS 4, 211

Mae'r chwedl hon yn peri i rywun feddwl am y brid o gŵn defaid Pyreneaidd sy'n cael eu magu gyda'r ddiadell o gyfnod cynnar iawn ac felly'n eu huniaethu eu hunain â'r defaid gan eu gwarchod yn barhaol. Tybed a oedd yr un dechneg yn cael ei harfer gyda phothanod bleiddiaid ac mai atgof o hynny sydd yn y chwedl hon? Efallai mai anifail wedi'i hyfforddi i warchod praidd yn y dull hwn oedd y blaidd lledfegin y cyfeiriwyd ato eisoes.

BLEIDDIAID YN LLARPIO AELHAEARN[189] ~

Yn y seithfed ganrif roedd Beuno Sant yn byw yng Nghlynnog Fawr sydd ar fin yr A499 rhwng Caernarfon a Phwllheli heddiw. Does dim gwadu ei gysylltiad â'r lle gan fod yno Fedd, Ffynnon, Cored a Chyff Beuno.

Beuno yn disgyblu ei was Aelhaearn.

Arferai gerdded bedair milltir at y nant wrth odre'r Eifl i weddïo ac ar un adeg roedd olion ei ddau ben-glin i'w gweld ar garreg yn ei chanol. Un busneslyd oedd gwas Beuno a chan na wyddai i ble y byddai ei feistr yn diflannu fe benderfynodd ei ddilyn un noswaith. Wrth i Beuno godi oddi ar ei liniau wedi iddo fod yn gweddïo gwelodd ddyn yn sefyll ar y lan, ond yn y tywyllwch nid adnabu ei was ei hun a gwaeddodd, 'Os wyt ti ar berwyl da, gobeithio y cei afael ar y daioni rwyt ti'n chwilio amdano, ond os wyt ti ar berwyl drwg, gobeithio y cei dy ddisgyblu!'

Ar hynny dyma haid o fleiddiaid rheibus yn ymosod ar y gwas ac yn ei larpio nes oedd darnau ohono ar chwâl o gwmpas y lle. Pan ddeallodd Beuno mai ei was oedd wedi'i larpio fe gasglodd y darnau at ei gilydd a'u hailosod aelod wrth aelod a'i atgyfodi o farw'n fyw. Dim ond un darn oedd ar goll, sef tamaid o asgwrn uwchben ei lygad, felly cymerodd Beuno ddarn o haearn oddi ar ei ffon linon i lanw'r bwlch a'i ailenwi'n Aelhaearn. Yng ngeiriau Lewis Môn:[190]

Yr 'ael' yn Aelhaearn.

---

189 LBS 1, 109
190 GLM, 7

Aelhaearn ddeuddarn ddyddiau
ar wasgar esgyrn ei gymalau
cnawd fu ladd cnud o fleiddiau
fo laddai fil y floedd fau.

Codwyd eglwys yn y fan yr atgyfodwyd Aelhaearn lle saif pentre Llanaelhaearn heddiw.

Disgwylid y byddai unwaith enw lle yn y cyffiniau yn cadw cof am yr hanes, ac yn wir, wyth ugain mlynedd yn ôl y mae cofnod am Nant y Bloeddias, a allasai fod yn wall am Nant y Bleiddiau, rywle yn y plwyf.[191] Gan mai cymharol ychydig o nentydd sydd yno, efallai mai dyna hen enw'r nant lle'r arferai Beuno weddïo; mae'n codi ar lethrau'r Gurn Ddu ac yn llifo heibio Penllechog a Llanaelhaearn i'r môr ger Trefor.

GWAITHFOED A CHENEDL O FLEIDDIAU[192]

Gŵr o gig a gwaed yn byw yng Ngheredigion tua dechrau'r ddeuddegfed ganrif oedd Gwaithfoed; mae cymaint â hynny'n ffaith. Fe gyfarfu Gerallt Gymro â'i fab Ednywain, abad Llanbadarn Fawr ger Aberystwyth, yn ystod ei daith drwy Gymru yn 1188. Mae'n debyg mai Arglwydd Pennardd yng nghymdogaeth Tregaron oedd Gwaithfoed a'i fod yn byw ym Mhorthyffynnon ar gwr y dref honno, lle a fu'n gartref i Twm Siôn Cati mewn oes ddiweddarach.

Yn ôl un hen hanesyn, tri phen blaidd gwaed ddifer (yn diferu o waed) oedd arfbais disgynyddion Gwaithfoed ac mae'n siŵr mai ymgais i ddangos sut y cafwyd yr arfbais honno yw'r chwedl a adroddir amdano. Wrth wneud hynny mae'r awdur wedi'i gymysgu â gwŷr eraill o'r un enw a'i osod mewn cyfnod llawer cynharach pan oedd Brochwel Ysgithrog yn Frenin Powys ac Ethelbert yn Frenin Caint. Gan fod Gwaithfoed wedi ochri gyda Brochwel mewn brwydr

Y blaidd yn cyhuddo'r oen o lwydo'r dŵr; chwedl o Rwsia a nodwyd gan Krylov.

191 MD Llanaelhaearn, rhif 442
192 GRE 1805–7, 103–5

yn erbyn Ethelbert bu'n rhaid iddo ffoi i Went ac yno fe feichiogodd Morfudd, merch y brenin, Ynyr Gwent, a dod â hi'n ôl i Geredigion. Y ffordd hwylusaf iddynt deithio, mae'n debyg, fyddai dilyn afon Gwy i gyffiniau Rhaeadr ac yna canlyn yr hen gefnffordd dros y mynydd-dir uwchlaw Cerrig Gwalch, Llofftyddgleision a Nant y Fleiddast. Mae ei chwrs i'w weld yn eglur cyn belled ag Ystrad-fflur, ac wrth ei cherdded fe gafodd Gwaithfoed a Morfudd nifer o anturiaethau.

Lladd tri herwr ar ddeg.

Yn gyntaf ymosodwyd arnynt gan dri ar ddeg o herwyr ond fe lwyddodd Gwaithfoed i ladd y cwbl a'u claddu yng Ngharnedd yr Herwyr nid nepell o Fwlch y Clawdd Du. Mae Bwlch y Clawdd Du yn adnabyddus o hyd rhwng Pontarelan a Llyn Cerrigllwydion Uchaf (SN 86 70). Diflannodd pob sôn am yr enw Carnedd yr Herwyr, er bod y garnedd ei hun i'w gweld yno heddiw ac yn cael ei hadnabod wrth yr enw Carn Ricet (tirfeddiannwr lleol yn perthyn i oes ddiweddarach oedd Rhicert).

Yn y man cafodd y ddau lety yn Rhiwgarwed gyda Carwed – meudwy o faintioli cawr – a'i wraig a oedd â'u bryd ar ladd y ddau, ond llwyddodd Gwaithfoed i'w trechu hwythau hefyd. Nid oes sôn am Riwgarwed yn yr ardal bellach ond mae modd ei adnabod fel yr Hengae (SN 820 681), adfail ble mae'r hen ffordd yn croesi afon Claerwen. Ar lafar gwlad mae'r Hengae yn parhau i gael ei gysylltu â chawr treisgar.

Lladd Carwed a'i wraig.

Rhywle ar y mynydd cyn i'r ddau gyrraedd Ystrad-fflur (er nad oedd y fynachlog yn bodoli yng nghyfnod Gwaithfoed) fe ymosodwyd arnynt gan gnud o fleiddiaid, neu 'genedl o fleiddiau' fel y myn awdur y chwedl, a gafodd eu denu gan 'arwynt y wraig feichiog', sef Morfudd. Ffodd y ddau i luest gyfagos a'r bleiddiaid yn glòs ar eu gwarthaf. Yna aeth y ddau allan drwy'r drws cefn gan ei gau ar eu hôl a mynd o gwmpas y lluest i gau'r drws blaen er mwyn carcharu'r bleiddiaid oddi mewn cyn i Gwaithfoed eu saethu i gyd.

Lluest = tŷ bugail

Fe fyddai hen storïwyr wrth eu bodd yn esbonio enwau lleoedd fel rhan o'u straeon er mwyn eu gwreiddio yn eu milltir sgwâr. Dyna â ddigwyddodd yn achos Carnedd yr Herwyr a Rhiw Garwed, ac efallai fod yna Luest y Bleiddiau neu enw tebyg ar lan afon Claerddu ar un adeg ac mai dyna a sbardunodd y storïwr i gynnwys ymosodiad gan fleiddiaid ymhlith yr anturiaethau.

Clustiau'r blaidd yn arwain at faddeuant.

Ta waeth am hynny, y diwedd fu i Gwaithfoed gadw tamaid o glust dde pob un o'r bleiddiaid, ynghyd â bysedd ac amrywiol ddarnau eraill o gyrff yr herwyr a Charwed a'i wraig cyn parhau â'u siwrnai.

Ar y pryd roedd Ethelbert yn cynnig pymtheg punt i'r sawl a laddai'r herwyr a'r bleiddiaid dan sylw. Gan wybod mai Gwaithfoed oedd wedi eu lladd aeth rhyw ŵr arall i hawlio'r wobr. Pan glywodd Gwaithfoed aeth yntau â chlustiau'r bleiddiaid a bysedd yr herwyr at y brenin fel prawf, a llwyddodd i adennill y pymtheg punt ac i gael maddeuant am ei gefnogaeth i Frochwel.

TEITHIWR BLIN A DEG BLAIDD[193] ⸺

Diolch i Gwallter Map, gŵr o'r Gororau a chyfaill i Gerallt Gymro, diogelwyd nifer o hanesion a chwedlau difyr o'r ddeuddegfed ganrif yn ei lyfr *De Nugis Curialium* (Lloffion o'r Llys). Yn y gyfrol honno mae ganddo un stori sy'n dangos cymaint y pwys a roddai'r hen Gymry ar groesawu i'w haelwydydd unrhyw deithiwr a alwai heibio ar eu ffordd i rywle, a chymaint oedd y gwarth o beidio gwneud hynny:

Croeso'r hen Gymry i deithwyr.

> Digwyddodd unwaith i ryw Gymro dderbyn dyn dieithr i mewn i'w dŷ. Yn y bore, cododd gŵr y tŷ, a mynd allan i hela a'i waywffon yn ei law, gan adael y gwestai yn y tŷ gyda'i wraig. Ni ddaeth adref y noson honno. Dychwelodd drannoeth, ond roedd y gwestai wedi mynd. 'Ymhle y mae'r dyn dieithr?' gofynnodd i'w wraig. 'O,' meddai hithau, 'fe arhosodd yn ei wely fore heddiw, a phan agorais innau'r drws, fe welodd yr eira'n lluchio oddi allan ac meddai ef, "diwrnod ofnadwy i fod allan!" Ac meddwn

---

193 SGM, 41–2

innau, "Ie, a diwrnod da i ddyn diog segura yn nhŷ dyn
gweithgar." Yna fe roes ochenaid drom a throi arnaf gan
ddywedyd, "Y ddynes! Nid segura rwyf i!" a chyda hynny
cipiodd ei waywffon a rhuthro allan, ac er imi ei alw yn ei
ôl, ni ddeuai.

Wrth feddwl am y gwarth a dynnodd ei wraig ar ei ben
trwy droi gwestai allan o'r tŷ, aeth y gŵr yn gynddeiriog.
Lladdodd hi yn y fan a rhedeg allan dan wylofain, gan
ddilyn ôl traed ei westai yn yr eira. Wedi myned cryn
bellter, canfu flaidd yn gorwedd yn farw. Daliodd i ganlyn,
ac ar y llwybr yr oedd cyrff wyth o fleiddiaid, y naill ar
ôl y llall. Yna, gwaywffon wedi ei thorri. Ac o'r diwedd
gwelodd y dyn dieithr yn eistedd ar y llawr, a blaidd mawr

– y mwyaf o'r cwbl – yn barod i ruthro arno. Rhedodd i fyny atynt, a tharfodd y blaidd ymaith; yna taflodd ei hun i lawr wrth draed ei westai gan ymbil am faddeuant a dweud wrtho sut yr oedd wedi cosbi ei wraig am ei hymddygiad tuag ato. Ond roedd hi bron ar ben ar y dyn dieithr. Gwelai'r blaidd yn ei wylio oddi draw, ac meddai: 'Mi faddeuaf iti, ar un amod. Dyro fenthyg dy waywffon imi, a dos o'r golwg am ennyd imi gael gwneuthur diwedd ar yr hen flaidd acw sydd wedi fy nilyn hyd yma.' Hynny a fu. Lladdwyd y blaidd olaf, a chariodd gŵr y tŷ ei westai hanner-marw adref gydag ef. Ymhen ychydig iawn bu farw'r dyn dieithr, a bu'r digwyddiad yn ddechreuad dial ffyrnig rhwng teuluoedd y ddeuddyn, nad yw wedi llwyr ddarfod hyd heddiw.

GETHIN GOCH FLAIDD[194] ～

Gŵr o ddwyrain Sir Faesyfed oedd Gethin, neu 'Red Wolf Gethin' i bobl yr ardal honno, ac roedd ei gartref gerllaw pentref Rhos-goch ar fin y B4594 ryw bedair milltir i'r gogledd o'r Gelli Gandryll. Roedd yn heliwr medrus a grwydrai'r mynydd-dir yng nghwmni Hector ei helgi, ac fe'i gelwid yn Gethin Goch am ei fod yn gwisgo gwisg o grwyn llwynogod. Er ei fod yn ŵr cyhyrog o faintioli anferth, nid oedd ei addfwynach o ran ei natur; roedd yn gymwynasgar ac yn gymeradwy gan bawb o'i gydnabod.

Crwydro'r mynydd-dir gyda Hector ei helgi.

Yn yr oes honno cynhelid marchnad fisol ger yr Hogfaen, 'Whetstone' ar Gefn Hergest (SO 263 567) ac fe âi Gethin yno'n rheolaidd i werthu ei nwyddau – crwyn, mae'n debyg – ac i gyfarfod ag Elen ei gariad a fyddai yno'n gwerthu mêl.

Cyfarfod â'i gariad wrth yr Hogfaen.

Un diwrnod fe gododd Hector flaidd ar y mynydd, yr olaf yng Nghymru yn ôl pob sôn, a'i ymlid i'w loches ger pentre Yardro (SO

194 CL

217 588), filltir a hanner i'r de o dref Maesyfed (New Radnor). Doedd dim amau dewrder Gethin, ac fe fentrodd i mewn i'r lloches gyfyng heb yr un arf amgenach na phastwn mandrag i'w amddiffyn ei hun. Ar ôl ymdrech fer a chaled fe laddodd y blaidd. Gwisgodd groen y blaidd yn glogyn, estynnwyd ei enw i Gethin Goch Flaidd, ac mae ffermdy Wolfpits yn nodi'r fan lle cyflawnodd yr orchest.

Lladd blaidd Yardro.

Un noswaith, ar ôl diwrnod caled o hela, roedd Gethin a'i helgi yn cysgu dan gysgod craig ar fynydd Smatcher gerllaw Wolfpits pan ddeffrowyd y ddau gan sŵn fel taran, a chrynai'r ddaear dan eu traed. Erbyn iddo gyrraedd Rhos-goch roedd y lle wedi'i lyncu gan y ddaeargryn, a chors eang yn gorchuddio'i gartref. (Weithiau, wrth dorri mawn ar y gors, bydd yr ardalwyr yn parhau i ddod o hyd i weddillion dodrefn derw o'r tyddynnod a aeth o'r golwg). Yn ystod yr un ddaeargryn fe dorrodd clawdd llyn gan sgubo bwthyn Elen i ffwrdd gyda'r lli a hithau'n cysgu ynddo. Er i Gethin chwilio'n ddyfal amdani ni welodd mohoni byth wedyn, ac yn ddigartref a di-gariad fe barhaodd i hela'r mynydd gyda Hector.

Y ddaeargryn.

Yn ddiddorol iawn fe geir cadarnhad bod damwain amgylcheddol o'r fath, sef chwalu dau lyn, wedi digwydd yn yr ardal. Yn ôl Gerallt Gymro digwyddodd hynny yn 1135, y noson y bu farw'r brenin Harri I, ac felly o fewn cof pobl y byddai Gerallt wedi'u hadnabod. Fe ddisbyddwyd un llyn yn llwyr, tra bod y llall wedi ailgronni ddwy filltir yn is i lawr y cwm.[195] Nid enwir yr un o'r ddau ond cred rhai mai Bychlyn,[196] rhyw bedair milltir i'r gorllewin o gors Rhos-goch oedd un ohonynt. Mae'n rhaid bod y llall a ddinistriodd gartref Elen rywle'n nes at Hergest.

Henllyn a Bychlyn.

Un bore, wrth hel blodau ar y mynydd daeth criw o blant bach o hyd i Gethin. Roedd wedi marw, a Hector ei helgi ffyddlon yn gorwedd yn ei ymyl yn llyfu ei wyneb. Chwarae teg i'w gymdogion,

---

195 ITW, 17
196 Efallai mai ei safle gwreiddiol oedd Henllyn, llyn llawer llai yng Nghwm yr Henllyn i'r gogledd-orllewin o Fychlyn.

fe benderfynwyd ei gladdu yno yn ei gynefin, ond gan fod y ddaear yn rhy greigiog i agor bedd iddo fe godwyd twmpath o gerrig a phridd dros ei gorff. Mae Bedd y Cawr neu Giant's Grave (SO 140544) i'w weld yno o hyd, mewn bwlch uchel ryw filltir a hanner i'r gogledd-orllewin o bentref bychan Glasgwm.

MILGI LLANCARFAN A'R BLAIDD[197] ~

Unwaith roedd gŵr a gwraig a'u hunig blentyn – baban yn ei grud – yn byw yn Llancarfan ym mro Morgannwg. Un diwrnod clywodd y gŵr gri cŵn yn hela carw, ac fel perchennog y tir fe aeth ar eu hôl i hawlio'i siâr o'r cig. Gan fod ei wraig oddi cartref ar y pryd fe adawodd ei filgi ar ôl yn y tŷ i warchod ei faban. Tra oedd y gŵr i ffwrdd yn hela fe ddaeth blaidd i mewn i'r tŷ a byddai wedi lladd y baban oni bai am y milgi a ymosododd arno a'i ladd ar ôl brwydr galed a gwaedlyd.

'Mor edifar â'r gŵr a laddodd ei filgi.'

Pan ddychwelodd y gŵr y cwbl a welai oedd y crud â'i ben i waered a gwaed ym mhobman. Gan gredu bod y milgi wedi lladd ei unig blentyn, yn ei alar a'i wylltineb fe'i lladdodd â'i gleddyf. Yna, wedi codi'r crud, gwelodd ei blentyn yn fyw a dianaf a chorff drylliedig y blaidd y tu draw iddo.

Fe ddywedir mai o'r digwyddiad hwn y tarddodd y ddihareb: 'Mor edifar â'r gŵr a laddodd ei filgi', neu 'Edifeirwch y gŵr a laddodd ei filgi.'

GELERT A'R BLAIDD[198] ~

Gelert a'r carw.

Mewn llawysgrif a ysgrifennwyd dros bedwar can mlynedd yn ôl (*c.*1592) ceir hanesyn am Siwan gwraig Llywelyn Fawr yn dod â helgi claerwyn gyda hi o Loegr, ac am nad oedd ei well am hela ceirw neu hyddod fe'i galwodd yn Kilhart (lladdwr hydd). Un tro fe heliodd Kilhart hydd am ddiwrnod a noswaith gyfan hyd nes bod

197 IM, 561
198 LlC 17, 5–10

y ddau wedi diffygio'n llwyr. Yn y rhuthr olaf, fel roedd Kilhart yn cydio yng ngwddf yr hydd, cafodd ei gornio yn ei fynwes a bu'r ddau farw'r un pryd.

Mynnodd Siwan, a oedd yn gwylio'r gyflafan, gladdu'r helgi yn y fan a'r lle, a dyna alw'r llecyn yn Bethkilhart, neu Beddgelert. Yr oedd bardd yn bresennol ac fe ganodd englyn i'r ci:

> Celert a gladdwyd celfydd – ymlyniad
> Ym Mlaenau Eifionydd
> Parod ginio i gynydd
> Parai'r dydd i'r heliai'r hydd.

Adroddwyd y chwedl hon ym Meddgelert am genedlaethau wedyn. Mor ddiweddar â 1811 gallai Nicholas Carlisle, awdur *A Topographical Dictionary of the Dominion of Wales*, sôn am garreg neu graig fawr ym Meddgelert a nodai'r fan lle cafwyd hyd i gyrff y ci a'r hydd ar derfyn helfa a ddechreuodd yng Nghaernarfon.

Gelert a'r blaidd.

Ond, ddwy flynedd ar bymtheg yn gynharach roedd Edward Jones, Bardd y Brenin, wedi cyhoeddi chwedl tra gwahanol am farwolaeth Gelert. Yn ôl y fersiwn hwnnw aeth blaidd i mewn i dŷ Llywelyn Fawr ym Meddgelert yn ei absenoldeb. Pan ddychwelodd y tywysog daeth Gelert i'w gyfarfod yn ysgwyd ei gynffon ac yn waed i gyd. Yn ystafell ei blentyn gwelodd Llywelyn y crud wedi'i droi drosodd a gwaed ym mhobman. Gan gredu bod ei filgi wedi lladd ei blentyn, cydiodd yn ei gleddyf a'i ladd. Yna, wrth godi'r crud gwelodd ei blentyn yn fyw oddi tano a chelain y blaidd gerllaw iddo. Yn ei alar gosododd feddrod i'r ci yn y fan lle codwyd eglwys Beddgelert yn ddiweddarach.

Dros y blynyddoedd fe fu llawer o ddadlau ynghylch dilysrwydd y chwedl am Gelert a'r blaidd. Tua 1793, blwyddyn cyn i Fardd y Brenin gyhoeddi'r chwedl am y tro cyntaf, fe ddaeth Dafydd Prichard, brodor ifanc o rywle yn ne Cymru i fyw i Feddgelert; ef a'i deulu oedd perchnogion gwesty'r Afr yno. Mynnai rhai fod Dafydd Prichard yn gyfarwydd â chwedl blaidd a milgi Llancarfan ac iddo'i thrawsblannu ym Meddgelert er mwyn denu pobl i'w westy.

Fersiwn Glasynys.

Ond mae'r chwedl yn llawer hŷn na hynny yn ôl Glasynys. Honnai ef iddo'i gweld yn un o lawysgrifau Ieuan Brydydd Hir, a bu farw'r gŵr hwnnw bum mlynedd cyn i Dafydd Prichard ddod ar gyfyl Beddgelert. Felly pwy sydd i'w gredu?

Fe gyhoeddodd Glasynys y chwedl mae'n ei briodoli i Ieuan Brydydd Hir, a chan fod ynddi fanylion lleol lled ddiddorol fe fydd yn werth ei dyfynnu yn ei chrynswth:[199]

> Llywelyn ab Iorwerth Drwyndwn, a gyfenwir weithiau yn 'Llywelyn Fawr,' ydoedd Dywysog glew yn ystod y deuddegfed cant. Byddai ef a'i deulu yn arfer hafota yn Eryri, ac ar y pryd ymhyfrydent yn nilyn rhagorgampau diniwed Cymru gynt. Yr oedd hely'r iwrch, yr ysgyfarnog, neu'r llwynog &c., yn cael ei ystyried yn ymloniant arbenig yn y cynamseroedd.
>
> Yr oedd gan y Tywysog Gi hoffus o'r enw Gelert, yr hwn a fernid yn flaenor pob helfa. Un diwrnod, fodd bynag, pan aed allan i ymddifyru, ni welid Gelert hefo'r cŵn. Methid â dirnad pa beth a ddaethai o hono. Pan yr oeddid allan, cymmerth y fammaeth [y wraig oedd yn gofalu am y baban] yn ei phen fyned i edrych yr Ogof Ddu, ar lechwedd Moel yr Hebog, ac ef allai fod un o'r gweision hefo hi. Credir mai Seisones oedd y forwyn esgeulus hon. Pan oeddys (sef Llywelyn a'i osgordd) yn dychwelyd adref, yn ymyl y neuadd, dyma Gelert yn waed dyferol yn rhedeg dan ysgwyd ei gynffon i'w cyfarfod. Llewygodd y Dywysoges, – rhuthrodd y Tywysog i'r ystafell fagu, – ond och! erbyn myned i fewn, dyma'r fan yn afonydd o waed, a'r cryd wedi ei daflyd a'i wyneb yn

Y forwyn esgeulus.

199 BRYTH 2, 110

*Ysgythriad
Daniel Maclise
gan Mote.
Llun: Mary Evans
Picture Library.*

isaf, a dim golwg o'r plentyn! Cynddeiriogodd, – cipiodd
ei gleddyf a rhoddes ef drwy Gelert, druan! Rhoes yntau
wawch hirllaes a threngodd. Pan oedd y ci, – yn marw, o
herwydd y floedd angeuol a roes, – fe ddeffrôdd y plentyn.
Rhedodd un o'r mynachod at y cryd a chododd y dillad,
ac yng nghanol y golygion, dyna'r bachgen yn edrych

yn iach ddianaf. Codwyd y gwrthbanau, ac o danynt yn farw, dyma globyn o flaidd ysglyfgar, yn erchyll ei wedd, hyd yn oed pan oedd wedi trengu. Ond y ci, druan, erbyn hyn oedd mor farw ag yntau; a'r Tywysog a wylofus alarai ar ol addurn ffyddlondeb. Gorchymmynodd iddo gael ei gladdu yn anrhydeddus, mewn llecyn teg ger llaw; a pherodd osod careg anferth ar ei fedd yn gof o gladdle'r ci. Y mae'r gareg yn aros hyd heddyw yn Nôl y Lleian, ger llaw y pentref a gyfenwyd ar ol hyn, yn gystal a'r plwyf yn gyffredinol, yn Fedd Gelert.

Fersiwn Twm o'r Nant.

Mae'n annhebyg y byddai Dafydd Prichard wedi gweld llawysgrifau Ieuan Brydydd Hir ond ni ddylid anwybyddu'r posibilrwydd iddo glywed y fersiwn hon o'r chwedl ar aelwyd Bwlch Mwlchan, cartref ei wraig, gerllaw Beddgelert. Y gwir yw bod sawl fersiwn o'r chwedl yn cylchredeg tua'r un adeg. Wrth adrodd yr hanes yn 1806 nid yw Twm o'r Nant yn sôn gair am Llywelyn Fawr, dim ond dweud bod 'y gwr a laddodd ei filgi (medd yr hen air) yn byw wrth le a elwir Bethcelert', ac eryr, nid blaidd, aeth i mewn i'r tŷ i gipio'r plentyn.[200]

COED CIL YR HYDD A MAEN Y BLAIDD[201]

Einion y Coed, gŵr o hil gerdd.

Go brin y byddai neb yng nghyffiniau Pentre Ifan yng ngogledd Sir Benfro yn gallu dweud ble yn union y safai hen blas Coed Cil-yr-hydd bellach. Aeth yr hen le â'i ben iddo ers cenedlaethau lawer, ond wyth can mlynedd yn ôl roedd yn gartref i Einion y Coed, uchelwr dylanwadol. Fe ellid ei alw'n 'ŵr o hil gerdd' gan fod enwau nifer o'i hynafiaid yn awgrymu eu bod yn feirdd, ac roedd Dafydd ap Gwilym yn ddisgynnydd i Gwrwared brawd Einion. Er hynny roedd yna ochr

200 HLlTN, 75
201 AC 1865, 7; WG¹ 3, 496

fwy anwar i'r teulu. Tua 1195 mae sôn fod Gwilym ap Gwrwared, tad Einion, wedi'i gosbi gan Dduw am ddwyn eiddo Gerallt Gymro, ond fe dalodd trais yn well i'w fab. Yn ôl un traddodiad fe lofruddiodd naill ai Einion y Coed, neu ei fab Owain Fawr, chwech ar hugain o brif gasglyddion trethi Cemais, ac o ganlyniad daeth yn bennaeth y cantref. Wedi hynny mae sôn ei fod wedi lladd 'y blaidd gwyllt' ger Maen y Blaidd, ond does fawr ddim manylion i'w cael am y weithred. Pam ei alw'n 'flaidd gwyllt'? Tybed a oedd yn dioddef o'r gynddaredd fel y blaidd cynddeiriog aeth i dref Caerfyrddin yn 1166? Ceir Pistyll y Blaidd ar dir Cwmeog, Felindre Farchog; Pwll y Blaidd ar lethrau Preselau ger Brynberian, a Llannerch y Bleiddiau ym mlaen Cwm Gwaun, ond aeth lleoliad Maen y Blaidd yn angof a gallai fod yn unrhyw un o'r meini hirion sy'n britho'r fro.

Lladd y 'blaidd gwyllt'. Tybed ai'r gynddaredd oedd arno?

BEDD Y CRYTHOR DU ∽

Ar un adeg roedd carnedd o gerrig a elwid yn Fedd y Crythor Du yn Nant Gwynant ar fin yr A498 rhwng Beddgelert a Phenygwryd. Rhywbryd yn nechrau'r ganrif ddiwethaf chwalwyd y garnedd er mwyn lledu'r ffordd, ond drwy drugaredd mae'r chwedl amdani wedi'i diogelu.

Rhyw noswaith gefn gaeaf amser maith yn ôl, a thrwch o eira ar lawr, roedd y Crythor Du yn mynd heibio'r fan ar ei ffordd adref wedi iddo fod yn chwarae ei grwth mewn noson lawen yn un o blasau'r gymdogaeth. Yn sydyn dyna gnud o fleiddiaid newynog yn ei amgylchynu. Mewn cyfyng gyngor cydiodd yn ei grwth a dechrau chwarae alawon ac o un i un gorweddodd y bleiddiaid i lawr mewn cylch o'i gwmpas wedi'u cyfareddu'n lân. Drannoeth daethpwyd o hyd i'r Crythor Du, a'r gnud orweddog yn gylch o'i gwmpas, yr oll wedi rhewi i farwolaeth.

Y Crythor a'r gnud yn rhewi i farwolaeth.

Does dim modd gwybod ble yn union y safai'r bedd bellach, ond ei fod rywle yng nghwr isaf Llyn Dinas. Rhyw filltir i fyny'r llechwedd i gyfeiriad yr Aran a'r Wyddfa mae Cwm y Bleiddiaid, un

o ddau le yn dwyn yr enw hwnnw yn yr ardal. Pe bai fersiwn llawnach o'r chwedl ar gael, mae'n siŵr y dywedai mai'r bleiddiaid hynny oedd y rhai a rewodd i farwolaeth o gwmpas y Crythor Du.

BLEIDDIAID BRYCHEINIOG[202] ∼

Yn adnabyddus am ei glustiau pigfain blewog.

Yn ystod y ddeunawfed ganrif fe fu tair neu bedair cenhedlaeth o'r un teulu'n byw mewn tyddyn, nad yw'n cael ei enwi, rywle ym Mrycheiniog. Nid teulu cyffredin mo hwn; roedd ei aelodau'n ddiarhebol o hyll neu salw ac yn ymddwyn yn od, a'r gred yn yr ardal oedd eu bod yn hanu o hanner dynion–hanner bleiddiaid oedd yn byw mewn coedwigoedd. Roedd yr olaf ohonynt yn adnabyddus

202 FLFS, 295

am ei glustiau pigfain blewog, nodwedd a etifeddwyd gan ei saith plentyn. Nid yw'n glir pam y gadawodd 'y Bleiddiaid', fel y'u gelwid, yr hen dyddyn, ond roedd eu cymdogion yn falch iawn o gael gwared ohonynt.

Hanner dynion, hanner bleiddiaid yn byw mewn coedwigoedd.

Fu dim llewyrch ar y lle wedyn. Tenant ar ôl tenant yn gadael am fod y stoc yn marw, y gweiriau'n brin a'r cnydau'n pallu aeddfedu. Y gred gyffredin oedd bod y lle wedi'i reibio ac erbyn diwedd y ganrif roedd yr hen dyddyn yn adfeilion.

GWENLLIAN, BLEIDDWRAIG SIR FAESYFED[203] ◗

Rywdro fe gyfarfu gŵr ifanc â Gwenllian, geneth brydferth ond byrbwyll o gyrion Sir Faesyfed, a'i phriodi. Yn y man fe anwyd plentyn i'r ddau ond roedd yr amserau'n rhai caled ac yntau'n methu cael dau ben llinyn ynghyd. Ond mynnai Gwenllian nad oedd angen iddo boeni oherwydd byddai hi'n dod o hyd i ddigon o gig, pe bai'n gorfod ei fenthyg, ei gardota neu hyd yn oed ei ddwyn. Chwarae teg iddi fe gadwodd at ei gair ond gofidiai ei gŵr rhag ofn ei bod yn ei ddwyn. Addawodd hithau rannu ei chyfrinach ag ef ar yr amod na fyddai yntau'n ei galw wrth ei henw yn ystod y weithred, ac felly y bu. Aeth ag ef i lecyn anghysbell ble roedd nifer o ŵyn wedi crwydro a rhedodd ar eu hôl gan barablu rhywbeth. Y funud nesaf newidiodd yn flaidd, cipio un o'r ŵyn a diflannu i'r coed. Yn hwyrach dychwelodd adref â baich o gig yn ôl ei harfer.

Mynnai gael cig pe bai raid iddi ei ddwyn.

Un diwrnod, tra oedd Gwenllian wrth yr un gorchwyl a'i gŵr yn ei gwylio, fe welodd cymydog o ffermwr y blaidd ac annos ei gŵn iddo. Yn ei fraw fe waeddodd ei gŵr, 'Gwenllian, dere adre!' Y funud nesaf diflannodd y blaidd o flaen llygaid y ffermwr ac yn ei le safai'r wraig yn noethlymun. O hynny ymlaen câi ei hadnabod fel 'y fleiddwraig' a gorfu iddi dalu am ei chig fel pawb arall.

Y funud nesaf newidiodd yn flaidd!

203 FLFS, 295–6

BLEIDD-DDYN GWENFÔ [204] ᴖ

*Gwrach Gwenfô
yn troi llanc yn
fleidd-ddyn.*

Stori yw hon a glywodd gŵr a anwyd rhyw ddau gan mlynedd yn
ôl, a hynny gan ei dad. Yn wahanol i'r storïau blaenorol am fleidd-
ddynion mae iddi leoliad pendant, sef ardal Tregatwg a Gwenfô
rhwng Caerdydd a'r Barri.

Roedd gŵr ifanc oedd yn byw gerllaw Coed y Cymdda yng
Ngwenfô yn caru â merch o Dregatwg ond fe'i gadawodd hi a phriodi
un arall. Yn anffodus iddo ef roedd ei gariad cyntaf yn nith i Wrach
Gwenfô, ac ar noson y briodas fe osododd y wrach ei gwregys torchog
ar garreg rhiniog y priodfab. Wrth i'r ddau gamu drosto i'r tŷ fe drodd
y priodfab yn fleidd-ddyn a rhuthro i ffwrdd i Goed y Cymdda. Bob
nos byddai'n udo o gwmpas tŷ y wrach nes arswydo'r gymdogaeth a
bu ei gwynfan torcalonnus yn Nhregatwg yn ddigon i yrru ei wraig
ifanc i'w bedd yn fuan. Roedd Gwrach Gwenfô yn benderfynol o'i gael
yn ŵr i'w nith a dyna a ddigwyddodd wedi iddi ei drawsnewid yn ôl
yn ddyn drwy daflu croen oen wedi'i swyno drosto. Ond newidiodd
ei meddwl ymhen dim pan welodd pa mor wael yr oedd yn trin ei
nith ac fe'i trodd yn fleidd-ddyn yr eildro.

Yn fuan wedyn bu farw'r wrach ac nid oedd rym yn y byd a allai
ddadwneud ei gwaith. Treuliodd y bleidd-ddyn – a gâi ei adnabod fel
'dyn gwyllt y coed' – naw mlynedd yng Nghoed y Cymdda cyn iddo
gael ei saethu'n ddamweiniol er mawr ryddhad i'r ardal.

BLEIDD-DDYN GRESFFORDD [205] ᴖ

*Defaid a gwartheg
wedi'u llarpio a'r
eira'n goch gan
waed.*

Rhyw fore oer yn ystod gaeaf 1791 roedd ffermwr o blwyf Gresffordd
yn ardal Wrecsam yn bugeilio'i ddefaid pan welodd olion palfau
blaidd yn yr eira. A barnu wrth eu maint roedd y blaidd yn un anferth
felly gofynnodd i'r gof lleol ddod yn gwmni iddo i ddilyn y trywydd.
Arweiniai'r olion traed tuag at dir cymydog iddynt ac wedi i'r ddau

---

204 FLFS, 296–7
205 WH Jones 'The Welsh Werewolf' CQ (Tach 2002) 49

gyrraedd yno roedd golygfa erchyll yn eu hwynebu. Roedd y lle'n un llanast o ddefaid a gwartheg wedi'u llarpio'n ddidrugaredd a'r eira o'u cwmpas yn goch gan waed. Prysurodd y ddau at y ffermdy ond roedd y lle'n dywyll. Drwy'r ffenest gallent weld eu cymydog yn llechu dan fwrdd y gegin a phicwarch yn ei law. Nid oedd wedi'i anafu ond bu'n anodd dwyn perswâd arno i agor y drws iddynt. Roedd yn amlwg wedi'i gynhyrfu drwyddo a chymerodd sbel cyn iddo allu dweud ei hanes.

Roedd ei lygaid gleision yn debyg i rai dynol ond eu bod yn oer, dieflig a didrugaredd.

*Bleidd-ddyn yn unig
allai achosi'r fath
alanas.*

Pan oedd o gwmpas y caeau y noswaith cynt gwelodd â'i lygaid ei hun fwystfil anferth tebyg i flaidd yn rhuthro am ei gi gan rwygo'i wddf ag un brathiad. Ffodd y cymydog am ei einioes a phrin ei fod wedi cau drws y tŷ ar ei ôl cyn teimlo'r bwystfil yn ei hyrddio'i hun yn ei erbyn o'r tu allan nes bod yr holl le'n crynu. Wedi symud y dodrefn yn erbyn y drws aeth i guddio dan y bwrdd ond gallai weld y bwystfil yn syllu arno drwy'r ffenest a glafoerion yn diferu o'i safn. Er mai pen blaidd oedd ganddo roedd ei lygaid gleision yn debycach i rai dynol, ond eu bod yn oer, dieflig a didrugaredd. Yn y man, pan welodd y bwystfil na allai gael gafael arno aeth i ddial ei lid ar y gwartheg a'r defaid oddi allan.

Barn y cymdogion oedd mai dim ond bleidd-ddyn a allai fod wedi achosi'r fath alanas. Aeth nifer mawr o ddynion, pob un â'i wn neu ei bicwarch, i chwilio'r gymdogaeth amdano, ond er iddynt ddod ar draws digonedd o olion palfau, ni welwyd mo'r bleidd-ddyn yn unman.

Nid achos unigryw oedd hwn.

Rhyw noson olau leuad y flwyddyn flaenorol, 1790, roedd bwystfil digon tebyg wedi ymosod ar geffylau'r goets fawr mewn llecyn unig rywle rhwng Dinbych a Wrecsam. Lladdwyd un o'r ceffylau yn y fan a'r lle, ac wedi i un o'r lleill dorri'n rhydd o'r harnes, carlamodd i ffwrdd a'r bwystfil ar ei ôl.

*Ysbryd gŵr a
losgwyd wrth
y ſtanc yn 1400.*

Aeth saith mlynedd heibio cyn i'r bwystfil ymddangos y trydydd tro, a hynny ddeng milltir i'r dwyrain ar fryniau Bickerton yn Swydd Gaer. Yng ngolau'r lleuad gwelodd dau ŵr lleol ffurf blaidd yn sefyll ar gefnen o dir. Ymestynnai ei ben i fyny i'r awyr ac roedd ei udo mor iasoer nes iddynt fferru gan ddychryn. Rhedodd y ddau i dafarn gyfagos heb feiddio mynd adref y noswaith honno. Drannoeth daethpwyd o hyd i gyrff dau dramp wedi'u llarpio mewn coedwig yn y cyffiniau.

Yn fuan wedyn derbyniodd gweinidog lleol lythyr dienw yn honni mai bleidd-ddyn oedd wedi llofruddio'r ddau dramp, ac mai ysbryd gŵr a gafodd ei losgi wrth y stanc gan hynafiaid y pentrefwyr yn 1400 ydoedd. Yn ôl awdur y llythyr yr unig ffordd i gael gwared ohono oedd i'r gweinidog baentio croes ar ddrws pob tŷ yn y pentre. Efallai iddo wneud hynny achos fu dim sôn am y bleidd-ddyn hwnnw wedyn.

7

Perthynas Dyn â'r Blaidd

CREDIR bod y berthynas rhwng dyn a'r blaidd yn ymestyn yn ôl bymtheng mil o flynyddoedd i'r cyfnod pan ddofwyd y bleiddiaid cyntaf ym mhellafoedd Asia a'u galw'n gŵn. Erbyn heddiw amcangyfrifir bod oddeutu mil o wahanol fridiau o gŵn drwy'r byd. Ond er mor annhebyg i'r blaidd yw llawer o'r bridiau hyn, dengys ymchwil DNA eu bod i gyd wedi tarddu o gyn lleied â hanner dwsin o fleiddiaid yn wreiddiol. Prawf arall o'r berthynas agos rhyngddynt yw'r ffaith y gellir croesi blaidd neu fleiddast ag ast neu gi o unrhyw frid a chael epil cymysgryw ffrwythlon.

Blaidd – yr anifail cyntaf i gael ei ddofi.

Dros y canrifoedd fe ddatblygodd perthynas arbennig rhwng dyn a'i gi ond cymysg fu ei agwedd at y blaidd. Mae wedi ei gyfareddu a'i arswydo ganddo, wedi'i barchu a'i gasáu.

Yn Wakias, talaith British Columbia yn Canada, mae pawl totem pum troedfedd a deugain o uchdwr ac ar ei frig ddelwau o dri anifail: eryr, brenin yr awyr; morfil, brenin y moroedd, a blaidd, brenin y ddaear.[206] Dyma arwydd o'r parch oedd i'r blaidd ymhlith

---

206 W, 293

brodorion y parthau hynny, er eu bod hwy a'r blaidd yn cystadlu am yr un prae.

Roedd yr un agwedd gymodlon tuag at fleiddiaid yn amlwg ymhlith y Celtiaid a'r Rhufeiniad hefyd. Mewn hen chwedlau mae'r seintiau Cymreig a Gwyddelig ar delerau da â bleiddiaid ac fe gofir mai bleiddast a gafodd y clod am fagu Rhufon (Romulus), sylfaenydd dinas Rhufain. Yr uchaf eu parch o blith milwyr Rhufeinig oedd y sawl a gludai'r lluman a'r cerddor a ganai'r corn, a châi'r ddau eu darlunio yn gwisgo clogyn o groen blaidd cyfan i arddangos eu statws.[207] Hyd yn oed yn y blynyddoedd diwethaf hyn fe synnwyd gŵr fu'n astudio cnudoedd yn yr Eidal gan agwedd oddefgar y bugeiliaid tuag at y bleiddiaid a laddai eu defaid.[208]

Gwahanol agweddau tuag at fleiddiaid.

Gwahanol iawn oedd agwedd y cenhedloedd oedd â'u cynefin yng ngogledd Ewrop. I'r Llychlynwyr, pobl yr Almaen a'r Sacsoniaid a fudodd i Loegr, symbol o'r diafol a drygioni oedd y blaidd; agwedd yn codi o gysylltiad y blaidd â'r nos ac â'r coedwigoedd tywyll a oedd mor nodweddiadol o'r gwledydd hynny, efallai.

Yn ystod yr Oesau Tywyll, yn dilyn cwymp yr Ymerodraeth Rufeinig, bernir bod yr hinsawdd wedi dirywio ac yn sgil y newid fe gynyddodd y coedwigoedd a'r corsydd gan gynnig cynefin delfrydol i fleiddiaid. Ond erbyn rhyw fil o flynyddoedd yn ôl roedd y rhod wedi troi; y tywydd yn gwella, coedwigoedd yn cael eu torri ac amaethyddiaeth yn datblygu. Law yn llaw â'r twf yng nghynnyrch y tir fe gynyddodd y boblogaeth, ac effaith hynny ar y blaidd oedd crebachu ei diriogaeth. Ar yr un pryd roedd nifer yr anifeiliaid dof, yn enwedig defaid, y gallai ei hela'n rhwydd, ar gynnydd, a daeth hyn â dyn a blaidd i wrthdrawiad â'i gilydd. Asgwrn arall yn yr un gynnen oedd bod yr uchelwyr yn hoff o hela

207 FTAW, 141
208 W, 292

ceirw, prae naturiol bleiddiaid, ac yn eu gwarchod mewn fforestydd a phercydd pwrpasol. Creadur i'w ddifa gan yr uchelwr a'r gwerinwr fel ei gilydd oedd y blaidd bellach.

Go brin y byddai'r gwrthdrawiad hwn ynddo'i hun wedi creu'r casineb eithafol a deimlid tuag at y blaidd yn Ewrop yr Oesau Canol nes ei uniaethu â'r diafol a'i ddyrchafu'n symbol o ddrygioni. Er mwyn mynd at wraidd yr agwedd hon mae gofyn ystyried safbwynt yr Eglwys. O ddarllen adnodau arbennig yn y Beibl, mae'n amlwg bod y blaidd yn cynrychioli trais, gorthrwm a gau broffwydi. Os Crist oedd y bugail da yn gwarchod ei ddefaid, yr oedd yn anochel i'r blaidd gael ei weld fel y diafol. Yn wir, yn yr Oesau Canol ceid portreadau o Grist yn lladd bleiddiaid, ac ar un adeg roedd yr Eglwys yn gwahardd bwyta cig anifeiliaid oedd wedi'u hanafu gan fleiddiaid.[209]

Anodd iawn, fodd bynnag, yw dod o hyd i unrhyw wybodaeth am agwedd y Cymro at fleiddiaid pan oeddent yn parhau i fod yn y wlad. Y mae sôn bod dywediad yn y Gymraeg ar un adeg mai creadigaeth y diafol oedd yr afr a'r blaidd, ond nid yw'n ymddangos bod yr union eiriau wedi cael eu cofnodi.[210] Yn ôl Gerallt Gymro, tra bod grym iachusol mewn llyfiad tafod ci, roedd eiddo'r blaidd yn wenwynig.[211]

Mewn rhai gwledydd Ewropeaidd arferid gweddïo ar i'r trigolion gael eu gwarchod rhag bleiddiaid. Digwyddai hynny mewn eglwysi yn yr Alban ac yn Rwsia ar un adeg.[212] Nid oes sicrwydd ei fod yn digwydd yng Nghymru, ond mae ambell bennill fel yr un a ganlyn, sy'n perthyn i'r bymthegfed ganrif, yn awgrymu hynny:[213]

> Yr arglwydd goruchaf ior eurgledd gwreichion
> A gadwo ein da ni ennyd ac a gadwo ein dynion

'Fe drig y blaidd gyda'r oen . . .'
Eseia 11:6

Yn ôl y sôn, roedd llyfiad tafod blaidd yn wenwynig.

---

209 W, 299
210 FLFS, 75
211 ITW, 65
212 AIF, 157
213 BBC, 125

Ysgythriad o'r Oesau Canol yn dangos Crist ei hun yn lladd blaidd

Rhag Sais gau a Gwyddel a rhag kas gigyddion
A rhag bloedd a lledrith a rhag *bleiddiau* a lladron
Rhag hwn acw yn ddrwg rhag cwn cynddeiriogion
Rhag draig awyr a thwrf a rhag drwg grythorion
A rhag hir ddvlwm sarff a rhag cerdd William Sion

A YW BLEIDDIAID YN BERYGLUS?

Cwestiwn y bu llawer o ddadlau yn ei gylch yw a wnaiff bleiddiaid ymosod ar bobl a'u lladd. Ar y naill law mae rhai yn ei weld fel bwystfil didrugaredd na fyddai'n meddwl ddwywaith cyn ymosod ar ddyn, tra bod eraill yn mynnu nad oes llygedyn o dystiolaeth ddibynadwy i'r un person erioed gael ei ladd gan flaidd. Y gwir yw bod yr ateb rywle yn y canol. Er mai anifail ymgilgar yw'r blaidd wrth natur, yn union fel ambell darw, baedd, march neu gi, fe all fod yn beryglus, yn dibynnu ar yr amgylchiadau.

Petai cnud yn newynog iawn ac yn dod o hyd i blentyn neu berson wedi'i anafu, mae siawns dda y byddent yn ymosod arno, yn union fel y byddent yn lladd ac yn bwyta milwyr lled fyw ar faes y gad. Unwaith y byddai blaidd wedi cael blas ar gnawd dynol mae'n hawdd credu y byddai'n barotach i ymosod yr eildro. Mae'n wybyddus hefyd fod ar fleiddiaid lai o ofn pobl yn ystod y nos ac ar ddiwrnod niwlog.[214]

Yn yr unig ddwy enghraifft o fleiddiaid yn ymosod ar ddynion sydd i'w cael yng Nghymru, sef chwedl y Crythor Du a hanesyn gan Gwallter Map, mae'n werth sylwi mai cnud sy'n ymosod ar unigolyn yn ystod y gaeaf yn y ddau achos, pan oedd trwch o eira ar lawr – sefyllfaoedd sy'n debyg o fod yn weddol agos at y gwir ac yn dwyn i gof yr hen goel bod blaidd ar ei beryclaf ym mis Ionawr.

Ysbytai yn cynnig lloches i deithwyr rhag bleiddiaid.

Gan fod bleiddiaid mor niferus mewn rhannau o'r Alban a gogledd Lloegr yn ystod yr Oesau Canol, sefydlwyd yr hyn a elwid yn *spittals* yn y mannau mwyaf anial er mwyn cynnig lletty diogel i deithwyr.[215]

Yr un gair yw *spittal* ag ysbyty, fel yn Ysbyty Ifan ac Ysbyty Ystwyth yng Nghymru. Sefydlwyd llawer o'r ysbytai Cymreig gan Urdd Marchogion Sant Ioan fel mannau i deithwyr aros. Nid oes dim i awgrymu mai eu gwarchod rhag bleiddiaid oedd eu prif nod yng Nghymru, er y gallai fod yn un ystyriaeth. Fe welir bod y rhan fwyaf o'r ysbytai hyn wedi'u lleoli mewn mannau anghysbell ar gyrion yr ucheldir: Ysbyty Ifan (Hiraethog/Migneint), Gwanas (Aran/Cadair Idris), Llanwddyn (Berwyn) ac Ysbyty Cynfyn (Pumlumon) lle mae tystiolaeth enwau lleoedd yn awgrymu bod bleiddiaid yn gyffredin.

Gellid rhestru llu o hanesion am ymosodiadau gan fleiddiaid mewn gwledydd tramor ond ymateb y rhai sy'n pledio diniweidrwydd y blaidd fyddai dweud mai chwedlau yw'r rhan fwyaf, wedi'u hymestyn a'u gorliwio am genedlaethau. Felly bydd rhaid cyfyngu'r sylw i dri digwyddiad ar fynydd-dir yr Apenninau yng nghanolbarth yr Eidal ryw hanner can mlynedd yn ôl, gan fod tystiolaeth ddibynadwy ar gael am y rheini.[216]

---

214 W, 275, 329
215 BAE, 125, 166
216 WAW, 17–

Achos milwr ifanc cydnerth yw'r cyntaf, yn mynd adref i ardal anghysbell ym mynydd-dir Abruzzi am ychydig o wyliau ryw noswaith o hydref yn 1950. Gwyddai fod bleiddiaid yn yr ardal ond nid oedd yn poeni gan fod ganddo ddryll â bidog ar ei flaen. Yn anffodus ni chyrhaeddodd ben ei daith, a phan ddoed o hyd i'w gorff roedd blaidd celain yn cydio ynddo. Nid yw'n glir a oedd ganddo fwledi yn y dryll ond efallai na chafodd gyfle i'w saethu. Er bod y blaidd wedi cydio yn ei wddf neu ei ysgwydd roedd y milwr wedi llwyddo i'w ladd â'i fidog ond wedi methu ymryddhau o'i afael. Yn ôl yr olion gwaed ar y llawr roedd yn amlwg bod y milwr, a'r blaidd ynghlwm wrtho, wedi llwyddo i ymlusgo ymlaen am gryn bellter cyn diffygio'n llwyr a marw. Yn yr achos hwn doedd y tywydd ddim yn aeafol na'r blaidd yn newynog, ond yr oedd yn noson niwlog ac efallai mai'r niwl a barodd i'r blaidd fod yn fwy eofn na'r cyffredin.

Blaidd yn lladd milwr yn yr Eidal.

Yn 1954 llwyddodd coedwigwr i wrthsefyll ymosodiad ffyrnig gan ddau flaidd ger Llyn Trasimene a'u lladd â'i fwyell. Ddwy flynedd yn ddiweddarach aeth postmon ar goll mewn storm o eira ar fynydd-dir Abruzzi a phan ddarganfuwyd ei weddillion roedd yn amlwg ei fod wedi'i fwyta os nad ei ladd gan fleiddiaid. Fe ellid dadlau mai'r storm a laddodd y postmon, ond a barnu yn ôl yr adroddiadau ar y pryd mae'n weddol sicr bod bleiddiaid wedi ymosod ar y milwr a'r coedwigwr gyda'r amcan o'u lladd.

Dau flaidd yn ymosod ar goedwigwr.

Bleiddiaid yn lladd postmon.

Er gwaethaf yr achosion uchod a llu o rai tebyg, greddf blaidd yw osgoi dynion. Sylwyd bod bleiddiaid yr Apenninau yn cadw i'r ucheldir yn ystod y dydd pan fo pobl wrth eu gwaith ar feysydd llawr gwlad, ond yn ystod y nos dônt i sgwlcian o gwmpas y pentrefi. Ar benwythnosau, pan fydd mwy o bobl yn tueddu i gerdded a hamddena yn y mynyddoedd, bydd y bleiddiaid yn cilio o'r neilltu i'r mannau mwyaf anhygyrch. Sylwyd hefyd fod bleiddiaid yn barotach i ddefnyddio ffyrdd caled pan fyddant dan drwch o eira ac felly'n llai tebygol o fod ar agor i drafnidiaeth dyn.

Y GYNDDAREDD

*Blaidd cynddeiriog
Caerfyrddin 1166.*

Efallai nad oes angen dweud bod blaidd ar ei beryclaf pan fydd yn dioddef o'r gynddaredd. Bryd hynny bydd yn ymddwyn yn hollol ddi-ofn, fel yn achos y blaidd cynddeiriog a frathodd nifer o bobl yn nhref Caerfyrddin yn 1166.

Digwyddodd rhywbeth tebyg yn Unol Daleithiau America yn 1833 pan aeth blaidd gwyn cynddeiriog i mewn i wersyll yn Wyoming a brathu amryw o'r dynion oedd yno. Bu farw tri ar ddeg ohonynt yn ddiweddarach.[217] Drwy drugaredd, yn anaml iawn y bydd blaidd yn dod i gysylltiad â bleiddiaid eraill o'r tu allan i'w gnud ei hun, ac o ganlyniad nid yw'r gynddaredd yn cael y cyfle i ymledu mor rhwydd yn eu plith ag yn achos llwynogod neu gŵn.

BLEIDDIAID CYMYSGRYW

Bwystfilod Gévaudan.

Pan fydd bleiddiaid yn prinhau mewn gwlad mae tueed i rai o'u plith grwydro ymhell i chwilio am gymar, ac o fethu dod o hyd i un, i gymharu â chŵn neu eist. Fe all epil cymysgryw uniad o'r fath fod yn fwy o gorffolaeth, yn ffyrnicach ac yn barotach i ymosod na bleiddiaid pur. Eisoes, gwelwyd arwyddion fod hynny'n digwydd mewn rhai gwledydd yn Ewrop wrth i nifer y bleiddiaid leihau. Ceir ambell dorraid y mae lliwiau eu pothanod yn debycach i gŵn nag i fleiddiaid, a byddai hynny'n un modd o esbonio'r ymosodiadau ar y tri gŵr o'r Apenninau yn y pumdegau.

A barnu yn ôl yr hanesion di-ri sydd wedi goroesi, fe ddioddefodd Ffrainc gymaint ag unman o ymosodiadau gan fleiddiaid yn y gorffennol. Does fawr o amheuaeth mai'r achos gwaethaf oedd yr un ym mynyddoedd Cevennes yn ne'r wlad. Rhwng 1764 a 1767 fe laddodd pâr o fleiddiaid a elwid yn Fwystfilod Gévaudan o leiaf bedwar a thrigain o bobl, efallai'n nes at gant, y rhan fwyaf ohonynt yn blant bychain. Fe'u heliwyd yn ofer gan nifer o fân fyddinoedd, ac

217 OWM, 71

yn yr ymdrech lladdwyd cannoedd o fleiddiaid eraill yng nghyffiniau Gévaudan. Yn y diwedd cafodd y ddau 'fwystfil' eu dal gan Antoine de Bauterne, gŵr bonheddig yn ei drigeiniau; y blaidd ar 21 Medi 1766 a'r fleiddast naw mis yn ddiweddarach.[218]

Eithriadau prin yw achosion o'r fath ac mae lle i gredu mai bleiddiaid cymysgryw oedd Bwystfilod Gévaudan ac nid rhai pur. Mae epil cymysgryw yn aml yn llawer mwy na'u rhieni ac roedd blaidd Gévaudan yn anghenfil. Yn pwyso 130 pwys ac yn mesur 32 modfedd ar yr ysgwydd, roedd ymhell y tu hwnt i fleiddiaid Ewrop o ran maint a phwysau. Hefyd roedd lliwiau anghyffredin y ddau yn awgrymu eu bod o dras gymysg, a byddai hynny'n esbonio pam eu bod wedi cymryd at ladd plant a stoc amaethyddol.

Mae blaidd cymysgryw yn beryclach na blaidd pur.

GWARCHOD Y MEIRW

Nid yw bleiddiaid yn or-hoff o fwyta burgyn fel arfer, ond mae un eithriad: mae'n debyg eu bod yn fwy na pharod i gloddio at gyrff dynol. Dywedir bod bleiddiaid mor niferus a newynog mewn mannau o'r Alban ar un cyfnod fel eu bod yn bwydo ar gyrff y meirw mewn mynwentydd. Ateb yr ardaloedd hynny, meddir, oedd claddu'u meirw ar ynysoedd, ac fe enwir Ynys Handa yn Sutherland, ynys ar Loch Maree yn Ross, ac Ynys Mungo ac ynys ar Loch Awe, y ddwy yn Argyle, ymhlith y rhai a ddefnyddid fel mynwentydd.[219] Does dim cofnod bod yr un peth yn digwydd yng Nghymru gynt, ond o ystyried y dystiolaeth am fleiddiaid ar Ynys Môn, tybed ai dyna ddiben y sefydliadau eglwysig ar ynysoedd Seiriol, Llanddwyn a Thysilio oddi ar ei glannau?

Claddu'u meirw ar ynysoedd i osgoi bleiddiaid newynog.

Dull o gladdu a arferid yn ysbeidiol o'r cynfyd hyd yr Oesau Canol oedd mewn cistfeini, hynny yw beddau wedi'u hamgáu â phum llechfaen, pedair o gwmpas y corff a'r bumed yn gaead. Dywedir mai

218　OWM, 70
219　BAE, 182–3

Cistfaen: amddiffynfa'r meirw rhag bleiddiaid. Llun: Archaeologia Cambrensis.

felly y cleddid y meirw yn Athlone yn yr Alban ar un adeg er mwyn amddiffyn y cyrff rhag bleiddiaid. (Bydd rhai yn cofio mai mewn cistfaen y claddwyd gwraig William Wallace ar ddechrau'r ffilm *Braveheart*.)

Ceir llu o'r cistfeini hyn ledled Cymru a rhoddodd ambell un ei enw i lecyn cyfagos: Cist Cerrig ger Moel y Gest, Porthmadog, Nant y Gistfaen ger Llyn Tryweryn, fferm Gistfaen, Llanarmon-yn-Iâl, Bwlch y Gistfaen, Llanerfyl, a Bryn Cistfaen ym mlaen afon Ystwyth. Efallai mai'r enghraifft fwyaf adnabyddus o gistfaen yw Bedd Taliesin yng ngogledd Ceredigion.

O ystyried bod y cistfeini hyn ar dir agored mewn mannau anghysbell lle nad oedd daear i gloddio beddau dyfnion, gellir yn hawdd weld pam roedd angen cistfaen i amddiffyn y meirw rhag creaduriaid ysglyfaethus fel bleiddiaid. Yn ddiweddarach dechreuwyd claddu mewn mynwentydd o gwmpas yr eglwys a rhoddid pwyslais ar eu hamgáu â chlawdd cadarn i ddiogelu'r beddau rhag anifeiliaid, yn enwedig moch.[220] Byddai'r uchelwyr yn cael eu claddu dan lawr yr eglwys ei hun, cyn agosed ag oedd modd at yr allor. Mewn oes a ystyriai'r blaidd yn ymgnawdoliad o'r diafol ei hun, mae'n sicr mai dyna'r amddiffyniad eithaf.

Ystyrid y blaidd yn ymgnawdoliad o'r diafol ei hun.

DOFI BLEIDDIAID

Mewn llawysgrif ym Mhrifysgol Talaith Montana mae hanesyn diddorol am Nitaina, un o lwyth y Traed Duon ym Montana, yn achub pothan blaidd ychydig wythnosau oed o'i wâl ar ynys mewn afon a oedd yn gorlifo. Byddai'r bleiddyn hwnnw a alwyd yn Chwerthwr yn dilyn Nitaina i bobman wedyn, gan rannu cig yr anifeiliaid a laddai â'i feistr.

Pan aeth Nitaina a'i gyfaill ar gyrch i ladrata ceffylau i diriogaeth y Siŵaid fe lwyddodd Chwerthwr, â'i ddawn reddfol i synhwyro perygl, i achub bywyd y cwmni lawer tro. Roedd yr un mor fedrus wrth gadw'r ceffylau lladrad gyda'i gilydd a'u rhedeg ar gyflymdra syfrdanol dros ddyddiau lawer pan fyddai haid o ddewrion y Siŵ yn dynn ar eu gwarthaf. Ond mae'n debyg bod teyrngarwch Chwerthwr wedi'i ganoli'n llwyr ar Nitaina, gan ei fod yn eithriadol o ddrwgdybus o bob dyn arall.

Richard Morgan, Llanarmon-yn-Iâl, yn eistedd ar Fedd Taliesin ger Tal-y-Bont, Ceredigion. Ein cistfaen enwocaf, efallai.

Un gaeaf pan oedd Chwerthwr yn ddwyflwydd oed neu ragor, dechreuodd ddiflannu am ddyddiau ar y tro. Yna, bu i ffwrdd am yn agos i fis cyn ailymddangos ar foncyn gerllaw'r gwersyll yng nghwmni blaidd arall. Wedi methu denu hwnnw'n nes, daeth yn ei flaen ei hun at babell Nitaina ond roedd yn anesmwyth ac nid arhosodd yn hir. Aeth blwyddyn heibio cyn iddo gael ei weld am y tro olaf. Digwyddodd Nitaina daro arno'n ddamweiniol, yng nghwmni dau flaidd arall, pan

---

220 BPEE, 51

Bleiddiaid dof yr Archesgob Becket.

oedd allan yn hela. Rhedodd y lleill i ffwrdd ond oedodd Chwerthwr am rai munudau gan edrych ar Nitaina cyn dilyn y ddau arall. Er cryfed ei ymlyniad cynnar wrth Nitaina mae'n amlwg mai'r gnud wyllt oedd â'r afael drechaf yn y pen draw.[221]

Cafodd Thomas Becket, yr archesgob a laddwyd wrth yr allor, brofiad tebyg, yn ôl un hanesyn lled ddoniol a adroddir amdano. Cyn ei ddyrchafu'n Archesgob Caergaint roedd Becket yn bur hoff o hela, a magodd ddau bothan blaidd a'u hyfforddi i hela'u cefndryd gwylltion. Un diwrnod pan oedd allan yn hela gwelodd nifer o fleiddiaid yn y pellter a gollyngodd y ddau ddof ar eu holau. Safodd y bleiddiaid gwylltion heb gyffro dim, gan ymddwyn yn groesawgar tuag at y ddau. Wrth weld hynny anghofiodd bleiddiaid Becket bopeth am eu hyfforddiant, ac wedi cydysgwyd cynffonnau a llyfu safnau ei gilydd diflannodd y ddau ddof gyda'r rhai gwylltion i mewn i'r goedwig.[222]

Nid peth anghyffredin oedd magu llwynogod dof yng Nghymru'r ugeinfed ganrif.

Efallai fod trwch y boblogaeth wedi ymbellhau cymaint oddi wrth fyd natur erbyn hyn fel na ellir dychmygu gwladwr o Gymro yn dofi anifail gwyllt. Ac eto fe glywid aml i hanesyn am lwynog neu ddyfrgi'n cael eu magu'n ddof ar ffermydd yn Sir Ddinbych ar ddechrau'r ganrif ddiwethaf.

Yn ôl un naturiaethwr byddai'r Celtiaid yn magu pothanod ac yn eu defnyddio, wedi iddynt dyfu, i warchod eiddo'r tywysogion.[223] Yr hen air Cymraeg am anifail gwyllt wedi'i ddofi oedd *lledfegyn*, hynny yw anifail wedi'i led fagu. Mewn llawysgrif y mae ei chynnwys yn dyddio i gyfnod pan oedd bleiddiaid i'w cael yng Nghymru, fe ddywedir fel hyn am ledfeginod:[224]

tri amryw ledveginod Blaidd a llwynog a thwrch daear[225]

---

221 OWM, 124–
222 MOR 42, 13
223 NIW, 37
224 NLW 5276, 423
225 mochyn daear

sy'n awgrymu mai dyna'r tri anifail gwyllt yr oedd modd neu yr oedd yn arferol eu dofi. Nid yw'n amlwg at ba bwrpas y byddai llwynog neu fochyn daear yn cael eu dofi ond mae mwy nag un awgrym ym Mucheddau'r Saint fod bleiddiaid yn cael eu defnyddio i warchod y praidd. Roedd gan Brynach Wyddel flaidd yn gwarchod ei fuwch yn Nanhyfer ac fe roddodd Sant Tathan bothan blaidd i sugno un o'i hychod a gollodd ei moch bach. Tyfodd hwnnw'n rhan o'r genfaint ac aros ymhlith y moch i'w hamddiffyn rhag bwystfilod a lladron.

Y saint yn dofi bleiddiaid.

Hyd yn oed heddiw fe fydd Cŵn Mynydd Pyreneaidd yn cael eu gosod allan gyda'r ddiadell yn ifanc iawn er mwyn iddynt eu huniaethu eu hunain â'r defaid o'u cwmpas ac aros yn eu plith yn barhaol i'w gwarchod.

BLEIDDIAID YN MAGU PLANT

Rhyw ddiwrnod ym mis Mai 1835 gadawodd John Dent ei gaban diarffordd i'r gogledd o Del Rio yn Texas i gael cymorth i'w wraig Mollie a oedd ar fin rhoi genedigaeth i blentyn. Ar y ffordd fe'i trawyd yn gelain gan fellten a bu farw Mollie hithau yn dilyn yr enedigaeth. Doedd dim sôn am y baban yn unman a chredai pawb iddo gael ei gipio a'i fwyta gan y bleiddiaid niferus oedd o gwmpas y lle.

Deng mlynedd yn ddiweddarach gwelodd llanc o'r ardal gnud o fleiddiaid, ac yn eu plith greadur gwalltog tebyg i blentyn noeth, yn hela gyr o eifr. Roedd yr Indiaid lleol hwythau wedi sylwi ar ôl traed plentyn yn gymysg â rhai bleiddiaid mewn mannau, felly fe drefnwyd ymgyrch i ddal y creadur.

Udodd y ferch nes denu holl fleiddiaid yr ardal ati.

Wedi cryn ymdrech llwyddwyd i gornelu geneth wyllt ac un o'r bleiddiaid mewn ceunant. Saethwyd y blaidd, a oedd yn eithriadol o amddiffynnol ohoni, a'i rhwymo hithau. Y noswaith honno cadwyd yr eneth mewn ystafell ar ransh gyfagos, ond cymaint oedd ei hoernadau cwynfanllyd a di-baid nes denu bleiddiaid y greadigaeth yno. Dychrynodd hynny stoc y ransh gan eu chwalu i bob cyfeiriad, ac yn ystod yr helbul llwyddodd yr eneth i ffoi.

Aeth saith mlynedd heibio cyn iddi gael ei gweld am y tro olaf yng nghwmni dau bothan blaidd ar un o draethellau'r Rio Grande rai milltiroedd o'i hen gynefin. Os hi oedd plentyn coll John a Mollie Dent byddai'n ferch ifanc yn tynnu at ei deunaw oed erbyn hynny.[226]

A oes gwirionedd mewn hanesion o'r fath? Go brin, meddai'r arbenigwyr, gan nad yw bleiddeist yn llaetha am gyfnod digon hir i fagu plentyn. Ac eto cofnodwyd llu o hanesion am blant yn cael eu magu gan fleiddiaid ac maent yn rhan o chwedloniaeth aml i genedl. Gŵyr pawb am Rhufon (Romulus), sylfaenydd chwedlonol Rhufain, a'i efaill Remws a fagwyd gan fleiddast, a cheir chwedlau tebyg yn Iwerddon.

Kamala ac Amala yn Midnapore, India, ar ôl byw efo bleiddiaid rhwng 1912-1920. Arferent gysgu ar y llawr, y naill ar ben y llall. Llun: y Parchg J A L Singh. Mary Evans Picture Library.

Un o frenhinoedd chwedlonol y Gwyddelod oedd Cormac, a lle bynnag yr âi byddai cnud o fleiddiaid o'i gwmpas. Pan oedd yn faban yn ei grud daeth bleiddast heibio tra bod ei fam yn cysgu a'i gymryd i'w fagu gyda'i phothanod ei hun. Flynyddoedd yn ddiweddarach fe ddoed o hyd iddo a'i ddychwelyd i'w deulu, ac aeth saith blaidd i'w ganlyn yn wystlon i gytundeb na fyddai bleiddiaid byth yn cymryd mwy nag un anifail o bob praidd mewn blwyddyn o hynny ymlaen.[227]

Gwyddel arall y dywedir iddo gael ei fagu gan fleiddast oedd y sant Ailbe. Ymhen blynyddoedd wedyn, ac yntau mewn oedran gŵr, fe welodd ei fam faeth a'i phothanod yn ffoi o flaen helgwn. Rhedodd y fleiddast ato gan ymbil arno i'w hamddiffyn, ac wedi iddo wneud hynny fe arhosodd hi a'i hepil gyda'r sant i'w gynorthwyo gyda'i waith.[228]

Dyma chwedl sy'n dwyn i gof y santes Melangell yn achub ysgyfarnog rhag helgwn Brochwel Ysgithrog, brenin Powys, ac mae thema'r sant yn cael cymorth gan flaidd i'w chael yng Nghymru yn achos Brynach, Pedrog, Tathan a Tydecho. Mae'n anodd credu na fu

---

226 OWM, 243
227 PCB, 167
228 EIS, 360–1

gan y Cymry, fel y Gwyddelod, eu chwedlau am arwyr yn cael eu magu gan fleiddiaid ond eu bod wedi mynd ar ddifancoll. Tybed ai dyna arwyddocâd enw Mab Blaidd, gŵr oedd yn byw ar Ynys Môn bron i fil o flynyddoedd yn ôl?

Os oes coel ar yr hyn a ddywed Misha Defonseca yn ei hunangofiant, *Surviving with Wolves*,[229] mae'n ymddangos y bydd bleiddiaid yn derbyn plentyn i'r gnud weithiau. Geneth fach o dras Iddewig yn byw yng Ngwlad Belg oedd Misha pan aethpwyd â'i rhieni i'r ddalfa gan y Natsiaid ar ddechrau'r Ail Ryfel Byd. Yn ei diniweidrwydd wyth mlwydd oed, a heb lawn sylweddoli arwyddocâd y sefyllfa, dechreuodd ar ei thaith unig tua'r dwyrain i chwilio am ei thad a'i mam. Gan ei bod yn mynd trwy wlad y gelyn ceisiai osgoi pobl drwy gadw i'r coedwigoedd a llwybrau anial, gan fwyta unrhyw beth y câi afael arno: ar y gorau, cig, bara a chaws wedi'u dwyn o dyddynnod diarffordd; ar y gwaethaf, burgyn, cynrhon, gwreiddiau a deiliach.

Crwydriadau'r Iddewes ifanc a'i chyfeillgarwch â bleiddast.

Mewn coedwig yng Ngwlad Pwyl daeth yn gyfeillgar â gast unig drwy rannu ei thamaid prin â hi. Dim ond yn ddiweddarach y sylweddolodd mai bleiddast oedd hi mewn gwirionedd gan ei bod yn udo ac nid yn cyfarth fel ci. Yn y man daeth y fleiddast i gysgu'r nos wrth ei chefn a dod â gweddillion ei helfa iddi i'w bwyta, a phan synhwyrai fod perygl gerllaw byddai'n ei llusgo gerfydd ei dillad i lwyn cyfagos, yn union fel pe bai'r eneth yn bothan iddi.

Ni sylweddolodd y ferch fach mai bleiddast oedd y creadur.

Yn ddiweddarach, wedi i'r fleiddast gymharu â blaidd du bygythiol, gofalai na châi hwnnw gyffwrdd â Misha. Daeth y berthynas i ben pan saethwyd y blaidd a'r fleiddast yr un diwrnod gan heliwr, a theimlodd Misha y golled i'r byw fel pe bai wedi colli'i mam am yr eildro.

Fisoedd yn ddiweddarach, a hithau wedi croesi'r ffin i Rwsia, daeth o hyd i gnud arall yn magu pedwar pothan. Erbyn hynny roedd wedi ymbellhau cymaint o gwmnïaeth ddynol ac wedi tyfu mor

---

229 SWW, 91–107, 131–41

ddrwgdybus o bobl fel na allai deimlo'n ddiogel ond gyda bleiddiaid. Yn naturiol ddigon roedd y gnud yn ymosodol tuag ati ond fel petai'n reddfol, gorweddodd hithau ar wastad ei chefn a'i thraed a'i breichiau yn yr awyr, yn union fel blaidd isradd yn ildio i awdurdod y cynflaidd. Cafodd ei derbyn gan y pothanod ar unwaith, diolch i'r briwsion caws oedd ganddi, a chyn hir dechreuodd y bleiddiaid ymddiried y torraid i'w gofal pan aent allan i hela.

Bwyta cig cyfog.

Ei gofid mwyaf oedd na feiddiai adael y gnud i chwilio am damaid i'w fwyta rhag ofn na châi ei derbyn yn ôl. A hithau bron a llwgu, dechreuodd ddyheu am beth o'r cig cyfog y byddai'r fleiddast yn ei ddwyn yn ôl o'r helfa i fwydo'r pedwar pothan. Drwy ddynwared ymddygiad y pothanod tuag at eu mam ar adegau felly, cropian ar ei phedwar a llyfu gweflau'r fleiddast, fe lwyddodd hithau i gael siâr o'r ysbail.

Fe ddatblygodd ymlyniad cryf rhyngddi a dau o'r pothanod a phan gafodd un o'r rheini ei ymlid o'r gnud wedi iddo dyfu, am herio awdurdod y cynflaidd, aeth Misha a'r pothan arall ar ei ôl a bu'r tri ohonynt gyda'i gilydd am gyfnod pellach cyn i'w llwybrau wahanu.

BLEIDD-DDYNION

Roedd y gred bod rhai gwŷr a gwragedd yn gallu troi'n fleiddiaid yn gyffredin ar gyfandiroedd Ewrop, Asia ac America o gyfnod cynnar iawn. Ddwy fil a hanner o flynyddoedd yn ôl nododd Herodotus, 'tad hanes', fod y Sgythiaid, cymdogion y Celtiaid yn nwyrain Ewrop, yn mynnu bod gan rai o'u plith y gallu i'w newid eu hunain yn fleiddiaid ar adegau arbennig. Ond prysurodd i ddweud nad oedd ef ei hun yn credu hynny.

Ceid dau fath o fleidd-ddynion: gwirfoddol a gorfodol.

Mewn gwirionedd roedd dau fath o fleidd-ddynion: y rhai oedd yn gallu newid eu ffurf o'u gwirfodd, a'r rhai a gâi eu troi'n fleiddiaid fel cosb am ryw gamwedd. Yn ôl hen chwedl o wlad Groeg dyna a ddigwyddodd i Lycaon a'i feibion yn Arcadia am iddynt sarhau Sews, brenin y duwiau. Dyna hefyd fu tynged Gwydion a Gilfaethwy a

Bleidd-ddyn yn ymosod ar ŵr wrth ddrws ei dŷ. Ysgythriad o lyfr gan Johann Geller von Kaisersberg, 1517. Llun: Mary Evans Picture Library.

Rhymi a'u meibion yn yr hen chwedlau Cymreig. Ond bydd gofyn troi at chwedlau o'r gwledydd Celtaidd eraill i gael darlun mwy cyflawn o'r bleidd-ddynion.

BIZCLAVERET

Y gair Llydewig am fleidd-ddyn yw *bizclaveret* a dyna oedd enw rhyw farwn oedd yn byw yn y wlad honno ar un adeg. Roedd gan y Brenin feddwl y byd o Bizclaveret, ond gan ei fod yn diflannu dridiau bob wythnos, na wyddai neb i ble, roedd ei wraig ei hun yn amheus iawn ohono. Wedi iddi grefu'n daer arno i ddatgelu'i gyfrinach, a'i fygwth, cyfaddefodd Bizclaveret ei fod yn fleidd-ddyn a'i fod yn treulio'r tridiau coll yn byw'n wyllt ar ffurf blaidd yn y goedwig. Wrth iddi barhau i'w groesholi esboniodd yntau ei bod yn bwysig iddo guddio'i ddillad mewn lle diogel ar yr adegau hynny gan na fyddai modd iddo ddychwelyd i'w ffurf ddynol hebddynt. Ond er i Bizclaveret ddweud y cyfan wrthi roedd ei wraig yn parhau'n anfoddog ei bod yn briod â bleidd-ddyn ac aeth i mofyn cymorth marchog a fu unwaith yn gariad iddi. Y tro nesaf i'w gŵr ddiflannu anfonodd y marchog i

Roedd ei wraig yn anfoddog ei bod yn briod â bleidd-ddyn.

gipio'i ddillad ac ymhen y tridiau ddaeth Bizclaveret ddim adref yn ôl ei arfer.

Rhai misoedd yn ddiweddarach, â'r Brenin yn hela yn y goedwig ger castell Bizclaveret, fe darodd ei helgwn ar drywydd blaidd a'i ymlid yn galed am oriau lawer. A hwythau ar fin ei ddal, trodd y blaidd i wynebu'r helwyr a golwg mor ymbilgar yn ei lygaid nes i'r Brenin orchymyn arbed ei fywyd a mynd ag ef adre'n fyw. Yn ôl yn y llys brenhinol roedd y blaidd yr addfwynaf yn fyw, yn cysgu yn ystafell y Brenin ac yn ei ddilyn o gwmpas fel ci ffyddlon liw dydd.

Cysgai'r blaidd addfwyn yn ystafell y Brenin – nes un dydd . . .

Un diwrnod gwahoddwyd holl arglwyddi Llydaw i lys y Brenin, ac yn eu plith y marchog a oedd wedi priodi gwraig Bizclaveret yn y cyfamser. Yn gwbl groes i'w natur arferol, rhuthrodd y blaidd am y marchog a byddai wedi'i larpio oni bai i'r Brenin ei atal. Yn ddiweddarach, pan ymddangosodd gwraig y marchog, ymosododd y blaidd arni hithau gan ddifetha'i hwyneb yn y modd mwyaf erchyll. Er ei fod yn meddwl y byd o'r blaidd byddai'r Brenin wedi cytuno i'w ladd oni bai am ymyrraeth un o wŷr y llys. Mynnai hwnnw fod rhyw reswm dros ymddygiad treisgar y blaidd ac y dylid croesholi'r marchog a'i wraig. Pan ddigwyddodd hynny cyfaddefodd y ddau iddynt guddio dillad Bizclaveret a'u bod yn amau mai ef oedd y blaidd. Gorchmynnodd y Brenin i'r blaidd gael ei gau mewn ystafell wely gyda dillad Bizclaveret. Pan aeth i mewn i'r ystafell yn ddiweddarach nid oedd sôn am y blaidd, ond yno ar y gwely cysgai Bizclaveret yn ei ddillad ei hun.[230]

Dichell y wraig a'r marchog.

MERCHED AIRITECH

Yn Nyffryn y Bleiddiaid yn Iwerddon roedd Ogof Cruacha, ac yno, yn rhith bleiddeist, llechai tair merch Airitech gan ladd a gwledda ar ddefaid y telynor, Cas Corach. Byddent i'w gweld liw dydd yn gorweddian wrth Garn Briere ym mlaen y dyffryn a chynllwyniodd y

---

230 LRB, 284–

telynor a'i gyfaill Cailte i'w lladd. Tra oedd Cailte yn llechu o'r golwg gyda'i waywffon ger y Garn, aeth Cas Corach i fyny yno i chwarae ei delyn. Wedi i'r tair bleiddast nesáu i wrando arno ni fu'n hir yn eu perswadio i newid yn ôl yn ferched er mwyn iddynt allu mwynhau'r miwsig yn well. Cyn gynted ag y digwyddodd hynny taflodd Cailte ei wayw drwy'r tair ar un ergyd gan eu lladd yn gelain.[231]

Y bleiddwragedd a'r telynor.

O gofio bod cymunedau o Wyddelod wedi sefydlu yn Nyfed bymtheg can mlynedd yn ôl, pwy a ŵyr nad oedd chwedl debyg yn cael ei hadrodd am gwm Wolfsdale i'r de o Gas-blaidd. Ym mlaen y cwm mae carneddau a allai gyfateb i Garn Briere ond nid oes ogof yn y cyffiniau.

MELLTITH NATALIS

Pan oedd Gerallt Gymro ar daith yn Iwerddon clywodd yr hanesyn a ganlyn gan offeiriad o'r wlad honno. Un tro pan oedd yr offeiriad ar ei ffordd o Wlaidd i Meath daeth blaidd ato. Wedi ei sicrhau nad oedd ganddo achos i'w ofni gofynnodd iddo ddod i roi'r eneiniad olaf i'w gymar, bleiddast a oedd ar fin marw. Esboniodd bod y ddau ohonynt dan felltith a osodwyd ar bobl Ossory gan y sant Natalis. Amodau'r felltith oedd bod yn rhaid i ddeuoedd o'u plith, yn eu tro, wisgo crwyn bleiddiaid a byw yn wyllt fel y creaduriaid hynny am saith mlynedd. Er ei fod wedi dychryn, dilynodd yr offeiriad y blaidd i'r goedwig ac ymhen y rhawg daethant o hyd i'r fleiddast yn gorwedd yn llesg wrth fôn coeden. Cododd y blaidd fymryn o ymyl croen y fleiddast ac oddi tano gwelai'r offeiriad gorff esgyrnog hen wraig. Wedi gwrando cyffes y fleiddast a gweinyddu'r eneiniad olaf iddi aeth y blaidd â'r offeiriad yn ôl i'r briffordd. Wrth ffarwelio roedd y blaidd yn hael ei ddiolch, ac addawodd pe câi fyw i weld diwedd y saith mlynedd y byddai'n dychwelyd i ddiolch yn iawn i'r offeiriad.[232]

Offeiriad yn rhoi'r eneiniad olaf i fleiddwraig.

---

231 CGC, 21
232 OWM, 236

Ai gwŷr a gwragedd ymylon cymdeithas oedd bleidd-ddynion a bleiddwragedd?

Nid taeog hygoelus mo Gerallt ond uchelwr o Norman balch wedi derbyn addysg orau ei gyfnod. Er hynny mae'n amlwg ei fod yn credu stori'r offeiriad, sy'n dangos mor wahanol i ni heddiw oedd meddylfryd y dyscedeiciaf yn yr Oesau Canol, ac mor real oedd y goruwchnaturiol yn eu golwg. Serch hynny mae'n rhaid cyfaddef mai gŵr a gwraig oedd blaidd a bleiddast Ossory yn eu hanfod. Gallai'r ddau siarad, ac yn achos y fleiddast, o leiaf, roedd corff gwraig o dan y croen blaidd. Felly, tybed nad oedd bleidd-ddynion yn ddim mwy na gwŷr a gwragedd a wisgai grwyn bleiddiaid, o'u bodd neu o'u hanfodd, gan fyw'n wyllt ac udo mewn coedwigoedd? Er mwyn ymbalfalu am ateb bydd yn werth symud i gyfandir arall.

HELA MEWN CRWYN BLEIDDIAID

Roedd yn arfer gan rai llwythau brodorol yng Ngogledd America wisgo crwyn bleiddiaid amdanynt i fynd allan i hela. Gall cnud o fleiddiaid gerdded drwy ganol gyr o fuail gwylltion neu garibŵ heb iddynt gyffro dim. Felly byddai cogio bod yn flaidd, drwy wisgo'i groen, yn fodd i ddod o fewn cyrraedd hwylus i anifail er mwyn ei saethu.[233]

Os oedd y dull hwn o hela yn bod ymhlith rhai o frodorion Ewrop yn ystod y cynfyd, hawdd iawn y gallai fod wedi datblygu yn gwlt bleidd-ddynion gydag amser. Mae'n werth sylwi yn achos Gwenllian, y fleiddwraig o Sir Faesyfed, mai dim ond pan oedd angen cig i ddiwallu anghenion ei theulu y byddai hi'n newid yn fleiddast i hela.

Does dim dwywaith nad oedd bleidd-ddynion yn ffenomena real iawn i bobl yr Oesau Canol. Yng ngwledydd y Cyfandir, yn enwedig Ffrainc, cyhuddwyd llu o unigolion o fod yn fleidd-ddynion ac o lofruddio pobl tra oeddent yn y stad honno. Y ddedfryd fel arfer oedd iddynt gael eu llosgi'n fyw. Tra bod rhai'n credu yng ngallu bleidd-ddyn i ffeirio'i gorff am gorff blaidd mynnai eraill mai mynd

---

233 OWM, 96

Indiaid Siŵ tua 1830 yn hela byffalo gan wisgo crwyn blaidd. Darlun: George Catlin, Mary Evans Picture Library.

i berlewyg a wnâi ei gorff dynol. Yn y cyflwr hwnnw byddai ysbryd y bleidd-ddyn yn meddiannu corff blaidd naturiol ac yn ei ddefnyddio i gyflawni pob math o erchyllterau. Cadwyd cofnodion manwl o rai achosion cyfreithiol mewn gwledydd ar y Cyfandir yn yr unfed a'r ail ganrif ar bymtheg sy'n datgelu cryn dipyn am fleidd-ddynion yno.[234]

SUT I ADNABOD BLEIDD-DDYNION

Roedd syniad pobl am sut rai oedd bleidd-ddynion rywbeth yn debyg drwy wledydd Ewrop. O ran pryd a gwedd credid bod ganddynt glustiau pigfain, aeliau'n cyfarfod uwch bôn y trwyn, a blew yn tyfu ar gledrau'r dwylo. Roedd bys yr uwd, neu'r agosaf at y bawd, yn hirach na'r cyffredin, a thueddent i frasgamu wrth gerdded.[235] Yn y cyswllt hwn mae'n werth nodi bod clustiau pigfain blewog gan y teulu o Frycheiniog a ddrwgdybid o fod yn fleidd-ddynion yn y ddeunawfed ganrif.

Yr aeliau'n cyfarfod uwch bôn y trwyn.

234 AIF, 143–82
235 AIF, 154

TRAWSNEWID O DDYN I FLAIDD

Diolch i gofnodion achosion yn erbyn bleidd-ddynion ar y Cyfandir mae cryn dipyn yn wybyddus am y modd yr aent ati i'w newid eu hunain yn fleiddiaid. Roedd noson olau lleuad yn bwysig i rai, nodwedd sy'n gweddu i'r darlun oesol o'r blaidd yn udo ar y lloer. Mewn achosion eraill rhaid oedd adrodd rhyw druth gyfrin, yfed dŵr oedd wedi sefyll mewn ôl troed blaidd, neu draflyncu gwreiddiau neilltuol. Ond y ddau beth sylfaenol oedd iro'r corff ag eli arbennig a gwisgo croen blaidd. Yn absenoldeb hynny, byddai'n rhaid gwisgo gwregys neu rwymyn o groen blaidd neu groen gŵr a ddedfrydwyd i farwolaeth.[236]

Iro'r corff ag eli arbennig a gwisgo croen blaidd.

Ymhlith cynhwysion yr eli a ddefnyddid roedd trwyth planhigion adnabyddus am eu cyffuriau cryfion a marwol, megis codwarth (*Altropa belladonna: deadly nightshade*) a llewyg yr iâr (*Hyosyamus niger: henbane*). Un o nodweddion codwarth yw ei fod yn peri i rywun weld drychiolaethau. Yn wir, mae ymchwil diweddar yn dangos bod pobl a gafodd eu gwenwyno ganddo yn cael yr argraff eu bod yn troi'n anifeiliaid ac yn teimlo'u hunain yn magu blew.

Pawen flaen

Pawen ôl

Enw arall sy'n cael ei arfer am lewyg yr iâr mewn rhai ardaloedd yw y bela, neu bele. O gofio bod yr un gair yn digwydd fel enw arall am flaidd mae'n deg gofyn a oedd yr hen Gymry'n ymwybodol o gysylltiad y planhigyn hwn ag eli bleidd-ddynion. Os diben y cyffuriau yn yr eli oedd gyrru'r corff i stad o lesmair neu berlewyg lle ceid yr argraff ei fod yn troi'n flaidd, mae'n werth sylwi bod enw planhigyn arall, sef llewyg y blaidd (*Humulus lupus*), fel pe bai'n awgrymu fod iddo'r un effaith. Fe'i defnyddir fel tawelydd a hypnotydd tyner hyd heddiw.

Teimlo'u hunain yn magu blew.

---

236 AIF, 168

BLEIDD-DDYNION YNG NGHYMRU

Ar wahân i'r ddau gyfeiriad o'r hen chwedlau y soniwyd amdanynt eisoes, nid oes, hyd y gwyddys, yr un chwedl na hanesyn arall am fleidd-ddynion yng Nghymru'r Oesau Canol. Yn wir, gair wedi'i fathu'n ddiweddar yw *bleidd-ddyn* ac nid oes yr un term hynafol yn yr iaith a fyddai'n cyfateb i *werewolf* yn y Saesneg, *loup-garou* yn y Ffrangeg a *wilkolak* mewn Pwyleg. Efallai mai'r term agosaf yn y Gymraeg yw'r enw personol Bleddyn sy'n golygu un o deulu'r blaidd.

Yn ystod yr unfed a'r ail ganrif ar bymtheg, pan oedd dewiniaeth o bob math o dan y lach, fe ddienyddiwyd aml i wrach yng Nghymru, ond mae'n ymddangos nad oedd yr un bleidd-ddyn yn eu plith. Erbyn hynny, wrth gwrs, roedd y blaidd wedi diflannu o'r wlad ac efallai na ffynnai bleidd-ddynion ond mewn mannau fel Ffrainc lle roedd bleiddiaid yn parhau'n gyffredin.

Bleidd-ddynion amgen Cymru.

Gallai rhywun yn hawdd gredu nad oedd bleidd-ddynion yn perthyn i'r traddodiad Cymreig o gwbl oni bai am dystiolaeth pedwar hanesyn lled ddiweddar a gafodd sylw yn y bennod flaenorol. Mae'r pedwar, sydd wedi'u dyddio oddeutu'r ddeunawfed ganrif, mor hollol wahanol i'w gilydd nes peri i rywun amau y gallent fod yn rhan o gorff llawer ehangach o hanesion llafar na chafodd eu cofnodi.

Yn udo fel bleiddiaid wrth grwydro'r wlad ac yn ysbeilio yn ystod y nos.

Mae'n amlwg oddi wrth sylwadau Marie Trevelyan yn ei chyfrol ar lên gwerin fod yng Nghymru fath arall o fleidd-ddynion hyd yr ail ganrif ar bymtheg o leiaf. Pobl oedd y rheini, meddai, a oedd yn byw yn wyllt mewn coedwigoedd a fforestydd ac y credid eu bod wedi tarddu o fleiddiaid am eu bod yn debyg iddynt o ran pryd a gwedd. Wedi nos arferent grwydro'r wlad mewn heidiau, yn union fel bleiddiaid, yn ysbeilio ieir a moch o dyddynnod a phentrefi diarffordd. Fel pe na bai hynny ynddo'i hun yn creu digon o arswyd, byddent yn udo fel bleiddiaid yn y tywyllwch wrth symud o gwmpas y fro. Weithiau byddent yn cipio ambell blentyn er mwyn cael eu talu am ei ollwng

*Herwgipio plant
a mynnu tâl
amdanynt.*

yn rhydd, ac mae'n debyg bod unwaith rigwm ar lafar gwlad yn rhybuddio plant rhag mentro i'r coed rhag ofn iddynt gael eu bwyta gan fleidd-ddynion.[237]

Yn anffodus nid yw Marie Trevelyan yn dweud pa mor gyffredin oedd y bleidd-ddynion hyn nac yn eu cysylltu ag ardal arbennig mwy na dweud bod teulu ohonynt ym Mrycheiniog. Fodd bynnag, mae lle i gredu eu bod i'w cael mewn ambell fan arall yng Nghymru. Yn 1695 fe wysiwyd criw o ddynion o Sir Ddinbych i ymddangos yn Llys y Sesiwn Fawr ar gyhuddiad o ladrata a llofruddio mewn mannau ar hyd arfordir y gogledd. Mae'n wir na chyfeirir atynt fel bleidd-ddynion ond mae'n arwyddocaol fod sôn amdanynt fel rhai a oedd yn symud o le i le gan lechu yn ystod y dydd a dod allan i ysbeilio wedi iddi dywyllu.[238] Rhyw bum mlynedd yn ddiweddarach nododd gŵr o Sir Ddinbych fod dau ddwsin o herwyr (*rapparees*) a fu'n bla yn yr ardal yr haf blaenorol yn lladrata bara ceirch, menyn hallt ac arian, wedi dychwelyd i'w cynefin yn y coedwigoedd a'r mynyddoedd dros y gaeaf.[239]

*Yr herwr a'r
pen blaidd.*

Gŵr wedi'i ddedfrydu i fyw y tu hwnt i amddiffyniad y gyfraith oedd yr herwr, a llechu mewn mannau anghyfannedd oedd ei unig ddewis gan ei bod yn rhydd i unrhyw un ei ladd. Gellir gweld felly pam y daeth pobl i synied amdano ef a'i epil fel bleidd-ddynion. Ond efallai fod mwy i'r cysylltiad na hynny. Yn Lloegr adwaenid yr herwr fel *wolf head* ar un adeg. Nid oes dystiolaeth bod yr un term yn digwydd yn Gymraeg ond mae'n werth sylwi mai *gwynt a gwydden a phen blaidd a chrogi hyd farw* oedd geiriad y ddedfryd marwolaeth yn llysoedd barn Morgannwg cyn y Ddeddf Uno, er nad yw arwyddocâd y geiriau yn gwbl eglur.[240]

*Arferai dedfryd
marwolaeth
mewn llys barn
cyn y Ddeddf Uno
gyfeirio at flaidd.*

---

237 FLFS, 75–6
238 NLW (Wales 4–35–6)
239 BBBS, 161
240 MA, 34, 37

Y BLEIDD-DDYN OLAF

Oddeutu'r flwyddyn 1887 aeth athro o Brifysgol Rhydychen ar ei wyliau gyda'i wraig i Sir Feirionnydd. Gan ei fod yn bysgotwr brwd arhosai'r ddau gerllaw llyn mewn rhan anghysbell o'r sir. Un diwrnod tarodd yr athro ar benglog anifail, ddim yn annhebyg i un ci ond ei fod yn llawer iawn mwy, ac aeth ag ef yn ôl i'r tŷ. Y noswaith honno gwelodd ei wraig ddrychiolaeth erchyll ar ffurf pen blaidd, ond â llygaid dynol, yn syllu arni. Taflwyd y benglog i eigion y llyn gerllaw a diflannodd y ddrychiolaeth. Dyna, mae'n debyg, y tro olaf i fleidd-ddyn gael ei weld ym Mhrydain.[241]

Y benglog ar lan llyn ym Meirionnydd.

---

241 OW, 190

Rhan II

Y Blaidd yng Nghymru

Yɴ dilyn, ceir rhestr o tua dau gant o enwau lleoedd yng Nghymru sy'n cynnwys rhyw ffurf ar y geiriau *blaidd*, *pothan* a *chnud*, ynghyd â'u lleoliad, cyfeiriad grid, dyddiad y cyfeiriad cynharaf at bob un, ac unrhyw hanesion neu draddodiadau amdanynt.[242] Nid yw hynny'n golygu bod pob enghraifft yn cyfeirio at yr anifail ei hun, wrth reswm. Gallai fod yno graig neu nodwedd naturiol arall oedd yn edrych yn debyg i flaidd, neu fe allai'r enw fod yn llygriad o air arall tebyg. Lle mae'r gair blaidd wedi'i gyplysu â therm hynafol am ddaliad tir, megis Gafael y Blaidd neu Trylliau'r Blaidd, mae siawns mai gŵr o'r enw Blaidd oedd piau'r tir, fel yn achos tir a elwid yn Wely Rhirid Flaidd yn ardal Croesoswallt.[243]

Derbyniwyd y gair *wlff*, o'r Saesneg *wolf*, i'r iaith Gymraeg ers dros bum can mlynedd ac fe'i defnyddid gan feirdd o radd Rhys Nanmor a Llawdden. Nid rhyfedd felly ei fod yn digwydd mewn enwau lleoedd yn yr ardaloedd Cymreiciaf.

Gair sy'n digwydd yn aml mewn enwau lleoedd yn siroedd y

---

242 Lle nad oedd modd rhoi lleoliad pendant, rhoddwyd bras amcan gyda chyfeirnod grid pedwar ffigur.

243 AC 1959, 112

gogledd yw *bleiddyn*, a thros y blynyddoedd bu llawer o gymysgu rhyngddo a'r enw person Bleddyn.

I roi un enghraifft, yn achos enw fferm ger plas Nannau, Dolgellau, mae weithiau'n ymddangos fel Garth Bleddyn, dro arall fel Garth-bleiddyn. Fel gydag enwau lleoedd sy'n cynnwys yr elfen blaidd, mae bleiddyn yn digwydd yn aml yn gysylltiedig â nodweddion fel cae, gwern neu bwll. Mae hefyd fwy nag un enghraifft o bleiddiau yn newid yn bleiddyn mewn enwau lleoedd. O ganlyniad mae'n haws credu mai bleiddiaid yn hytrach na nifer ddi-rif o ddynion o'r enw Bleddyn a roddodd enw i'r mannau hynny. Ystyr bleiddyn yw blaidd ieuanc, a chan fod bleiddiaid ieuainc i'w gweld yn hela ar eu pennau eu hunain yn ystod y gwanwyn a'r haf, efallai i'r gair ddatblygu'n enw ar unrhyw flaidd nad oedd gyda'r gnud. Ni chynhwyswyd yn y rhestr a ganlyn ond y mannau hynny lle mae o leiaf un fersiwn gynnar o'r enw yn rhoi'r ffurf bleiddyn.

Ystyr bleiddyn yw blaidd ieuanc.

Tri enw arall am flaidd y bu'n rhaid ystyried eu cynnwys oedd *gwyllgi, cidwm* a *bela, bele, belau,* neu *bala*. Nid oedd unrhyw broblem gyda gwyllgi gan nad yw'n digwydd mewn enwau lleoedd hyd y gwyddys.

Er y gall *cidwm* olygu dihiryn yn ogystal â blaidd penderfynwyd ei gynnwys gan na chafwyd ond dwy enghraifft a'r rheini wedi'u cyfyngu i Wynedd.

Roedd gwybod beth i'w wneud gyda *bela* yn ddryswch pur. Yn y ffurf Bela gall fod yn enw gŵr, fel ym Mhlas Bela, Llanfair Talhaearn, neu'n arllwysiad dŵr o lyn, fel yn nhref y Bala, tra bod *bele goed* (pine marten) yn cyfeirio at anifail bychan hollol wahanol. Am nad oes modd gwybod ai cyfeiriad at flaidd ynteu bele goed sydd yn y llu o enwau lleoedd megis Nant Bele, Clyn Bele, Bryn Bele a Phwll y Bele sydd i'w cael ym mhob cwr o Gymru, penderfynwyd peidio â'u cynnwys.

Gall 'cidwm' olygu dihiryn yn ogystal â blaidd.

Gan fod llywodraethau wedi bod yn chwannog i newid terfynau siroedd a phlwyfi, ac yn debyg o barhau i wneud hynny, at un o'r tair sir ar ddeg wreiddiol y cyfeirir yma bob cynnig. Ceisiwyd hefyd osgoi lleoli llecynnau o fewn eu plwyfi ond yn hytrach eu cysylltu â'r pentrefi agosaf. Pan sonnir am nifer y milltiroedd o'r naill le i'r llall golygir y pellter uniongyrchol, fel yr hed y frân, nid ar hyd ffyrdd.

~

ABER BLEIDDYN, Rhyduchaf, Y Bala, Sir Feirionnydd
     SH 901 387   1838   *Aber-bleiddyn* [244]
Ffermdy heb fod ymhell o'r fan lle mae nant Aberbleiddyn yn llifo i afon Tryweryn islaw pentre Fron-goch. Efallai mai Nant Bleiddyn oedd enw gwreiddiol Nant Aberbleiddyn sy'n codi wrth odre Arennig Fawr ac yn rhedeg drwy dir diffaith uwchlaw Llidiardau. Dyma gyfuniad o gorstir a chreigiau nad yw ond tair milltir o Greigiau Bleiddiaid wrth odre Arennig Fach.

        Aberbleddyn yw'r ynganiad sydd i'w glywed gan frodorion y gymdogaeth erbyn hyn.

ALLT *gw.* GALLT

ARDD BLEIDDYN *gw.* CAE BLEIDDYN, Tremeirchion, Sir y Fflint

BIG WOLFS *gw.* WOLFS PARK

BLAIDD, Bwlchycibau, Llanfyllin, Sir Drefaldwyn
     SJ 164 178   1848   *Cae tu ucha'r Blaidd* [245]
Ar yr A490 rhwng Bwlchycibau a Llanfyllin mae ffordd wledig yn troi tua'r de-orllewin heibio ffermdy Coedarle, un o dair o'r un enw,

244 OSOS 6, 22
245 MD Llanfyllin, rhif 1994

am Gwm Nant Meichiad. Yn ôl map y degwm, enw'r cae ar y gwastad uwchlaw'r ffermdy oedd 'Cae tu ucha'r Blaidd', sy'n awgrymu mai Blaidd oedd enw'r cae, neu nodwedd ar y cae islaw iddo. Yn anffodus, gan fod 'Cae tu ucha'r Blaidd' ar ben y gefnen, mae dau gae islaw iddo, y naill, Cae Brics, tua'r gorllewin, a'r llall, y Weirglodd, tua'r dwyrain.[246] Mae'n ymddangos i'r enwau fynd yn angof erbyn hyn ac nid oedd gan y cymdogion a holwyd unrhyw wybodaeth am chwedlau na thraddodiad am fleiddiaid yn y cyffiniau.

BLAIDD, Llanegryn, Sir Feirionnydd *gw.* TYDDYN Y BLAIDD

BLAIDD/BLEIDDIAU, Llandeilo Gresynni, Sir Fynwy
SO 416 135	1296	*Blaith grangia*[247]
	1531	*Bleytha*[248]

Mae lle i gredu mai Blaidd neu Bleiddiau oedd enw gwreiddiol y Grange, ffermdy rhyw filltir i'r gogledd o eglwys Pen-rhos, rhwng Llandeilo Gresynni a Rhaglan. Yn ddiweddarach câi ei adnabod fel graens neu fynachdy Pen-rhos, yn perthyn i abaty Sistersiaidd Grace Dieu.[249]

BLEDDFA, Bleddfa, Sir Faesyfed
SO 208 683	1195	*Bledewach*[250]
	1302	*Blethevagh*[251]

Pentre bychan gwledig yng nghesail mynydd-dir Clud (Radnor Forest), ar fin yr A488 rhwng Llandrindod a Threfyclo. Gan ei fod ym mlaen cwm cysgodol lle mae tri cheunant yn cwrdd â'i gilydd mae ei enw, sy'n golygu cilfach y blaidd: blaidd + bach, yn hynod o addas ac

---

246 *ditto*, rhifau 1995 ac 1997
247 CAMG III, 580
248 SWMRS, 2, 193
249 WC, 303
250 RST 33, 58
251 CIPM 4, 143

Bleiddbwll, Llanfair, Ardudwy. Ffermdy, capel a thanws ar yr un buarth.

yn hen iawn. Dyna enw'r castell a godwyd yno, cyn bod yno bentref, dros wyth gant o flynyddoedd yn ôl.

Yn ôl un traddodiad lleol roedd bleiddiaid yn bla yn y gymdogaeth ar un adeg, a byddai'r sawl a lwyddai i ladd un ohonynt yn mynd â'r pen i Fleddfa ac yn derbyn tâl amdano.[252]

BLEIDDBWLL, Capel Dewi, Llandysul, Ceredigion

SN 44 43   1331/2   *Bleiddbwll* [253]

Ymhlith eiddo Abaty Talyllychau roedd darn helaeth o dir rhwng afonydd Cerdin a Chletwr yn Nyffryn Teifi y ceir disgrifiad lled fanwl o'i derfynau mewn dogfen o'r bedwaredd ganrif ar ddeg. Mae llawer

---

252 RON, 40–1
253 AC 1893, 43

o'r mannau a enwir, fel Abercefel, Pant y Moch, Abermenai a Blaen Nant Cadifor, yn adnabyddus heddiw, tra bod eraill megis Gwaun Rhudd, Pantsych a Chorderwen wedi'u colli. Un o'r enwau coll yw Bleiddbwll, ond mae'n rhaid ei fod rywle ar y tir uchel rhwng pentrefi Pren-gwyn a Chapel Dewi – rhwng ffermydd Bryngolau a Nantegryd efallai. Mae'n werth sylwi bod y bleiddbwll hwn fel yr un ger Tal-y-bont, Ceredigion, wedi'i leoli ar gefnen uchel, y math o fannau y byddai bleiddiaid yn hoff o'u tramwy.

Un o'r enwau coll yw Bleiddbwll . . .

BLEIDDBWLL, Llandeglau, Sir Faesyfed

SN 14 63   1588[c]   *Bleidbwll*[254]

Fel yn achos y bleiddbwll yn Llanfyrnach fe ymledodd y bleiddbwll yn Llandeglau i fod yn enw ar blas cyfagos, sy'n brawf iddynt fod yn strwythurau parhaol a thra phwysig yn eu dydd. Yn anffodus does neb a ŵyr lle yn union o fewn terfynau'r plwyf y safai'r plas hwn bellach ond mae'n debyg ei fod yn eiddo i ryw Llywelyn ap Meilir ap Morfran yn yr unfed ganrif ar bymtheg. Mae digonedd o dir uchel, diffaith o fewn y plwyf, yn greigiau a gwaundiroedd a fyddai wedi cynnig cynefin i fleiddiaid. Cofiai gŵr o ardal Cleirwy yn ddiweddar fel y byddai'r hen bobl yn yr ardal honno yn sôn am fleiddiaid Rhos Llandeglau.[255]

BLEIDDBWLL, Llanfair, Ardudwy, Sir Feirionnydd

SH 608 292   1542   *Y Blaith bwll*[256]

Clwstwr o adfeilion urddasol yr olwg – ffermdy, capel a thanws ar yr un buarth – yng nghanol caeau o borfeydd llewyrchus. Safant i'r gogledd o afon Artro, rhyw hanner milltir i'r gorllewin o ffermdy Crafnant, ond nid oes ffordd ar eu cyfyl erbyn hyn. Fel yn achos Bleiddbwll, Llanfyrnach, Bribwll yw'r ynganiad lleol ar yr enw. Ni

'Bribwll' yw'r ynganiad lleol.

---

254 *Pen.* 137, 284
255 (LP)
256 *Maesyneuadd*, rhif 215

chadwyd yr un chwedl na thraddodiad yn cysylltu bleiddiaid â'r lle, ond mae'n werth sylwi bod hen feudy a elwir y Gam neu Gamfa'r Blaidd i'w weld yr ochr draw i afon Artro.[257]

BLEIDDBWLL, Llanfyrnach, Sir Benfro

SN 206 296   1585   *Bleiddbwll* [258]

Lladd blaidd wrth Faen y Blaidd.

Ffermdy, a adwaenir fel Bribwll ar lafar, ar fin ffordd wledig rhyw filltir a hanner i'r de-orllewin o bentref Llanfyrnach a dau neu dri lled cae o afon Taf. Yn y coed islaw'r adeiladau presennol mae seiliau hen blas o'r un enw a fu'n gartref i Siencyn Llwyd, gŵr goludog yn perthyn i'r un llinach ag Einion y Coed, y gŵr a laddodd y blaidd wrth Faen y Blaidd; gweler tudalen 158.[259] Mae llun a dynn wyd o'r awyr yn dangos cylch ar un o'r caeau ger y tŷ ond mae'n amhosibl dweud ai dyna safle'r bleiddbwll ai peidio.

Nid dyna'r unig fleiddbwll yn yr ardal chwaith. Rhaid bod un arall rhyw ddwy filltir a hanner i'r de ar lan Nant y Bleiddbwll sy'n llifo i afon Taf ger Llanglydwen.

BLEIDDBWLL, Llanglydwen, Sir Gaerfyrddin

SN 170 271   c. 1700   *Nant y Blibwll* [260]

Gan fod yr unig gyfeiriad sydd i'w gael at 'Nant y Bli[dd]bwll' yn anghyflawn nid oes modd cynnig lleoliad pendant iddi. Wedi dweud hynny gellir bod yn weddol sicr mai hi yw'r nant sy'n tarddu yn agos at Bant-y-caws, ger yr Efail-wen, ac yn llifo fwy neu lai tua'r dwyrain rhwng glannau coediog am ryw ddwy filltir i ymuno ag afon Taf ger Llanglydwen. Gallai'r bleiddbwll a roddodd ei enw iddi fod unrhyw le yng nghyffiniau ei chwrs. Mae'n werth sylwi hefyd fod Bleiddbwll, Llanfyrnach, a Phwll y Blaidd, Llangolman, o fewn tair milltir iddi.

257 (OE)
258 HV 1, 217
259 HHP, 146
260 PQ 3, 65

BLEIDDBWLL, Tal-y-bont, Ceredigion

SN 686 895   1646   *Rhosse bulch y blaiddbull*[261]

                1752   *Tythin Bwlch y Bleyddbwll*[262]

Ceir cyfeiriad at y bleiddbwll hwn mewn dwy hen weithred. Dywed y naill fod Rhos Bwlch y Bleiddbwll rhwng afon Ceulan a'r hen gefnffordd o Dal-y-bont dros Fanc y Winllan i'r mynydd ger Esgair-hir, tra bo'r llall yn cyfeirio at fferm y Winllan dan ei hen enw, Tyddyn Bwlch y Bleiddbwll. Mae'n weddol amlwg felly mai Bwlch y Bleiddbwll oedd enw'r bwlch yn y gefnen y tu ôl i ffermdy'r Winllan. Mae'n debyg mai'r rheswm dros osod bleiddbwll yn y fan honno oedd er mwyn gwarchod yr hen gefnffordd y bu cenedlaethau o fugeiliaid yn gyrru eu gwartheg a'u defaid ar ei hyd o'r hendref i'r hafod ac yn ôl. Gerllaw hefyd mae adfeilion Pant-y-carw, sy'n awgrymu llecyn a fyddai wedi bod yn ddymunol gan geirw, prae cynhenid y blaidd.

Gwarchod hen gefnffordd hynafol.

BLEIDDBWLL gw. hefyd BRIBWLL

BLEIDDIAU gw. TYDDYN Y BLEIDDIAU, Llanfflewin

BLEIDDIOG, Nefyn, Sir Gaernarfon

SH 31 37   1304   *Bleydyok*[263]

Fel arfer mae'r terfyniad *–iog* mewn enw lle yn golygu tir yn perthyn i berson: Tudweiliog yw tir Tudwal, Cyneiniog yw tir Cynan. Felly, tir gŵr o'r enw Blaidd oedd Bleiddiog. Neu efallai mai tir a fu'n lloches neu gynefin i fleiddiaid oedd yno. Treddegwm yng nghymdogaeth Nefyn oedd Bleiddiog ond aeth yr enw'n angof. Yn ôl un cofnod roedd o fewn terfynau 'Botagho', a chan fod fferm Botacho-ddu lai na milltir i'r de-orllewin o Nefyn mae'n debyg bod Bleiddiog yn y cyffiniau.[264]

Ceirw yw prae cynhenid y blaidd.

---

261 *W Isaac Williams*, rhif 20
262 *Maesnewydd*, rhif A2
263 B 7, 149
264 RC, 34

BLEIDDYN, Hanmer, Sir y Fflint

| SJ 452 393 | 1839 | *Big Blythens* a *Little Blythens*[265] |
| | 1879 | *The Bleiddins* [266] |

'The Bleiddins' oedd hen enw'r darn tir, peth ohono'n llaith a choediog, ar lan orllewinol Llyn Hanmer ar Barc Gredington, ddeng milltir i'r de-ddwyrain o Wrecsam. O ystyried cyflwr y safle ac nad yw ond tair milltir i'r de o geunant afon Wych a fu unwaith yn adnabyddus fel lloches bleiddiaid[267] efallai fod yr enw wedi tarddu o ffurf megis Gwern Bleiddyn. Llai na dwy filltir i'r de-orllewin dros y ffin yn Lloegr mae Hampton Wood ac yno mae llecyn arall a elwid yn Bleiddin's Bank.

BLEIDDYN CYNOG, Trefdraeth, Ynys Môn

| SH 415 714 | 1841 | *Bleiddyn Cynog* [268] |

Cynefin rhagorol i fleiddiaid ar Ynys Môn.

Darn o dir deunaw erw y tu cefn i'r Capel Mawr ar ochr ddwyreiniol y B4422 o Langefni i gyffiniau Aberffraw. Y mae'n anodd gwybod beth yw arwyddocâd y gair Cynog yn yr enw, ond mae'n werth sylwi mai hon oedd ardal y Blaidd Goeg.

BOLA BLEIDDYN, Abercastell, Mathri, Sir Benfro

| SM 85 34 | *1996* | *Bola Bleiddyn* [269] |

Yr unig enghraifft.

Enw craig danfor tua milltir o draeth Abercastell ar arfordir gogledd Sir Benfro. Mae creigiau tebyg a elwir yn Wolves Rocks dan y môr ger Dinbych-y-pysgod. Dyma'r unig enghraifft o Bleiddyn yn digwydd mewn enw lle yn ne Cymru.

---

265   MD Hanmer, tref ddegwm Hanmer, rhifau 178 a 252
266   AC 1879, 24–5
267   *ditto*
268   MD Llangristiolus, rhif 151
269   DH 17, 7

BRIBWLL/BLEIDDBWLL

Er bod tystiolaeth hen ddogfennau yn dangos yn glir mai Bleiddbwll oedd enw gwreiddiol y mannau y soniwyd amdanynt eisoes, Bribwll yw'r ffurf a glywir ar lafar yn ddieithriad yn siroedd Meirionnydd a Phenfro, drwy golli'r llythyren 'dd' a ffeirio'r 'l' am 'r' fel sy'n digwydd weithiau yn y Gymraeg.

Mae o leiaf chwe Bribwll arall yng Nghymru, a phe bai ffurfiau cynnar o'r enwau hynny wedi'u cadw mae'n bur debyg y byddent yn dangos mai bleiddbyllau oedd sail eu henwau hwythau hefyd.

Un enghraifft yn unig o Bribwll a geir yng ngogledd-ddwyrain Cymru.

BRIBWLL, Cenarth, Sir Gaerfyrddin

SN 285 410   1891   *Bribwll* [270]

Oddeutu hanner ffordd rhwng Cenarth a Chastellnewydd Emlyn, gyferbyn â'r fan lle mae afon Teifi yn dolennu islaw yr A484, mae ffermdy Bribwll i'w weld mewn cilfach gysgodol.

Yng nghyffiniau fferm Penywenallt yn groes i'r afon yng Ngheredigion roedd unwaith le a elwid yn Bwll y Filiast.[271] Tybed felly a fu unwaith chwedl hela yn cyplysu enw'r ddau le?

BRIBWLL, Eryrys, Llanarmon-yn-Iâl, Sir Ddinbych

SJ 20 58   1657   *y bribwll* [272]

Yn yr ail ganrif ar bymtheg roedd Bribwll yn enw ar gae neu ddarn o dir yng nghyffiniau pentref Eryrys ym mhlwyf Llanarmon-yn-Iâl. Os Bleiddbwll oedd ffurf wreiddiol yr enw dyna'r unig enghraifft yng ngogledd-ddwyrain Cymru.

---

270 OS6¹ Carm XIII NW
271 *Evans, Aberglasney*, 5, rhif 95
272 *Wynnstay*, blwch W, rhif 18

BRIBWLL, Llanbedrog, Sir Gaernarfon

SH 332 322   1910   *Lôn Bribwll* [273]

Yn ôl Myrddin Fardd, hen ffordd anhygyrch rhwng Tremfan a
Chrugan ar gwr gogleddol pentref Llanbedrog oedd Lôn Bribwll.
Byddai felly yn agos at un o geinciau blaen afon Penrhôs sy'n llifo
trwy'r tir isel tuag at dref Pwllheli.

BRIBWLL, Llanfihangel-ar-arth, Sir Gaerfyrddin

SN 432 391   1891   *Bribwll* [274]

Tybed ai'r hen bwll dŵr oedd safle'r bleiddbwll?

Bribwll yw enw'r tŷ cyntaf ar fin y gilffordd sy'n gadael y B4336 ryw
filltir i'r de-ddwyrain o bentref Pont Tyweli i ymuno â'r B4459 rhwng
Llanfihangel-ar-arth a Phencader. Mae yno dri thŷ mewn gwirionedd,
sef Bribwll, Rhandir a Garthenor, a'r tri wedi cael eu hadnabod fel
Bribwll ar un adeg. Ar ganol y cae o war y tŷ fe fu unwaith bwll lle
roedd dŵr yn tarddu, mae wedi'i nodi ar hen fapiau, ond sydd wedi'i
gau bellach.[275] Tybed ai dyna safle'r bleiddbwll?

BRIBWLL, Melin-y-coed, Llanrwst, Sir Ddinbych

SH 825 609   1830   *Pennant Bribwll* [276]

Ar y tir uchel rhyw ddwy filltir i'r de-ddwyrain o Lanrwst mae
ffermdy sy'n adnabyddus fel Pennant, er mai Pennant Priddbwll sydd
ar fapiau'r OS ers o leiaf 1880. Ond mae'n werth sylwi mai Pennant
Bribwll oedd ei enw i John Williams a ysgrifennai am fyd natur y plwyf
yn 1830, ac fe ddylasai ef wybod ac yntau'n frodor o'r gymdogaeth.

O ran ei leoliad uwchlaw ceunant coediog mae Pennant yn
cyfateb i safle aml i fleiddbwll arall, ond byddai angen dod o hyd i
enghreifftiau cynharach o'r enw llawn er mwyn bod yn sicr mai
Bribwll ac nid Priddbwll oedd ffurf wreiddiol ei enw.

---

273 ELISG[1], 75
274 OS6[1] Carm XIV NE
275 (AW)
276 FG, 31

BRIBWLL, Rhydlewis, Ceredigion

SN 347 488   1811   *Bribwll* [277]

Saif tŷ presennol Bribwll led cae i'r dwyrain o afon Ceri, rhyw filltir i'r gogledd o bentref Rhydlewis, ar ochr dde y ffordd y tu hwnt i'r ysgol leol.

BRON Y BLAIDD *gw.* BRYN Y BLAIDD, Tremeirchion

BRYN BLAIDD, Coed-poeth, Wrecsam, Sir Ddinbych

SJ 290 517   1844   *Bryn Blyth* [278]

Rhwng pentre Coed-poeth a hen lofa'r Fron mae nant fechan yn rhedeg i afon Gwenfro o gyfeiriad y gogledd. Ar y trwyn o dir rhwng y nant a'r afon roedd unwaith gae a elwid yn Bryn Blaidd. Gellir ei adnabod fel yr un y mae'r llwybr o'r Hafod i'r Fron yn rhedeg ar hyd ei waelod. Gweler hefyd Dôl y Blaidd yn yr un ardal.

BRYN Y BLAIDD, Llanegryn, Sir Feirionnydd

SH 601 054   1715   *Bryn-y-blaidd* [279]
                  1803   *Bryn Bloeddyn* [280]
                  1841   *Bryn Bleuddyn* [281]

Ar safle presennol neuadd bentref Llanegryn roedd unwaith dyddyn a thafarn a elwid yn Fryn Bleiddyn, dro arall yn Fryn Bloeddyn, ond mae'n debyg mai Bryn-y-blaidd oedd ffurf gynharaf yr enw.[282] I'r de-orllewin o safle'r hen ddyddyn, ar dir oedd yn perthyn iddo, a thu ôl i fwthyn diweddar Bryn Bloeddyn mae bryncyn lled amlwg. Dyna'r Bryn y Blaidd gwreiddiol efallai.

---

277 PNC i, 148
278 MD Wrecsam, Brymbo, rhif 338
279 HPLl, 68
280 *ditto*, 78
281 MD Llanegryn, rhif 617
282 HPLl, 50, 201

*Bryn y Bleiddiaid
sydd bellach yn
ynys yn Llyn
Trawsfynydd.*

BRYN Y BLAIDD, Tremeirchion, Sir y Fflint

    SJ O87 732   1682   *Bryn y blaydd* [283]

Darn o dir rywle o fewn terfynau plwyf Tremeirchion. Mae'n debyg
ei fod yn cyfateb i Fron y Blaidd, sef cae ar ben y llethr, hanner milltir
i'r de-ddwyrain o eglwys y plwyf, islaw'r fan lle mae llinell o beilonau
trydan yn croesi'r ffordd wledig am Fostyn.[284]

---

283 *Mostyn*, C, rhif 39
284 MD Tremeirchion, rhif 171

BRYN BLEIDDIAID, Gwytherin, Sir Ddinbych

SH 876 618   1636   *Brynbleddyn* [285]

2000   *Bryn Bleiddiaid* [286]

Er mai Bryn Bleddyn yw'r ffurf a gofnodwyd mewn dogfennau eglwysig o gyfnod cynnar, Bryn Bleiddiaid a glywir ar lafar bob cynnig. Ar gwr gogleddol pentref Gwytherin mae'r B5384 yn dringo rhiw serth Allt Bryn Bleiddiaid am Bandytudur. Ar ben y rhiw yn y fforch rhwng y briffordd a'r ffordd gulach am y capel mae Cae Bryn Bleiddiaid lle safai ffermdy Bryn-bleiddiaid ar un adeg.

Parchuso enw dieflig y blaidd mewn dogfennau eglwysig.

Efallai mai'r rheswm am y gwahaniaeth rhwng y ddwy ffurf yw bod ymgais wedi bod i barchuso'r enw mewn dogfennau eglwysig am fod y blaidd yn cael ei ystyried yn anifail dieflig.

BRYN Y BLEIDDIAID, Llansannan, Sir Ddinbych

SH 920 656   1839   *Bryn y Blaiddiad* [287]

Enw cae yn perthyn i fferm Clwt-y-ddafad-ddu prin hanner milltir tua'r dwyrain o bentref Llansannan. Yr ail gae y tu hwnt i'r ffermdy ar ochr dde y B5382 am Langernyw.

BRYN Y BLEIDDIAID, Trawsfynydd, Sir Feirionnydd

SH 700 364   1839   *Bryn y bleiddiad* [288]

Arferai Bryn y Bleiddiaid fod yn enw cae tair erw ar hugain yn perthyn i fferm y Gopa rhyw hanner milltir i'r gogledd o bentref Trawsfynydd. Pan gronnwyd Llyn Trawsfynydd yn nauddegau'r ganrif ddiwethaf boddwyd cyfran o dir y Gopa, ond gan fod Bryn Bleiddiaid yn uwch na'r rhelyw mae bellach yn ynys rhyw chwarter milltir o'r lan gyferbyn â'r ffermdy. Ganrifoedd yn ôl byddai gwely'r llyn wedi bod yn gannoedd o erwau o gorstir, tir hela heb ei ail i gnud o fleiddiaid.

Tir hela i fleiddiaid sydd bellach dan wyneb y dŵr.

---

285 *Eglwys* SA/TERR 144
286 GAD, Mehefin 2004, 8; (RHW)
287 *Trovarth*, rhif 3310; MD Llansannan, rhif 105
288 MD Trawsfynydd, rhif 471

BRYN BLEIDDYN, Llanegryn, Sir Feirionnydd
    gw. BRYN Y BLAIDD

BRYN WLFF, Diserth, Sir y Fflint
    SJ 051 799   1648   *Bryn wolf* [289]
                    1659   *Pen bryn woolfe yr eithin* [290]
Yn ôl tystiolaeth y map degwm, enw cae rhwng ffermdy Llewerllyd
a Phlas-yn-Diserth, Diserth Hall bellach ar gwr gogleddol pentref
Diserth oedd 'Bryn Wulf'.[291] Prin y gellid ei alw'n fryn; mae'n fwy
o gefnen lefn ond bod y wyneb sy'n wynebu'r A547 wedi erydu i
ddangos creithiau o briddyn cochlyd. Efallai mai dyna'r fan sy'n
cyfateb i'r 'Bryn wlph issa' neu 'Gwaelod Bryn Wlph' y cyfeirir ato
mewn hen weithredoedd[292] a bod 'Pen bryn woolfe yr eithin' yn uwch
i fyny ac wedi'i led guddio gan adeiladau'r pentref.

BUARTH Y BLAIDD, Rhydcymerau, Sir Gaerfyrddin
    SN 59 40   1605   *Byarth y Blaidd* [293]
Enw fferm yng nghwr uchaf plwyf Llansawel, rhwng Rhydcymerau
ac Esgair Dawe, efallai, rhyw bedwar can mlynedd yn ôl. Bryd hynny
roedd yn gartref i 'Walter Lloyd gent', ond erbyn hyn fe ddiflannodd
pob cof amdani yn yr ardal.[294]

BUARTH BLEIDDYN, Bryngwran, Ynys Môn
    SH 351 765   1765   *Buarth Bleiddyn* [295]

Tystiolaeth y map degwm.

Yn ôl y cyfeiriadau cynharaf at Fuarth Bleiddyn roedd ym mhlwyf
Llechylched, ond ar fap degwm Ceirchiog mae'n digwydd fel enw

---

289 *Plymouth*, rhif 317
290 *Mostyn,* B, rhif B2300
291 MD Diserth, rhif 98b
292 *Mostyn,* B, rhif 2309
293 *Edwinsford*, rhif 675
294 HCH¹, 18
295 LWLM, 156

cae tair erw sy'n ffinio â therfyn y ddau blwyf. Mae'n agos at linell o beilonau trydan dri chwarter milltir i'r de o'r A5 ger Bryngwran a lled cae i'r dwyrain o ffermdy Bodlawen. [296]

BWLCH Y FLEIDDAST, Ponterwyd, Ceredigion

SN 802 827   1681   *lle llyest Bwlch y vliddast* [297]

Y bwlch yn y llechwedd serth sy'n union y tu ôl i ffermdy Cwmergyr, dair milltir a hanner i'r gogledd-ddwyrain o bentref Ponterwyd a milltir i'r de o'r A44 ger Eisteddfa Gurig.[298] Llecyn yn cynnig llawer o'r elfennau y byddai eu hangen ar fleiddast i fagu.

Man ardderchog i fagu pothanod.

CAE BLAIDD, Yr Eglwys Newydd, Sir Faesyfed

SO 211 499   1990   *Cae Blaidd* [299]

Cae Blaidd oedd enw un o gaeau fferm Pont-faen yn ôl Mona Morgan a fagwyd yno yn nechrau'r ganrif ddiwethaf. Saif Pont-faen ar fin y B4594 rhwng Castell-paen (Painscastle) a Llanfair Llythynwg (Gladestry) ac roedd Cae Blaidd islaw'r ffordd gogyfer â'r ffermdy. I fod yn fanwl, y cae agosaf ond un at fynedfa Pont-faen o gyfeiriad Castell-paen. Nid oedd unrhyw hanes i'r cae bryd hynny, nac olion a allasai fod yn weddillion strwythur i ddal bleiddiaid.

CAE BLAIDD, Llanfaredd, Sir Faesyfed

SN 067 513   1891   *Cae Blaidd* [300]

Enw cae rhwng ffermdai Neuadd-lwyd a Thy'n-llwyn, cwta hanner milltir i'r gogledd-orllewin o eglwys Llanfaredd sydd ar fin y B4567 o gyffiniau Llanelwedd i Aberedw. Yng nghanol y cae mae pantle gwlyb sy'n llawn cerrig mawrion dan gysgod llwyn o goed derw.

---

296 MD Ceirchiog, rhif 7
297 *Maesnewydd*, rhif 71
298 (EH)
299 GUKC, 5; (MMM)
300 OS6¹ Rad XXXII NW

CAE BLAIDD, Maeshafn, Llanferres, Sir Ddinbych

SJ 197 609   1838   *Cae blaidd isaf* ac *uchaf* [301]

Enw dau gae yn union i'r de o ffermdy Bryn-sirion ar ochr chwith y rhiw serth o bentref Maeshafn i lawr at afon Alun.

CAE BLAIDD *gw. hefyd* TIR Y BLAIDD, Rhyd-y-mwyn, Sir y Fflint

CAE'R BLAIDD, Ceri, Sir Drefaldwyn

SO 128 887   1597   *Kay/ir/Blaith* [302]

Adfeilion hen dyddyn rhyw filltir a hanner i'r de-orllewin o bentref Ceri ar y llechwedd rhwng ffermdy Penaran ac afon Miwl.[303]

Byddai'r hen bobl yn hoff o esbonio enwau lleoedd eu bro fel rhan o'u straeon, ac os bu unwaith chwedl am flaidd yn gysylltiedig â Chae'r Blaidd, mae'n siŵr bod Cwm y Ddalfa dros y gefnen i'r de-ddwyrain yn cael ei adnabod fel y man lle y'i daliwyd.

CAE'R BLAIDD, Ffestiniog, Sir Feirionnydd

SH 704 428   1775   *Cae'r Blaidd* [304]

Plas a adeiladwyd yn ystod y bedwaredd ganrif ar bymtheg ar safle ffermdy cynharach, ac sydd bellach yn westy gwledig. Saif i'r de o afon Teigl islaw'r A470 rhwng Ffestiniog a'r Blaenau.

Ymosodiad blaidd ar un o feibion fferm Blaen-ddôl.

Ymgais i esbonio'r enw yw'r unig bwt o hanesyn a gadwyd am y lle. Cyn bod sôn am godi'r tŷ gwreiddiol fe alwyd y cae yn Cae'r-blaidd am fod blaidd wedi ymosod ar un o feibion Blaen-ddôl, y fferm agosaf, yno.[305]

Tua'r gorllewin, yr ochr draw i'r Ddwyryd, pellter o ddwy filltir a hanner, mae adfeilion hen fwthyn Coed-y-bleiddiau.

---

301 MD Llanferres, rhifau 4 a 6
302 *J D K Lloyd*, rhif 25
303 OS6 Mont XLIII NE
304 *Elwes*, rhif 1161
305 (BVF)

CAE'R BLAIDD, Gwernogle, Sir Gaerfyrddin

SN 524 336　　　　1738　　　*Kae'r Blaidd* [306]

Saif ffermdy presennol Cae'r Blaidd ar fin y ffordd o Frechfa dros y mynydd i Lanllwni, ond mae'n debyg bod ei safle gwreiddiol yn is i lawr ar y llechwedd i gyfeiriad Gwernogle.

Bydd yn werth cyfeirio yma at stori 'Field of the Wolf ' gan Patrick Thomas, sy'n seiliedig ar Gae'r Blaidd. Nid oes sail iddi yn y traddodiad lleol ond fe'i lluniwyd yn gelfydd yn null yr hen storïwyr a daw yn bur agos at esbonio arwyddocâd llecynnau a enwyd yn Cae'r Blaidd. Byrdwn ei stori yw bod Madog, bugail a gysylltir â fferm Hendre Fadog, yn colli un o'i feibion maeth pan leddir ef gan flaidd wrth fugeilio. Ar gyngor gwraig hysbys cwyd ffald i ddal y bwystfil, mewn lle y daethpwyd i'w adnabod fel Cae'r Blaidd. Llwyddodd i'w ladd heb sylweddoli mai ei fab naturiol, Bleiddig, ydoedd, yn rhith blaidd.[307]

Codi ffald i ddal blaidd ar gyngor gwraig hysbys.

CAE'R BLAIDD, Llanelwy, Sir y Fflint

SJ 04 75　　　　1669　　　*Kae y blaidd* [308]

Gan fod yr unig gyfeiriad at y darn hwn o dir yn digwydd dri chan mlynedd yn ôl, ni ellir cynnig lleoliad pendant iddo mwy na dweud ei fod rywle yn nhreddegwm Cyrchynan, sef y gornel fwyaf gogleddol o blwyf Llanelwy, yng nghyffiniau Plas-coch i'r dwyrain o afon Clwyd.

CAE BLEIDDYN, Cefn Meiriadog, Sir Ddinbych

SH 998 727　　　　1843　　　*Cae bleuddyn* [309]

Cae un erw, uwchben llethr coediog Coed y Ddôl, rhwng ffermdy Plas Newydd ac afon Elwy, cwta dri chwarter milltir i'r gogledd-orllewin o safle Tyddyn Bleiddyn.

306　*Cwrtmawr*, rhif 682
307　LlL, 21–9
308　*Gilbert Smith*, rhif 58
309　MD Llanelwy, Meiriadog-Wigfair, rhif 332

Pawen flaen

CAE BLEIDDYN, Y Ddwyryd, Corwen, Sir Feirionnydd

SJ 044 430   1839   *Cae Bleuddyn* [310]

Dau gae dwy erw yr un ar fferm Penlan-fawr, dwy filltir dda i'r gorllewin o Gorwen oedd Cae Bleiddyn, Bach a Mawr. Mae'r ffermdy ei hun bron yng nghymer afonydd Alwen a Dyfrdwy ar fin y ffordd sy'n cysylltu'r Ddwyryd â Chynwyd.

Pawen ôl

CAE BLEIDDYN, Yr Hob, Sir y Fflint

SJ 32 59   1725   *Cay bleythin* [311]

Aeth yr enw'n angof bellach ond ar un adeg cyfeiriai at ddau ddarn o dir yng nghyffiniau Shordley Hall a Shordley Manor i'r dwyrain o'r A550 ger pentref yr Hob.

CAE BLEIDDYN, Llanfair, Ardudwy, Sir Feirionnydd

SH 606 310   1838   *Cae bleuddyn issaf* [312]

Caiff y cae hwn ei rannu'n ddau gan y gefnffordd o bentref Llanfair i'r Gerddibluog ychydig i'r gogledd o ffermdy Cil-bronrhydd. Fel Cae Blyddyn y'i hadwaenir bellach, ac mae dwy gainc y nant sy'n rhedeg un o bob tu iddo yn llifo ymlaen heibio i adfeilion Bleiddbwll ychydig dros filltir islaw.[313]

CAE BLEIDDYN, Llansannan, Sir Ddinbych

SH 938 646   1839   *Cae Bleuddyn* [314]

Enw a rennid gan dri chae ar lan orllewinol afon Aled cwta filltir i'r de o bentref Llansannan. Yn ddiddorol iawn maent yn perthyn i fferm Nant Bleiddyn, neu Nant Bleddyn fel y'i hyngenir bellach.

---

310   MD Gwyddelwern, rhifau 1270–1
311   *Leeswood*, rhif 425
312   MD Llanfair Ardudwy, rhif 415
313   (EE)
314   MD Llansannan, rhifau 1303–5

CAE BLEIDDYN, Mochdre, Sir Ddinbych

SH 82 77 1695 *Câu Bleyddin* [315]

Darn o dir yn perthyn i blas Graeanllyn ger Mochdre oedd Cae Bleiddyn ond nid oes sicrwydd am ei union leoliad mwy na'i fod yn un o'r ddau blwyf, Llansanffraid Glan Conwy neu Landrillo-yn-Rhos.

CAE BLEIDDYN, Penisa'r-waun, Sir Gaernarfon

SH 561 636 1838 *Cae bleuddyn* [316]

Saif tŷ Cae Bleiddyn ar dir isel cymharol wastad, led cae i'r dde o'r ffordd o Benisa'r-waun i Ddeiniolen, cyn cyrraedd croesffordd y B4547. O'i gwmpas mae'r fro yn frith o fân dyddynnod, ond cyn eu codi rhaid bod y tir yn wlyb a charegog.

Er mai Cae Bleddyn yw'r ffurf a welir ar fapiau, Cae Bleiddyn yw'r ynganiad yn lleol, ond mae'n debyg nad oes esboniad i'r enw yn y traddodiad llafar.

CAE BLEIDDYN, Y Trallwng, Sir Drefaldwyn

SJ 21 03 1631 *Kaye bleithin* [317]

Darn o dir ar graens neu fynachdy Ystradelfeddan yn perthyn i Abaty Ystrad Marchell. Nid oes modd rhoi lleoliad pendant iddo ond credir bod Ystradelfeddan ryw ddwy filltir neu fwy i'r de o'r Trallwng ac i'r gorllewin o afon Hafren. [318]

CAE BLEIDDYN, Tremeirchion, Sir y Fflint

SJ 08 73 1726 *Y cae Bleyddyn* [319]

Arferai Cae Bleiddyn, Gardd Bleiddyn, 'yr ardd Bleyddin' a Crofft Bleiddyn, 'y Rhoft Bleyddin' neu 'y roffte Bleythin' fod yn enwau ar

---

315 *Mostyn*, B, rhif 1917
316 MD Llanddeiniolen, rhif 147
317 *Powis*, rhif 12112
318 WC, 310 a Map V
319 CDD¹, 403–4; *Cwrtmawr*, rhif 671

gaeau neu ddarnau o dir yn nhreddegwm 'Trelan' Tremeirchion ac felly roeddent yn weddol agos at eglwys y plwyf.

CAE BLEIDDYN, Treuddyn, Sir y Fflint

    SJ 264 593   1874   *Cae-bleiddyn* [320]

Ffermdy rhyw filltir i'r gogledd-ddwyrain o Dreuddyn, i'r chwith o'r ffordd gefn o'r pentref i Bontybotgin.

CAE BOTHAN, Caergybi, Ynys Môn

    SH 242 810   1838   *Cae bothan* [321]

Ffermdy dri chwarter milltir i'r de o dref Caergybi a lled cae i'r chwith o'r ffordd oddi yno am Borth Dafarch. Efallai i'r cae hwn fod yn eiddo i ŵr o'r enw Pothan neu Bothan ar un adeg. Roedd amryw ohonynt yn byw ar Ynys Môn yn ystod y bymthegfed ganrif.

CAE'R FLEIDDAST, Cwrtycadno, Sir Gaerfyrddin

    SN 684 456   2004   *Cae'r Fleiddast*

Enw cae ar dir fferm Fronfelen ychydig dros filltir i'r gogledd-orllewin o Gwrtycadno, sef y cae sy'n ffinio â'r blanhigfa goed ychydig i'r de o'r ffermdy. Nid oes pantle nac adfeilion o unrhyw fath arno, ond yn ôl traddodiad fe laddwyd bleiddast yno unwaith. [322]

CAE'R FLEIDDAST, Llanrwst, Sir Ddinbych

    SH 806 605   1663   *Kae'r Ffleiddiest* [323]

Yn ôl y map degwm, cae tair erw yn perthyn i'r Hen Efail, tyddyn bychan ar gyrion Llanrwst, oedd Cae'r Fleiddast. [324] Safai i'r dde o'r A470, rhyw dri chwarter milltir o'r dref i gyfeiriad Betws-y-coed, cyn

---

320 OS6¹ Flint XVII NW
321 OSOS 6, 1
322 (EM)
323 *Mostyn,* B, rhif 1825
324 MD Llanrwst, rhif 1341

cyrraedd y troad am ffermdy Berth-ddu. Yn anffodus, gan nad oes copi cyflawn o'r map ar gael nid oes modd dweud pa gae yn union oedd Cae'r Fleiddast, ond gellir mentro awgrymu ei fod yn un o'r rhai sy'n ffinio â'r Hen Efail.

CAE WLFF, Llandderfel, Sir Feirionnydd

    SH 979 373   1838   *Cae Wlff* [325]

Saif tyddyn Cae Wlff ryw chwarter milltir i'r gogledd-orllewin o bentref Llandderfel, lled cae i'r chwith o'r ffordd sy'n mynd heibio i Lyn Maes y Clawdd am Gefnddwysarn. O fewn dau led cae i'r tŷ mae coedwig helaeth Coed Lord; coed derw oedd yno ar un adeg. Yr hanes a gâi plant yr ardal yn yr ysgol ers talwm oedd bod y coed yn llawn bleiddiaid ar un adeg, a'r rheini'n ymosod ar bobl y tai cyfagos. [326]

Bleiddiaid y coed yn ymosod ar bobl y tai cyfagos.

CAE'R WLFF, Caerhun, Sir Gaernarfon

    SH 77 70   1446   *Cae yr Wlff* [327]

Anodd eithriadol fyddai cynnig lleoliad i Gae'r Wlff. Mae'n wir ei fod o fewn trefgordd Castell, ond ymestynnai honno dros y rhan fwyaf o blwyf Caerhun a Llanbedrycennin a chyfran o Langelynnin a'r Gyffin ar ochr orllewinol Dyffryn Conwy. Darnau eraill o dir sy'n cael eu cyplysu â Chae'r Wlff yn yr un weithred yw Pwll y Cnafon a Dryll y Cnafon, a allai fod yn cyfeirio at bothanod.

CAE'R WLFF, Meifod, Sir Drefaldwyn

    SJ 14 14   1633   *Cae'r woolff* [328]

Mae lle i gredu, er na ellir bod yn hollol sicr, mai enw un o gaeau fferm Gelli-wen, y Gelli bellach, oddeutu milltir i'r gogledd o bentref Meifod oedd Cae'r Wlff.

---

325 MD Llandderfel, rhif 396
326 (IR)
327 *Caerhun*, rhif 233
328 *Nannau*, rhif 3293

CAER GIDWM *gw.* CASTELL CIDWM

Cam-y-Blaidd,
Cwmbychan. Prin
yw'r dystiolaeth
am fleiddiaid yn
enwau lleoedd
Ardudwy.

CAM neu CAMFA'R BLAIDD, Cwm Artro, Sir Feirionnydd

    SH 623 297   2004   *Cam-y-blaidd* neu
                                    Camfa'r-Blaidd [329]

Ar un olwg fe fyddai rhywun yn disgwyl i Ardudwy, y wlad rhwng afonydd Mawddach a Glaslyn gyda'i chreigdiroedd anghysbell, fod yn gynefin addas i fleiddiaid. Ond a barnu yn ôl tystiolaeth enwau lleoedd nid felly roedd hi o gwbl. Methwyd â dod o hyd i gymaint ag un enghraifft yn y cwr deheuol, tra bod tair tua'r gogledd yng Nghwm Artro. Dengys hyn y byddai ceunentydd coediog a chyflenwad o anifeiliaid prae wedi bod yn bwysicach iddynt na diogelwch creigleoedd noethlwm y Rhinogydd – nid na fyddent yn debyg o gilio i'r mannau hynny mewn argyfwng.

    Ar ochr ddwyreiniol afon Artro, rhyw filltir go dda islaw ei tharddiad yn Llyn Cwmbychan, mae fferm Cwm-yr-afon, un o'r

---

329 (CER); (EE)

llecynnau hyfryd hynny sy'n aros yn hir yn y cof. Ar dir Cwm-yr-afon, rhyw ddau led cae tua'r de o'r ffermdy saif hen feudy Cam-y-blaidd neu Camfa'r-Blaidd. Fel yn achos Camau'r Bleiddiaid, Abergwesyn, y duedd yn lleol yw ei ynganu fel Camel Blaidd.

Er bod rhyw bedwar o gaeau bychan ynghlwm wrth y beudy, mae'r tir o'i gwmpas yn weddol wyllt, gyda chreigiau'n brigo i'r wyneb ym mhobman dan orchudd o goed derw agored lle mae geifr gwylltion i'w gweld o hyd. Gan ei fod cryn bellter o'r afon mae'n anodd credu mai croesfan bleiddiaid yn y fan honno a roddodd yr enw iddo, fel yn achos Camau'r Bleiddiaid, Abergwesyn. Rhyw led cae i'r de o'r beudy mae'r Garreg Lithrig, gwrychyn hir o graig sydd â'i brig yn amlwg iawn uwchlaw'r coed. Gan fod modd gweld am gryn bellter o'i chopa, tybed ai Cam y Blaidd oedd ei henw gwreiddiol am fod bleiddiaid i'w gweld yn sefyll ar ei phen? Pan adeiladwyd y beudy mewn oes ddiweddarach, peth digon naturiol fyddai iddo gael ei alw ar enw'r graig oedd yn ei ymyl.

Tybed ai Cam y Blaidd oedd ei henw gwreiddiol?

CAMAU'R BLEIDDIAU/BLEIDDIAID, Abergwesyn, Sir Frycheiniog

| SN 839 551 | 1833 | *Camddwr Bleiddiad* [330] |
| | 1853 | *Camau'r Bleiddiaid* [331] |

Bwa naturiol o graig yn groes i afon Irfon, cwta hanner milltir islaw ffermdy Llanerchyrfa ar fin y ffordd fynydd o Dregaron i Abergwesyn. Er mai Camddwr Bleiddiaid sydd ar y mapiau, Camau'r Bleiddiau neu Fleiddiaid a ddywed yr ardalwyr, ond fel gyda geiriau megis *dresel* a *cornel* mae'r *r* yn troi'n *l* i roi Camel Bleiddie ar lafar gwlad. Yno y byddai bleiddiaid yn pontio'r afon yn y dyddiau a fu, yn ôl y diweddar John Rees Hope, Pen-twyn, a sylwyd mai yn yr un fan yn union y bydd llwynogod yn croesi afon Irfon heddiw wrth gael eu hela.[332] Ceisiai'r hen fugeiliaid esbonio enwau lleoedd yn yr ardal drwy sôn

Bleiddiaid yn pontio'r afon Irfon.

330 OSOS 6, 60
331 TRA 9, 184
332 (BW)

am flaidd yn cael ei hela dros Gamau'r Bleiddiaid. Anelodd tua'r gogledd am diroedd diffaith Drygarn Fawr ond cafodd ei saethu wrth Nant yr Ergyd. Llwyddodd i lusgo ymlaen cryn bellter ond daliwyd ef ar Riw'r Ddalfa.[333] Dichon bod llawer mwy i'r chwedl ar un adeg ond aeth y gweddill yn angof cyn i unrhywun ei chofnodi.

Mae man a elwir Cam y Llwynog rywle ar afon Banw yn agos i Langynyw.[334]

CARREG Y BLAIDD, Llanbedr-goch, Ynys Môn
SH 50 81   1594   *Ynys Kareg y blaidd*[335]

Oddeutu pedair canrif yn ôl roedd Ynys Carreg y Blaidd yn enw ar ddaliad o dir yn nhreddegwm castell Bwlch-gwyn i'r de-orllewin o Benllech. Nid yw'r enw'n adnabyddus yn y fro erbyn hyn, ond y lleoliad tebycaf yw'r gefnen hir ar gwr y Gors Goch lle saif y tair fferm Ynys Isaf, Ynys Ganol ac Ynys Uchaf. Yn anffodus does yno'r un maen hir na charreg amlwg a allasai gyfateb i Garreg y Blaidd yn yr enw.

CARREG Y BLAIDD, Pentrefoelas, Sir Ddinbych
SH 865 496   1678   *Carreg y blay*[336]

Ffermdy ar lecyn amlwg i'r dde o'r ffordd gefn o Ysbyty Ifan i'r A5 ym Mhentrefoelas, yr union fath o fryncyn uchel y byddai bleiddiaid yn hoffi sefyllian arno i wylio'r wlad o'u hamgylch. Mae'n ddigon tebyg i'r lle gael ei enwi ar ôl maen amlwg a safai yno unwaith, ac mae'n bosib i'r maen hwnnw gael ei ddryllio er mwyn cael cerrig i godi'r ffermdy a'r waliau cerrig o gwmpas y caeau. Yn ôl un chwedl fe godwyd y waliau hynny i amddiffyn y stoc rhag bleiddiaid, ond byddai angen waliau llawer uwch i gadw blaidd newynog o'r caeau.[337]

---

333 (DJ)
334 EW, 72
335 *Baron Hill*, rhif 1058
336 *Ewyllys* SA/1678/14
337 (JO)

*Camau'r Bleiddiau/
Bleiddiaid.
Bwa naturiol o graig
yn croesi afon
Irfon, ar fin y ffordd
fynydd o Dregaron i
Abergwesyn.*

CAS-BLAIDD, Sir Benfro

SM 957 265	1248	*Wulvescastel*
	1293	*Castrum Lupi*
	1315	Castell [B]Loyth [338]

Pentre mewn fforch yn afon Cleddau Wen ar fin yr A40 rhwng Abergwaun a Hwlffordd. Byddai'r ceunant creigiog, coediog oddeutu'r afon wedi cynnig lloches neilltuol i fleiddiaid yn yr oesau a fu, ond y farn gydnabyddedig yw i'r castell gael ei alw'n Wolf's castle ar ôl teulu lleol o'r enw Wolf ac i'r ffurf Ladin *Castrum Lupi* a'r Gymraeg, Castell neu Gas Blaidd, ddatblygu'n ddiweddarach.

Wrth grwydro o gwmpas y pentref ni ellir osgoi presenoldeb y blaidd. Mae i'w weld yn udo ar y lloer ar arwyddion Gwesty'r Wolfe a chaiff le amlwg yn y brithwaith wrth fôn Maen y Mileniwm ar y clwtyn glas ger y bont. Ger yr ysgol mae penddelw ohono yn rhan o bistyll y pentref gyda dŵr yn llifo allan o'i geg. Yno hefyd rhwng dwy goeden hynafol y lladdwyd y blaidd olaf yn ôl traddodiad lleol.[339]

Wrth edrych tua'r de rhwng y ddwy goeden honno, fe welir ar y gorwel delpyn ysgithrog o graig yn ymwthio'n dywyll fygythiol i'r awyr fel blaidd yn udo. Syniad ffansïol, mae'n siŵr, ond tybed ai gweld yr olygfa honno a barodd i rywun enwi'r lle yn Gas Blaidd?

CASTELL Y BLAIDD, Llanbadarn Fynydd, Sir Faesyfed

| SO 126 798 | 1592 | *Castell y bleidh* [340] |

Gweddillion hen amddiffynfa ar y mynydd rhwng blaenau Dyffryn Ieithon a Dyffryn Tefeidiad, ddwy filltir i'r gogledd-ddwyrain o Lanbadarn Fynydd. Credir ei bod yn perthyn i gyfnod cyn hanes ac na chafodd ei chwblhau,[341] felly gallai'n rhwydd fod wedi bod yn gynefin bleiddiaid.

---

338 PNP 1, 32–3
339 (RhE)
340 RST 26, 35
341 GCR, 101

Yn ôl un ddamcaniaeth ddryslyd y gellir ei hanwybyddu'n llawen, y Blaidd Rhudd, cyndad Rhirid Flaidd, oedd y gŵr a gododd y castell ac a roddodd ei enw iddo.[342]

Rhwng dwy goeden hynafol y lladdwyd y blaidd olaf.

CASTELL BLAIDD, Llanfyrnach, Sir Benfro
    SN 241 308   1891   *Castell Blaidd Tumulus* [343]
Gweddillion twmpath hynafol (tumulus) filltir a chwarter i'r dwyrain o bentref Llanfyrnach a chwarter milltir i'r gogledd o dafarn Pant-y-blaidd.

---

342 GHCR, 227; AC 1858, 497
343 OS6¹ Pem XII SE

CASTELL Y BLAIDD, Mallwyd, Sir Feirionnydd

SH 876 148   1563   *Kastell y Blaidd in*
                                   Kwm Kewth [344]

Castell y Blaidd oedd hen enw'r castell, tyddyn, neu dŷ haf bellach yn uchel i fyny yng Nghwm Cewydd, yn agos i ddwy filltir i'r gogledd-ddwyrain o bentre Mallwyd.

Nifer o hen amddiffynfeydd yn dwyn enw'r blaidd.

Ledled y wlad mae nifer o hen amddiffynfeydd anghyfannedd yn cael eu hadnabod wrth enwau anifeiliaid; dyna Gastell Llygoden yn Sir Forgannwg, Castell y Bwch yn Sir Fynwy, a Chastell y Moch yn Sir Drefaldwyn, yn ogystal â phedwar Castell y Blaidd. Y duedd yw eu gweld fel enwau gwawd i fannau oedd wedi cael eu gadael i ddadfeilio. Os oedd ffos o'u cwmpas fel na ellid eu pori'n rhwydd, buan iawn y byddai mieri yn eu meddiannu a hwythau'n dod yn gynefin i ryw greadur gwyllt. Mantais llecynnau o'r fath i fleiddiaid fyddai'r ffaith eu bod mewn mannau anhygyrch lle roedd modd gweld perygl yn dod o bellter, tra bod y cloddiau pridd trwchus yn llawer haws i fleiddast eu cloddio i wneud gwâl nac mewn daear gyffredin. Nid rhyfedd felly fod cynifer o hen amddiffynfeydd yn dwyn enw'r blaidd.

CASTELL CIDWM, Betws Garmon, Sir Gaernarfon

SH 550 555   1757   *Caer Gidwm* [345]
                     1811   *Castle Cidwm* [346]

Gellir gweld y graig neu'r creigiau a elwir yn Gastell Cidwm o'r A4085, Beddgelert–Caernarfon ym mhen isaf Llyn Cwellyn. Maent yn amlwg uwch y lan bellaf wrth odre'r Mynydd Mawr.

Chwedlau lleol yn honni esbonio'r ddwy wedd ar yr enw Cidwm.

Gall cidwm olygu dihiryn yn ogystal â blaidd ac mae Myrddin Fardd yn cyfeirio at ddwy chwedl leol sy'n honni esbonio'r ddwy wedd ar yr enw. Yn ôl y gyntaf bu castell ar y safle, ond pan ddinistriwyd ef

344 *Nannau*, rhif 968; DM, 25; (TJ)
345 CR, 64
346 DC, 205

fe wnaeth rhyw flaidd ei wâl yno. Byrdwn yr ail chwedl yw i'r lle fod yn lloches i ddihiryn o'r enw Cidwm, y dywedir ei fod yn fab i Elen Luyddog, gwraig Macsen Wledig.[347]

CASTELL Y WLFF, Bridell, Cilgerran, Sir Benfro
    SN 169 401   1641   *tir Castell ir Wlff* [348]
Darn o dir ym mhlwyf Bridell, ddwy i dair milltir i'r de o dref Aberteifi. Credir mai Castell y Wlff oedd enw gwreiddiol castell Cwm-ffrwd. Y mae ei weddillion i'w gweld rhwng ffermdai Cwmbetws a Gwndwn ym mlaen afon Piliau, filltir a chwarter i'r de o bentref Bridell.

CEFN BLAIDD, Gwernesni, Sir Fynwy
    SO 41 01   1754   *Keven Blayd* [349]
Enw ar ddarn o dir rywle ym maenor Gwernesni a Threddeon i'r dwyrain o Frynbuga na ellir ei leoli bellach.

CEFN BLAIDD, Llansilin, Sir Ddinbych
    SJ 21 28   1562   *Kefn blaidd* [350]
Yn ôl dau gofnod yn un o lawysgrifau Gruffudd Hiraethog, Cefn Blaidd yng nghwmwd Cynllaith oedd cartref Cuhelyn ap Rhun ab Einion Efaill, un o uchelwyr Powys yn y drydedd ganrif ar ddeg. Dywedir mai gŵr o Lansilin oedd Cuhelyn, a chan fod y plwyf hwnnw yng nghwmwd Cynllaith mae'n bur debyg mai yno yr oedd Cefn Blaidd, er i'r enw fynd yn angof ers canrifoedd.[351] Mwy na hynny ni ellir dweud gyda sicrwydd ond gan fod traddodiad yn mynnu mai Cuhelyn a gododd y tŷ cyntaf yn Lloran Uchaf, tybed ai Cefn Blaidd oedd enw gwreiddiol y safle?[352]

---

347 LlGSG, 200 a 236
348 PNP, 350; RCAM 7, 30
349 HM 3, 132
350 *Pen.* 134, 316 a 325
351 WG[1] 1, 34
352 MC 41, 123

CEFN BLAIDD, Talyllychau, Sir Gaerfyrddin
  SN 648 334   1324   *Cefnblaidd* [353]

Ffermdy'n wynebu haul y bore yn agos i flaen cwm, cwta filltir i'r gogledd-ddwyrain o bentref Talyllychau. Fe fu ar un adeg yn raens neu'n fynachdy ym meddiant yr abaty lleol, ac mae'n debyg iddo gymryd ei enw oddi wrth y gefnen amlwg sy'n codi yn agos i naw can troedfedd y tu ôl iddo.

CEFN Y FLEIDDAST, Caeo, Sir Gaerfyrddin
  SN 668 398   1841   *Cevenyblaiddast* [354]

Yn y bedwaredd ganrif ar bymtheg roedd bwthyn a elwid yn Gefn-y-fleiddast neu Gefn Bleiddast ar fin y ffordd sy'n cysylltu Pumsaint a Chaeo, sy'n awgrymu mai dyna enw gwreiddiol y gefnen rhwng y ddau bentref. Sylwer hefyd bod lle o'r enw Clun y Fleiddast gerllaw.

CEFN Y FLEIDDAST, Llantrisant, Sir Forgannwg
  ST 02 86   1586   *Kevan y vloyste*
         1604   *Kae Kevenbleithast* [355]

Colli'r enw.

Gyda'r holl newidiadau sy'n rhwym o ddigwydd mewn cymdogaeth ddiwydiannol nid yw'n syndod na oroesodd yr enw Cefn y Fleiddast. Y cyfan sy'n wybyddus amdano yw ei fod, bedair canrif yn ôl, yn enw ar ddarn o dir ym mhlwyf Llantrisant, ei fod yn agos i lan ddwyreiniol afon Elái, a bod darnau eraill o dir a elwid yn Ynys y Gledren, Cae'r bawharn, Cae Du a Morfa Bach yn agos ato. Mae'n ymddangos felly ei fod yn lled agos i gwrs yr A4119 rhwng Talbot Green a Thonyrefail.

CERRIG Y BLEIDDIAU, Hafod Elwy, Sir Ddinbych
  gw. CREIGIAU'R BLEIDDIAU, Hafod Elwy, Sir Ddinbych

---

353 HCarm 1, 352
354 *Cyfrifiad* 1841: plwyf Caeo; (CJ)
355 *Talbot Hensol*, rhifau 600 a 612

CERRIG Y BLEIDDIAU, Bodedern, Ynys Môn

    SH 33 80   1652   *Kerrig y bleiddie*[356]

Er bod y llecyn hwn yn cael ei enwi mewn pum gweithred wahanol mae'n anodd iawn cynnig lleoliad pendant iddo.[357] Gellir bod yn weddol hyderus ei fod rywle o fewn terfynau plwyf Bodedern, ac ni ddylid ei uniaethu â Cherrig y Bleiddiau ger Pen-sarn, Amlwch, sy'n lle hollol wahanol.

CERRIG Y BLEIDDIAU, Pen-sarn, Ynys Môn

    SH 448 909   1727   *Cerrig y Bleiddie*[358]

Saif tŷ presennol Cerrig y Bleiddiau, ynghyd ag adfeilion ffermdy o'r un enw, wrth odre gogledd-ddwyreiniol Mynydd Parys, rhyw filltir dda i'r de o dref Amlwch. Er bod y tir o gwmpas yn naturiol garegog, mae'n bur debyg mai'r gefnen greigiog ar ochr ddwyreiniol y tŷ a roddodd ei henw i'r lle.

    Myn traddodiad lleol mai Cerrig y Bloeddiau oedd ffurf wreiddiol yr enw am fod carreg ateb yno[359] neu am fod bloeddio i'w glywed oddi yno adeg rhyw frwydr.[360] Beth bynnag am hynny, 'Cerrig y Bleiddiau' sydd i'w weld yn ddieithriad mewn hen ddogfennau ddau gant a mwy o flynyddoedd yn ôl.

CIL Y BLAIDD, Pencarreg, Sir Gaerfyrddin

    SN 541 459   1609   *Kil y Blaidd*[361]

Ffermdy yn sefyll ar gnepyn coediog ger yr A485 o Lanybydder i Gwm-ann yr ochr draw i bentref Pencarreg. Hyd yn oed heddiw mae ei safle yn ymylu at fod yn ynys, gydag afon Teifi i'r dwyrain a'r gogledd, Llyn Pencarreg i'r gorllewin, a thir corsiog garw o boptu'r

356 *Penrhos*, VII rhif 73
357 *Bodewryd*, rhifau 163 a 169; *Presaeddfed*, rhifau 230 a 689
358 *Ewyllys* B 1727/4
359 (JWO)
360 ELlM, 70
361 HV 1, 239

ffordd gul garegog tuag ato. Ganrifoedd yn ôl, cyn draenio tir isel, a'r afon yn gorlifo'i glannau'n aml, byddai wedi bod yn llecyn eithriadol o anhygyrch, a hawdd yw gweld sut y cafodd yr enw Cil-y-blaidd.

Ar un adeg fe adroddid chwedl am hela blaidd yn yr ardal. Aeth y manylion yn angof erbyn hyn ond diwedd y stori oedd i'r blaidd ddiflannu i'r ddaear yng Nghil y Blaidd.[362]

CIL Y BLAIDD/BLEIDDIAU, Cleirwy, Sir Faesyfed

SO 209 431	1766	*Killyblythe* [363]
	1833	*Cil-blaidd* [364]
	1889	*Cil-y-bleiddiau* [365]

Collwyd yr enw bellach, ond ar un adeg safai tŷ neu ffermdy Cil-y-blaidd rhwng plas Clyro Court a phentref Cleirwy yr ochr uchaf i'r A438. Erbyn hyn mae'r lle wedi'i lyncu gan erddi'r plas ond mae'n debyg bod yr adeilad yn dal ar ei draed.

Mae'n anodd meddwl am fleiddiaid yn llechu mor agos at bentref ond mae enwau cyfagos megis Pen-y-fforest, Fforest-cwm, ac Old-forest yn awgrymu bod tir garw yn cyrraedd i gyrion y pentre ar un adeg. Yr un pryd mae'n sicr y byddai'r darn helaeth o wastatir gyda glan afon Gwy, islaw Cil-y-blaidd, wedi bod yn dir corsiog diffaith a thueddol i orlifo.

CLOG CIDWM, Aberdaron, Sir Gaernarfon

SH 195 257	1954	*Clog Cidwm* [366]

Llecyn rhwng Trwyn y Penrhyn a Maen Gwenonwy i'r de-ddwyrain o Aberdaron ar arfordir Llŷn, neu i fod yn fanylach fyth, rhwng yr Ogof Lwyd a Charreg Chwislen.[367]

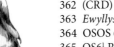

362 (CRD)
363 *Ewyllys* BR 1766/16
364 OSOS 6, 74
365 OS6¹ Rad XXXVI NE
366 G, 476
367 AHBR, 80–1

CLUN Y FLEIDDAST, Caeo, Sir Gaerfyrddin

SN 67 39　　　　1712　　　*Klyn y fleiddast* [368]

Nid yw'r tŷ neu'r ffermdy hwn yn bod bellach ac nid oes modd cynnig lleoliad iddo mwy na'i fod rywle ym mhlwyf Cynwyl Gaeo. Fodd bynnag, mewn hen weithred fe'i cyplysir â 'Tir y carreg', sef, mae'n debyg, ffermdy presennol y Garreg ar gwr pentref Caeo. Mae'r Garreg wrth droed y rhiw serth sy'n dringo dros y gefnen i Bumsaint, ac ar y gefnen honno fe fu ar un adeg fwthyn a elwid yn Gefn y Fleiddast. Tybed felly ai amrywiad ar yr enw Cefn y Fleiddast oedd Clun y Fleiddast? Neu efallai mai direidi hen frodorion y fro oedd cael Cefn a Chlun y Fleiddast yn agos at ei gilydd. Nid yw enghreifftiau o'r fath yn anghyffredin; ceir Cil-y-blaidd a Dol-wlff ger Llanybydder, ac yng Nghwmerfyn, Ceredigion, roedd unwaith ddau dŷ ynghlwm; enw'r naill oedd Gochel-gwympo a'r llall Stand-up.

Gochel-gwympo a Stand-up.

CLUST Y BLAIDD, Cerrigydrudion, Sir Ddinbych

SH 935 494　　　　1546+　　*clysdubley* [369]
　　　　　　　　　　1577　　*Clust y blaidd* [370]
　　　　　　　　　　1584　　*Clist y bly* [371]
　　　　　　　　　　c 1700　　*Tre Glystyble* a *glystyble* [372]
　　　　　　　　　　1726　　*Clust-y-blaidd* [373]

Ffermdy ar fin yr A5, filltir i'r gogledd-orllewin o Gerrigydrudion. Gall 'clust' olygu cesail neu gilfach, sy'n gweddu i'r dim yn yr achos hwn gan fod y tŷ wrth odre hafn neu rigol naturiol yn y llechwedd. Yn y gorffennol pell, cyn bod sôn am godi tŷ yno nac am agor y ffordd bresennol o flaen ei ddrws, byddai wedi bod yn llecyn digon diarffordd; y mynydd y tu ôl iddo a'r tir isel o'i flaen yn gorsiog, fel

368 *Edwinsford*, rhif 413
369 PRO, C3/145/52
370 *Pen.* 132, 149
371 *Wigfair*, rhif 199
372 PQ 1, 113–4
373 *Ewyllys* SA 1726/18

Craig Wlff, Eryrys, Sir Ddinbych. Tirwedd a fyddai wedi bod wrth fodd bleiddiaid.

y tystia enw'r fferm gyfagos, Glan-y-gors, cartref Jac Glan-gors, a'r Merddwr.

Nid dyma'r unig fan yn y cyffiniau i arddel enw'r blaidd. Ym mhen y bryn y tu ôl i Glust-y-blaidd, ar fin y ffordd o Gerrigydrudion i Gwm Penanner, mae adfeilion bwthyn Pant-y-blaidd, ac enw'r nant sy'n derfyn rhwng ffermydd Clust-y-blaidd a Chefn-hirfynydd yw Nant Rhirid Flaidd.

COED Y BLEIDDIAU, Maentwrog, Sir Feirionnydd
SH 67 41   1901   *Coed-y-Bleiddiau* [374]
Saif adfeilion tŷ gwreiddiol Coed-y-bleiddiau ger plas y Dduallt, rhyw filltir i'r gogledd-ddwyrain o bentref Maentwrog.[375] Felly mae'n deg derbyn mai'r llechwedd creigiog o'i gwmpas uwchlaw'r Ddwyryd, sy'n parhau'n rhannol goediog, oedd Coed y Bleiddiau, ac mae enw'r plas yn awgrymu gallt o dyfiant trwchus.

374 OS6¹ Mer XI NE
375 (SO)

CORS Y BLEIDDIAU, Ynys Môn

SH - - - - - -   1908   *Cors y Bleiddiau* [376]

Ni chafwyd ond un cyfeiriad at y gors hon a hwnnw yng nghyfrol Trebor Môn ar enwau lleoedd yr ynys. Yn anffodus nid yw'n rhoi lleoliad i'r enwau a restrir ganddo.

CRAIG WLFF, Eryrys, Sir Ddinbych

SJ 211 579   1898   *Craig Wolf* [377]

Craig galchog sydd i'w gweld yn brigo i'r wyneb ar dalcen bryncyn yn un o gaeau fferm y Foelas, rhwng chwarter a hanner milltir i'r dwyrain o bentref Eryrys. Mae yn yr ardal gyfuniad o bonciau sychion a thir isel a fu'n wlyb unwaith, fel y tystia enwau megis Cors Olchi a Chors Cyffion; tirwedd a fyddai wedi bod wrth fodd bleiddiaid.

CREIGIAU BLEIDDIAID, Capel Celyn, Sir Feirionnydd

SH 824 423   1901   *Creigiau Bleiddiaid* [378]

Cruglwyth o gerrig mawr breision wedi'u lled orchuddio â thyfiant mynydd wrth odre gogleddol Arennig Fach. Mae yno ddigonedd o geudyllau yn ei grombil i lochesu bleiddiaid. Mae dau faen anferth fel dwy law, lled stafell oddi wrth ei gilydd, yn codi ohono. Yr enw lleol arnynt yw'r Capel Mawr lle bydd defaid yn dueddol i lechu rhyngddynt mewn storm o eira. Mae ffynnon yn tarddu yno hefyd, a'r dŵr ohoni'n llifo tua'r gogledd i nant Trinant.

Gwenwyno bleiddiaid i gael gafael ar eu crwyn.

Yn ôl traddodiad lleol roedd bleiddiaid i'w cael yno yn ystod y cyfnod rhwng amser Llywelyn a Harri Tudur, ond gan fod galw mawr am eu crwyn aed ati i'w gwenwyno â strycnin. Wedi iddynt gael eu difa'n llwyr dechreuwyd cadw defaid i fyny ar y mynyddoedd.[379]

---

376 ELlM, 12, 76
377 OS6² Denb XX NE
378 OS6² Mer XIII NW
379 (GJ)

CREIGIAU'R BLEIDDIAU, Hafod Elwy, Sir Ddinbych

SH 945 543	1617	*Tythyn kerrig y Bleithie*
	1642	*Kerrigg y blithie;*
	1670	*Creidgie bleidde*
	1773	*Creiggie bleidde* [380]

Hen dyddyn a fu unwaith yn gartref i Ifan Edward y telynor ac yn ddiweddarach i'r bardd Taliesin Hiraethog, 1841–94. Bellach mae'n furddyn mewn planhigfa goed ger cronfa ddŵr yr Alwen ddwy filltir i'r gogledd-orllewin o Bentrellyncymer. Mae'n werth sylwi mai Cerrig-y-bleiddiau oedd ffurf gynharaf yr enw.

Nodwedd amlycaf y lle yw'r rhimyn hir o greigiau, llawn rhigolau a cheudyllau, sy'n ymestyn am gryn bellter mewn tir lled gorsiog gyda glan y gronfa ddŵr. Dyna, mae'n debyg, y creigiau a roddodd eu henw i'r tyddyn.

CROFFT Y BLAIDD, Chwitffordd, Sir y Fflint

| SJ 165 774 | 1846 | *Croft y blaidd* [381] |

Cae bychan un erw sydd bellach wedi mynd yn rhan o gae mwy. Safai rhyw drydedd ran o filltir i'r dde o'r pwynt lle mae'r ffordd o Dreffynnon i bentref Chwitffordd yn gadael yr A55.

CROFFT BLEIDDYN, Tremeirchion, Sir y Fflint
gw. CAE BLEIDDYN, Tremeirchion, Sir y Fflint

CROFFT WLFF, Chwitffordd, Sir y Fflint

| SJ 14 79 | 1329 | *Groft Wlff* [382] |

Un o bum lle ym mhlwyf Chwitffordd sy'n cadw'r cof am y blaidd. Gan mai dim ond un cyfeiriad, a hwnnw'n un eithriadol o gynnar, sydd at Grofft Wlff, nid oes modd rhoi lleoliad pendant iddo mwy na nodi ei

---

380 *Cerniogau*, rhifau 8–9, 94, 110, 145–6
381 MD Chwitffordd, rhif 1153
382 *Mostyn*, B, rhif 2965

fod, fel Gwern Wlff isod, o fewn terfynau treddegwm y Garn.[383] Lle hollol wahanol yw Crofft y Blaidd sydd ym mhen deheuol y plwyf.

'Capel Mawr' yng nghanol Creigiau Bleiddiaid wrth odre Arennig Fach.

CRUG Y BLAIDD, Llanymddyfri, Sir Gaerfyrddin

SN 782 347   1317   *Cruckebleith* [384]

1735   *Tyr Crug y Blidd* alias

Tyr Keven Crug y Bleyddey [385]

Y gefnen rhwng afonydd Brân a Gwydderig neu rhwng ffermydd Dan-yr-allt a Glangwydderig ar ochr ddwyreiniol tref Llanymddyfri yn union i'r gogledd o'r A40. Erbyn hyn gollyngwyd y Blaidd o'r enw a chaiff ei adnabod fel y Grug.

Nid yw pawb yn cytuno ar y lleoliad hwn i Grug y Blaidd ond mae'r dystiolaeth a geir mewn hen weithred ddyddiedig 1735 yn brawf pendant mai dyna sy'n gywir.[386]

---

383 I'r gogledd o bentref Chwitffordd ac i'r gorllewin o Trefednowain (Downing)
384 CIPM, vi, 43
385 *Cwrtmawr*, rhif 497
386 PHLl, 2, 397

CWM BLAIDD, Cynghordy, Sir Gaerfyrddin

SN 851 425   1912   *Cwmblaidd* [387]

Gan na chafodd y cwm hwn erioed ei nodi ar fap mae'n anodd rhoi lleoliad pendant iddo, ond mae'r ychydig dystiolaeth sydd ar gael yn awgrymu mai Cwm Blaidd oedd un o geinciau blaen nant Hirgwm, milltir i'r dwyrain o'r A483, Llanymddyfri i Lanwrtyd wrth Ddinas y Bwlch (Sugar Loaf), ac yn union islaw'r ffin rhwng siroedd Brycheiniog a Chaerfyrddin; y gainc bellaf, efallai, yr un sy'n rhedeg islaw ac yn gyfochrog â'r hen ffordd Rufeinig/porthmyn dros Gefn Llwydlo.[388] Yn anffodus mae'r cyfan dan blanhigfa goed eang ers blynyddoedd, ac enwau'r mân dyddynnod, creigiau a nentydd wedi'u hanghofio.

CWM BLEIDDIAID, Beddgelert, Sir Gaernarfon

SH 570 479   1901   *Cwm Bleiddiaid* [389]

Cwm crog yn uchel i fyny ar dalcen gogleddol Moel Hebog, milltir helaeth i'r gorllewin o bentref Beddgelert. Ei ragoriaeth fel cynefin i fleiddiaid fyddai'r gwelediad clir am bellter o gwmpas, craig hir y Diffwys yn ei fargodi rhag ymosodiad sydyn gan helwyr o'r copa, a dŵr rhedegog o afon Glochig sydd â'i tharddell yno. Dim rhyfedd i ddynion cyntefig fanteisio ar y safle; mae dau glwstwr o'u cytiau i'w gweld yno. Byddai rhywun yn hoffi gwybod llawer mwy am y lle. Beth, tybed, oedd yr hanes tu ôl i'r enw, Bwlch y Ci, ym mhen gogleddol craig y Diffwys? A fu unwaith chwedl am helgi yn sleifio i lawr drwyddo i ymosod ar y bleiddiaid?

Beth, tybed, oedd yr hanes tu ôl i'r enw, Bwlch y Ci?

CWM BLEIDDIAID, Llan-crwys, Sir Gaerfyrddin

SN 645 452   1913   *Melin Cwn* [sic] *Bleiddiaid* [390]

Ar lan afon Twrch, milltir a rhagor i'r gogledd o'r A482 rhwng

387 THSC 1911–2, 46
388 IRW, 113; (JWP)
389 OS6² Caern XXVII NE
390 RCAM 5, 208

Llanbedr Pont Steffan a Phumsaint, mae eglwys wledig Llan-crwys. Mewn fforch yn y ffordd i'r de oddi yno mae tŷ helaeth a fu gynt yn gartref i'r offeiriad. Yn ôl un adroddiad roedd melin y tu ôl i dŷ'r offeiriad a elwid yn Melin Cwn Bleiddiaid, sy'n cael ei gyfieithu i'r Saesneg fel Wolfhounds Mill. Gan mai bleiddgwn yw'r term arferol am gŵn bleiddiaid mae'n haws credu mai Cwm Bleiddiaid oedd enw'r hen felin ac mai dyna enw'r cwm lle saif yr eglwys, neu'n fwy tebygol y cwm bychan sydd â'i flaen ger ffermdy Blaen-nant a'i enau fymryn yn is i lawr na thŷ'r offeiriad.

CWM Y BLEIDDIAID, Nant Gwynant, Sir Gaernarfon

> SH 613 511 1901 *Cwm y Bleiddiaid* [391]

O'r A498, milltir i'r gogledd-ddwyrain o Feddgelert, gellir gweld afon y Cwm yn llifo i lawr llethrau'r Aran i ymuno ag afon Glaslyn ger hen amddiffynfa adnabyddus Dinas Emrys. Mae lle i gredu mai afon Cwm y Bleiddiaid oedd ei henw gwreiddiol gan mai Cwm y Bleiddiaid yw enw'r cwm y mae prif gainc blaen yr afon yn rhedeg drwyddo. O ystyried mai ger Llyn Dinas gerllaw y lleolwyd chwedl y Crythor Du, efallai fod a wnelo Cwm y Bleiddiaid â'r gnud a rewodd i farwolaeth wrth wrando ar fiwsig ei alawon; gweler tudalen 159.

Efallai fod a wnelo Cwm y Bleiddiaid â'r gnud a rewodd i farwolaeth.

CWM BLEIDDIAU, Felindre, Sir Faesyfed

> SO 138 825 1891 *Cwm Blethan* [392]
>
>   1970 *Cwm Blethau Dingle* [393]
>
>   2004 *Cwm Bledde* [394]

Hafn neu geunant ddau led cae i'r dwyrain o ffermdy Cwm Gwyn Hall a dwy filltir i fyny afon Tefeidiad o bentref Felindre. Yn ôl y perchennog mae llwynogod yn parhau i lechu yn y creigiau yno.

391 OS6² Caern XXII SW
392 OS6¹ Rad IV NE
393 *Arch. Powys*, R/D/WI/7/1
394 (JS)

CWM Y BLEIDDIAU, Aber-arth, Ceredigion

SN 486 626   1703   *Cwm y bleidde* [395]

Tŷ neu dyddyn ym mhlwyf Llanddewi Aber-arth y mae ei enw wedi mynd yn angof bellach. Gan fod afon Arth yn llifo drwy geunant coediog rhwng pentrefi Pennant ac Aber-arth, mae'n bosibl mai enw un o gymoedd ei rhagnentydd dyfnion oedd Cwm y Bleiddiau. Mae'r cwm mwyaf addawol, sydd eto'n goediog, gyferbyn â fferm Esgair-arth. Mae'r nant sy'n rhedeg drwyddo'n tarddu rhwng ffermydd Blaen-waun a Bryn-peithyll, yn llifo led cae o Flaen-*cwm* gan ymuno ag afon Arth yn ymyl adfeilion Felin-*gwm*. Tybed ai Blaen-cwmbleiddiau a Melin-cwmbleiddiau oedd ffurfiau gwreiddiol y mannau hynny?

CYNFLEIDD? [CUN BLEID], Ynys Echni, Sir Forgannwg

ST 205 656   *c.* 1200   *Cun bleid* [396]

Dwy graig yn brigo o'r môr, cwta filltir i'r gogledd-orllewin o Ynys Echni a milltir a hanner i'r de-ddwyrain o Drwyn Larnog ar arfordir Sir Forgannwg. Am y chwedl gysylltiedig gweler tudalen 142.

DÔL Y BLAIDD, Wrecsam, Sir Ddinbych

SJ 32 50   1484   *Dole y Blayth* [397]

Dau ddarn o dir yn y triongl rhwng yr A483, yr A525 a'r A541 ar gyrion gorllewinol Wrecsam, rhwng afon Gwenfro a Groesnewydd Hall.

DÔL Y BLEIDDIAU, Wrecsam, Sir Ddinbych

SJ 389 490   1657   *Dole y Bleiddie* [398]

Mewn hen weithred ddyddiedig 1657 mae cyfeiriad at dir a elwir yn Ddôl y Bleiddiau yn nhreddegwm Dutton i'r dwyrain o dref Wrecsam. Nid oes sicrwydd am ei union leoliad os nad yw'n cyfateb i'r ddau

395 CDD¹, 35
396 VSBG, 92
397 CMRW, 697
398 *Wynnstay*, blwch W, rhif 15

gae 'Dol Blythin' a 'Little Dole Blythin' yn nhreddegwm Dutton Diffaith a enwir ar y map degwm.[399] Mae'r caeau hynny rhwng Stad Ddiwydiannol Wrecsam a glan afon Clywedog.

DÔL Y BLEIDDIOR, Dyffryn Conwy, Sir Gaernarfon

SH 77 69   1450[c]   *Dole y Blaytheor* [400]

Un o hen ffurfiau lluosog blaidd yw bleiddiawr neu bleiddior, felly byddai Dôl y Bleiddior yn golygu dôl y bleiddiaid. Nid oes sicrwydd o'i hunion leoliad ond ei bod rywle ar ochr orllewinol afon Conwy rhwng Trefriw a'r môr. Fel arfer, tir gwastad mewn tro neu ddolen mewn afon yw dôl, felly byddai rhywun yn disgwyl gweld Dôl y Bleiddior ar lan afon Conwy neu un o'r afonydd llai sy'n llifo iddi.

Hen ffurfiau lluosog blaidd yw bleiddiawr neu bleiddior.

DÔL BLEIDDYN, Llanrug, Sir Gaernarfon

SH 53 63   1607   *Kae Dôlblethyn als*
                                                 Dolebleddyn [401]
                              1786   *Cae Dôlbleythin/*
                                                 Dolbleuddyn [402]

Nid oes sicrwydd am union leoliad y cae hwn mwy na'i fod o fewn terfynau plwyf Llanrug rhwng Caernarfon a Llanberis. Gan fod dolydd i'w cael gyda glannau afonydd fel arfer, mae'n debyg ei fod rywle ar fin afonydd Saint neu Rhythallt ar derfyn gogleddol y plwyf.

DÔL WLFF, Alltyblaca, Ceredigion

SN 522 448   1676   *Dolewolfe* [403]

Ffermdy sy'n sefyll mewn dolen gref yn afon Teifi, i'r chwith o'r B4337 rhwng Llanwnnen a Llanybydder. Yn yr oesau cynnar byddai'r tir o

---

399 MD Gresffordd, Dutton Diffaith, rhif 42-3
400 TCHSG 26, 37
401 *Penrhyn*, rhif 302
402 *Roger Lloyd* II, rhifau 185–6
403 *Ewyllys* SD 1676/122

fewn y ddolen wedi'i ynysu bron yn llwyr gan ddŵr a chorstir, ac fel Cil-y-blaidd yr ochr draw i'r afon, yn lloches ddelfrydol i'r blaidd.[404]

ERW BLEIDDIAID, Beulah, Sir Frycheiniog

SN 930 545   1840   *Erw Bleiddied* [405]

Arferai Erw Bleiddiaid fod yn enw ar y cae cyntaf i'r de-ddwyrain o ffermdy Llwyngwnfel, rhyw filltir a hanner i'r gogledd o Beulah, pentref ar fin yr A483 rhwng Llanwrtyd a Llanfair-ym-Muallt. Mae'n werth sylwi bod Llwyngwnfel yn ffinio â'r mynydd-dir eang sy'n ymestyn tua'r gorllewin ymhell y tu hwnt i afon Tywi. Nid dibwys y ffaith fod Nant y Fleiddast yng Nghwm Tywi, Camau'r Bleiddiaid yng Nghwm Irfon, ac Erw'r Bleiddiaid wedi'u lleoli ar linell fwy neu lai unionsyth o'r gorllewin i'r dwyrain.

FAENOR *gw.* MAENOR BLAIDD

FFOS Y BLEIDDIAID, Abergele, Sir Ddinbych

SH 935 769   1784   *Ffôs y Bleiddiaid* [406]

Daeardor neu hollt naturiol mewn craig ar ysgwydd ogleddol bryn coediog Castell Cawr, cwta filltir i'r de-orllewin o ganol tref Abergele. Ar ddechrau'r ganrif ddiwethaf dywedwyd ei fod yn drichan llath o hyd, yn ddwy droedfedd ar hugain o ddyfnder, a'i led yn amrywio o ddeg i bymtheg troedfedd. Erbyn heddiw mae wedi ei gau'n rhannol â phridd a thyfiant fel nad oes modd ei weld yn ei holl ogoniant. Mae llwybr igam-ogam i fyny ato o'r ffordd gul sy'n cysylltu'r A547 a'r A548, a phompren yn ei groesi yn y man uchaf. Efallai mai o'r bompren honno y ceir yr olwg orau o'r Ffos, ond mae gofyn bod yn ofalus wrth ddringo'r grisiau cerrig di-ganllaw i gyrraedd ati.

Dim modd ei weld yn ei holl ogoniant.

404 HCH², 96-7
405 MD Llanafan Fawr, rhif 151
406 TW 2, 349

Er ei bod ar fin y dref mae'n hynod o anhygyrch ac ni fyddai ryfedd yn y byd i'r lle fod yn loches bleiddiaid ar un adeg.[407]

FFOS Y BLEIDDIAID, plwyf Llanllwchaearn, Ceredigion

SN 38 59   1927   *Ffosybleidded* [408]

Dywed George Eyre Evans, gŵr oedd yn adnabod Ceredigion yn dda, fod lle a elwid yn Ffos y Bleiddiaid ym mhlwyf Llanllwchaearn ger y Ceinewydd. Yn anffodus does yr un cyfeiriad arall ato a methwyd â dod o hyd i neb yn yr ardal a glywodd sôn amdano.

Bleiddiaid yn fwy cydnaws â'u statws na bileiniaid.

FFOS Y BLEIDDIAID, Swyddffynnon, Ceredigion

SN 688 670   1285   *Fossam Bileyneyt* [409]

1593   *Ffos y Bleiddiau* [410]

1648   *Fose-y-blined* [411]

Ffermdy hynafol hanner milltir i'r gogledd-orllewin o Swyddffynnon ar gwr y Gors Goch neu Gors Caron. Er y byddai ehangder diffaith y gors wedi rhoi lloches neilltuol i fleiddiaid yn ogystal â llawnder o anifeiliaid prae, mae'r cyfeiriadau cynharaf at yr enw yn awgrymu mai Ffos y Bileiniaid, sef gwŷr caeth, oedd y ffurf wreiddiol. Fodd bynnag, erbyn yr unfed ganrif ar bymtheg roedd y plas a safai yno yn eiddo i deulu'r Llwydiaid ac yn cael ei adnabod wrth yr enw Ffos-y-bleiddiau. Dilynodd amryw o'r Llwydiaid yrfa filwrol ac efallai fod bleiddiaid yn fwy cydnaws â'u statws na bileiniaid. Yn ddiweddarach gwisgent dri phen blaidd ar eu harfbais, a'r awgrym yw iddynt wneud hynny am mai un o'u hynafiaid a laddodd y blaidd olaf yng Nghymru yn ystod teyrnasiad naill ai Elisabeth I neu Iago I. Yn ôl fersiwn arall o'r traddodiad fe laddwyd dau flaidd yno yr un pryd.[412]

Lladdwyd dau flaidd yno yr un pryd.

407 RCAM 4, 6 ac adroddiad diwygiedig 1959
408 TCAS 21, 48
409 PNC 2, 831
410 HV 1, 36
411 CDD², 73
412 MHAM, 33; HCH², 115–7; LBB, 131; (JWE); (ROJ)

FFYNNON Y BLAIDD, Aberdâr, Sir Forgannwg

SN 991 057   1885   *Ffynnon y Blaidd* [413]

Ffynnon ar gwr gogleddol tref Aberdâr o fewn y triongl a ffurfir gan dair ffordd sef yr A465, yr A4059, a'r B4276. Mae i'w gweld yn y coed ar lan ddeheuol Nant y Gwyddel ychydig uwchlaw'r pwynt ble mae'r nant o Gwm Cae'r Odyn yn llifo iddi.

Penglogau bleiddiaid mewn hen ffynnon.

Mae'n werth ystyried a gafodd y ffynnon hon ei henw am fod ei dŵr yn llesol at y math o grach ar y croen a elwid yn glefyd y blaidd. Gweler hefyd y cyfeiriad at ddarganfod penglogau bleiddiaid mewn hen ffynnon dan y pennawd nesaf, Ffynnon y Fleiddast.

FFYNNON Y FLEIDDAST, Pont-tyweli, Sir Gaerfyrddin

SN 411 388   1899   *Ffynnon Floiddast* [414]

Can mlynedd a mwy yn ôl roedd Ffynnon y Fleiddast i'w gweld ar gwr uchaf tir Cwmtywyll yn ymyl y ffordd at fferm Pantyporthmon, prin filltir i'r de o bentref Pont-tyweli. Er bod yno lecyn gwlyb o hyd, mae pob cof am y ffynnon ei hun wedi diflannu bellach. Efallai mai'r rheswm am hynny oedd i dref Llandysul gael ei chyflenwad o ddŵr glân oddi yno ar un adeg ac i'r ffynnon gael ei dinistrio yn y broses. [415]

Canu'r corn i alw'r gweithwyr i ginio.

Bydd yn werth cyfeirio at ddau hen esboniad lleol o'r enw Bloiddast. Credai rhai mai'r ffurf wreiddiol oedd Bloeddwest ac mai yno y cenid y corn i alw gweithwyr Cwmtywyll o'r caeau i ginio, tra bod eraill yn cysylltu'r ffynnon ag ofergoel yn ymwneud â bleiddiaid. Yn y cyswllt hwn mae'n werth sylwi bod nifer o benglogau bleiddiaid wedi'u darganfod mewn hen ffynnon ganoloesol yng nghastell Pevensey ger Eastbourne yn ne Lloegr yn 1851. [416]

---

413 OS6[i] Glam XI NW
414 HPLlPh, 33, 153
415 (DD)
416 BAE, 119

FFYNNON Y WLFF, Llanarmon-yn-Iâl, Sir Ddinbych

    SJ 187 583   1577   *Gwaun ffynnon yr wlff* [417]

                     1876   *Gwaen-y-ffynnon* [418]

Gellir bod yn weddol hyderus mai'r un lle oedd Gwaun Ffynnon y Wlff â Gwaun-y-ffynnon, ffermdy led cae i'r dwyrain o afon Alun, rhyw filltir a chwarter i'r gogledd o Lanarmon-yn-Iâl. Newidiwyd enw'r lle i Valley Lodge, cartref henoed, ac aeth y tir i ganlyn fferm gyfagos. Mae gweddillion hen ffynnon i'w gweld ar un o'r caeau ond nid oes dim byd nodedig yn ei chylch nac unrhyw draddodiad amdani wedi goroesi.

GAFAEL Y BLAIDD, Llangollen, Sir Ddinbych

    SJ 242 415   1571   *gavell y blayth* [419]

Darn o dir yn nhreddegwm Llangollen Fechan, sef y rhan o'r plwyf i'r dwyrain o'r dref ac i'r de o afon Dyfrdwy. Mae'n weddol sicr mai'r un lle oedd 'Tir blaidd', cae pedair erw sydd wedi'i nodi ar y map degwm,[420] yr un sy'n union i'r gogledd o ffermdy Abercregan ac i'r gorllewin o Nant Cregan.

    Soniwyd eisoes am ddarn o dir a elwid yn Gafael Rhirid Flaidd yng Nghroesoswallt. Gan fod Llangollen yn nhiriogaeth Powys, gwlad Rhirid, fyddai ryfedd yn y byd iddo ddal tir yno hefyd ac mai ef oedd piau Gafael y Blaidd.

GAFAEL Y BLAIDD, Glyn Ceiriog, Sir Ddinbych

    SJ 20 38   1393   *Gavella y Blaith* [421]

                 1571   *gavell y blayth* [422]

Darnau o dir yn nhreddegwm Glynfechan ym mhlwyf Llansanffraid

Cadw cof am Rhirid Flaidd.

417 RCA, 381–2

418 OS6¹ Denb XX NW

419 *Chirk Castle*, rhif 12911

420 MD Llangollen Fechan, rhif 60

421 EOC, 58

422 *Chirk Castle*, rhif 12911

Glynceiriog. Ni ellir eu lleoli'n fanylach na nodi eu bod rywle yng nghyffiniau pentref Glyn Ceiriog. Gallai'r 'Gafael' hwn, fel Gafael y Blaidd ger Llangollen, fod yn cadw cof am Rhirid Flaidd.

GALLT Y BLAIDD, Llangyndeyrn, Sir Gaerfyrddin
SN 449 135   1846   *Cae Allt y blaidd*
                                a Callt y blaidd [423]
Dau gae, y naill yn ddwy erw a'r llall yn bump, rhwng afon Gwendraeth Fach a'r ffordd o Langyndeyrn i Bontantwn gyferbyn â'r fynedfa i ffermdy Pencelli. Mae gweddillion coed yr allt yno o hyd, ond ceir gwell golwg arnynt o'r ffordd gul yr ochr draw i'r afon.

GARDD BLEIDDYN
    gw. CAE BLEIDDYN, Tremeirchion, Sir y Fflint

GARTH BLEIDDYN, Dolgellau, Sir Feirionnydd
SH 741 193   1548   *Garth Bleddyn* [424]
                   1843   *Garth bleuddyn* [425]
Ffermdy ar ochr dde y ffordd o Ddolgellau i Lanfachreth, milltir helaeth tua'r gogledd-ddwyrain o'r dref. Er mai Garth Bleddyn yw'r ffurf a welir yn ddieithriad yng ngweithredoedd yr unfed a'r ail ganrif ar bymtheg, Garth Bleuddyn sydd ar y map degwm.

GOGO BLAIDD/BLEIDDIAU
    gw. OGO'R BLAIDD/BLEIDDIAU

GRASSY WOLFS *gw.* WOLFS PARK

GROFFT *gw.* CROFFT

---

423 MD Llangyndeyrn, rhifau 3834 a 3836
424 *Nannau*, rhif 872
425 MD Llanelltud, rhif 29

GWAUN *gw.* WAUN

GWEIRGLODD Y BLAIDD

　　Llansanffraid-ym-Mechain, Sir Drefaldwyn

　　SJ 22 23　　　　　1611　　　*Gweirglodd y Blaidd* [426]

Darn o dir nad oes modd ei leoli'n fanylach na'i fod yn nhreddegwm
Llannerch-Emrys yng nghongl eithaf gogledd-ddwyrain Sir
Drefaldwyn rhwng afon Tanad a'r ffin â Lloegr.

GWEIRGLODD Y WLFF, Tal-y-bont, Bangor, Sir Gaernarfon

　　SH 61 71　　　　　1789　　　*Gweirglodd yr Wlff* [427]

Gant a hanner o flynyddoedd yn ôl roedd fferm wyth erw ar hugain a
elwid yn Dyddyn Ceiliog hanner milltir i'r de-ddwyrain o aber afon
Ogwen ger castell Penrhyn. Enw un o gaeau Tyddyn Ceiliog oedd
Gweirglodd y Wlff ond newidiwyd terfynau'r meysydd mor llwyr ers
hynny fel nad oes modd dyfalu ei union leoliad. [428]

GWERN Y BLAIDD, Llanrhaeadr-ym-Mochnant, Sir Ddinbych

　　SJ 163 281　　　　1844　　　*Gwern y bladd* [429]

Hen enw cae tri chornel oddeutu hanner ffordd rhwng ffermydd
Pentre-poeth ac Oddiar-y-llyn, rhyw dair milltir i'r gogledd-ddwyrain
o Lanrhaeadr-ym-Mochnant. Mae bellach yn rhan o gae mwy.

GWERN BLEIDDIAU, Llanystumdwy, Sir Gaernarfon

　　SH 46 40　　　　　1198　　　*Gwernbleidieu* [430]

Yn y flwyddyn 1198 rhoddodd Llywelyn Fawr diroedd yn ardal
Llanystumdwy yn rhodd i Abaty Aberconwy. Yn y siarter sy'n nodi'r

*Rhodd i Abaty
Aberconwy gan
Llywelyn Fawr.*

426　*Peniarth*, 35, NB 136
427　*Penrhyn*, rhif 1090
428　MD Llanllechid, rhif 11
429　MD Llansilin, Lloran, rhif 213
430　TCHSG 19, 26

terfynau mae sôn am Gwern Bleiddiau. Mae'n ymddangos nad yw'r enw'n adnabyddus yn yr ardal bellach ond efallai ei fod rywle ar y gefnen rhwng ffermydd Rhosgyll-fawr a Thalbont-hen lle mae llawer o'r ddaear yn parhau i fod yn wlyb a choediog.

GWERN BLEIDDIAU, Pontneddfechan, Sir Frycheiniog

  SN 908 094   1832   *Gwern blydde* [431]

Traddodiad am ladd y blaidd olaf yn gryf ar lafar.

Ffermdy rhyw filltir i'r gogledd o bentref Pontneddfechan, i'r chwith o'r ffordd sy'n arwain at Ystradfellte. Yn nodweddiadol o dir carreg galch, mae yn yr ardal niferoedd o ogofâu a cheudyllau yn ogystal â pheth coetir cynhenid a chorstir a fyddai wedi cynnig cynefin i fleiddiaid, ond yn rhyfedd iawn dyma'r unig lecyn ar Fannau Brycheiniog â'i enw'n cadw'r cof am y blaidd.

  Mae'r traddodiad am ladd blaidd olaf y gymdogaeth ar dir Gwern Bleiddiau yn gryf ar lafar yn yr ardal ac wedi ymddangos mewn mwy nag un llyfr. Er hynny, prin iawn yw'r manylion ond credir iddo gael ei ladd mewn llwyn o gelyn a arferai fod uwchlaw'r ffermdy. Dim ond tair celynnen sydd ar ôl ohono bellach, a'r rheini ar chwâl, felly rhaid ei fod yn llwyn o gryn faintioli ar un adeg.[432]

GWERN BLEIDDYN, Rhewl, Rhuthun, Sir Ddinbych

  SJ 106 618   1719   *Gwern Blethin* [433]

            1841   *Gwernydd Bleuddyn* [434]

Ymhell bell yn ôl, yn oes yr arth a'r blaidd, rhaid bod y trwyn main o dir rhwng afonydd Clwyd a Chlywedog i'r gogledd-orllewin o Ruthun bron wedi'i amgylchynu â dŵr, fel mae enw'r eglwys, Llanynys, a godwyd yno'n ddiweddarach yn awgrymu. Roedd y tir o gwmpas yr eglwys yn ffrwythlon ac aeth pobl ati i'w drin gan adael y mannau

---

431 OSOS 6, 84

432 (WJ); (GDA); LBB, 131; PBB, 148

433 *Wynnstay*, rhif 29

434 MD Llanynys, rhif 835

gwlypaf i dyfu'n wyllt. Efallai i ambell fleiddyn gymryd at un o'r llecynnau hynny ac mai dyna arwyddocâd cae Gwern Bleiddyn ar dir Tyddyn-isaf rhwng Plasyresgob a Phlas Llanynys.

GWERN BLEIDDYN, Trelogan, Sir y Fflint
     SJ 136 803   1863   *Gwern Bleuddyn* [435]

Yng nghân y moch duon a oedd yn boblogaidd ar ddechrau'r bedwaredd ganrif ar bymtheg mae'r llinellau a ganlyn:

> Hwy aen' fel bleiddiad tua Gwern Bleuddyn,
> Weithiau ar fistiff tua Thre Fostyn;
> Adwaenant hwy bob math o goetia
> O Fynydd Acstyn i'r Plas Uchaf.

Cyfeirir hefyd at yr afon Goch a Phentreffynnon, sy'n lleoli'r hanes yn ardal Trelogan ar y ffin rhwng plwyfi Llanasa a Chwitffordd. Yn anffodus collwyd yr enw Gwern Bleiddyn erbyn hyn, ond o sylwi ar leoliad y pum lle arall a enwir, gellir bod yn weddol ffyddiog mai dyna oedd enw gwreiddiol fferm y Wern gerllaw, tŷ crefydd erbyn hyn.

GWERN WLFF, Chwitffordd, Sir y Fflint
     SJ 14 79   1502   *Gwern Ulf*
                     1505   *Gweryn Vlf* [436]

Dywedir bod Gwern Wlff o fewn terfynau'r Garn, treddegwm i'r gogledd o eglwys Chwitffordd ac i'r gorllewin o Drefednowain (Downing). Go brin mai'r un lle â Gwern Bleiddyn ydyw, os yw hwnnw i'w uniaethu â ffermdy'r Wern ger y ffin â phlwyf Llanasa.

GWERN- *gw. hefyd* WERN-

435 BRYTH 5, 470
436 *Mostyn, B*, rhifau B 3031 a B 3033

GWERNYDD BLEIDDYN
    gw. GWERN BLEIDDYN, Rhewl, Rhuthun, Sir Ddinbych

HAFOD Y BLEIDDIAU, Cynwyd, Sir Feirionnydd
    SJ 058 413   1743   *Havod y blithie/*
                                  Havod Blethin [437]
                      1838   *Hafod bleuddyn* [438]

Mae Hafod yn enw ar nifer o ffermydd ar lawr gwlad Edeyrnion.

Ffermdy ar gwr gogleddol pentref Cynwyd i'r dde o'r B4401 am Gorwen. Rhaid bod yn ddwy ffurf Hafod y Bleiddiau a Hafod Bleddyn yn bodoli yn ystod y ddeunawfed ganrif, ond Hafod Bleiddyn sydd wedi goroesi a Hafod Blyddyn yw'r ynganiad lleol.

Fel arfer bydd rhywun yn cysylltu hafodydd â mynydd-dir, ond mae hafod yn enw ar nifer o ffermydd ar lawr gwlad Edeyrnion, megis Hafod-y-calch, Hafod-yr-afr, Hafod-yr-arth. Rhaid cofio y byddai'r dolydd oddeutu'r afon wedi bod yn gorsiog iawn ganrifoedd yn ôl cyn iddynt gael eu draenio, a diben codi hafodydd yno oedd i'w pori pan fyddent ar eu sychaf yn ystod misoedd yr haf. Mae ambell ddarn corsiog i'w weld yno o hyd a cheir hanesyn lleol am o leiaf un ffermdy yn cael ei ailgodi ar dir uwch am fod yr un gwreiddiol wedi'i sgubo i ffwrdd gan lif. Byddai cynefin felly wrth odre Berwyn wedi bod wrth fodd bleiddiaid, a'r bugeiliaid oedd yno'n gwarchod eu gwartheg a'u lloi yn ymwybodol iawn o'r llecynnau ble byddent yn llechu.

LITTLE WOLFS *gw.* WOLFS PARK

LLAIN BLAIDD, Felin-wen, Abergwili, Sir Gaerfyrddin
    SN 466 224   1838   *Llain blaudd* [439]
Cae bychan, rhyw erw o ran maint, ar ochr dde'r rhiw o'r Felin-wen i'r Capel Gwyn, yn y troad cyn cyrraedd y croesffyrdd o flaen y capel.

---

437 CMQS, 21
438 MD Gwyddelwern, rhifau 1595-1607
439 MD Abergwili, rhif 1521

LLANNERCH Y BLEIDDIAU, Cwm Gwaun, Sir Benfro

SN 057 355   1524   *Llannerch y blythe* [440]

Hyd yn oed heddiw byddai aml i fan yng Nghwm Gwaun yn gallu cynnig cynefin addas i flaidd, megis y llechweddau serth o goed derw a'r tir corsiog diffaith o boptu'r afon, a phum cant i fil o flynyddoedd yn ôl fe fyddai wedi bod yn llawer mwy felly. Ar ochr ogleddol y cwm wrth odre mynydd Carn Ingli mae llecyn sy'n dra gwahanol i'r gweddill, yn deg a ffrwythlon. Dyna safle fferm bresennol Llannerch, neu Llannerch y Bleiddiau i roi iddi ei henw llawn. [441]

Mannau ymgynnull i'r bleiddiaid.

Gwelwyd eisoes y byddai gan fleiddiaid, a hwythau'n greaduriaid cymdeithasol, eu mannau ymgynnull, ac efallai mai dyna arwyddocâd y llannerch hwn yng Nghwm Gwaun.

LLANNERCH BLEIDDIAU, Eryrys, Sir Ddinbych

SJ 195 584   1391   *Llannerch Blethie* [442]

Y cyfan a wyddys i sicrwydd am y llecyn hwn yw ei fod rywle yn hen gwmwd Iâl, sef plwyfi Llanferres, Llanarmon, Llandegla, Bryneglwys a Llandysilio. Chwe chan mlynedd yn ôl roedd dwy fan yn Iâl lle byddai'r awdurdodau'n codi toll ar yr anifeiliaid a gâi'u gyrru drwy'r cwmwd i ffeiriau Rhuthun a Rhuddlan. Y naill oedd Bwlch Rhiwfelen rhwng Moel y Faen a Chyrn y Brain, ond nid yw mor rhwydd lleoli'r llall, sef Llannerch Bleiddiau. Yr unig le y gellid ei awgrymu yw safle fferm Llannerch, hanner milltir dda i'r gogledd-orllewin o bentref Eryrys. O'i blaid gellir nodi ei fod yn agos i ffordd gymharol unionsyth o gyffiniau Treuddyn yn Sir y Fflint, heibio Eryrys ac ymlaen drwy Fwlch y Parc ar yr A494 i Ddyffryn Clwyd. Mae traddodiad lleol yn dweud mai ar hyd y ffordd honno y byddai anifeiliaid yn cael eu gyrru ar un adeg, ac mae enwau fel Craig Wlff a Ffynnon Wlff yn awgrymu bod bleiddiaid i'w cael yn yr ardal ar un adeg.

Awdurdodau'n codi toll ar anifeiliaid.

440 *Bronwydd*, rhif 1202
441 HHP, 146
442 TCHSDd 53, 33

LLANNERCH Y BLEIDDIAU, Pennal, Sir Feirionnydd

SN 671 995   1592   *Llannerch y Blyddye* [443]

Lle i'w osgoi wedi nos, yn ôl y goel.

Saif adfeilion ffermdy Llannerch y Bleiddiau ryw filltir go dda i'r de-orllewin o'r Cwrt, Pennal, ac i'r chwith o'r ffordd sy'n rhedeg oddi yno drwy Gwm Maethlon i Dywyn. Mae cyfeiriadau at y lle yn ymestyn yn ôl dros bedwar can mlynedd ond erbyn heddiw mae'n rhan o fferm gyfagos Cae-ceinach. Er bod rhyw syniad yn yr ardal ei fod yn lle i'w osgoi wedi nos, nid oes unrhyw chwedl yn ei gysylltu â bleiddiaid.[444]

LLETY'R BLAIDD, Felin-fach, Ceredigion

SN 52 54   1841   *Lletyr blaidd* [445]

Tŷ a oedd yn gartref i weithiwr amaethyddol a'i wraig yn 1841, y ddau yn eu saithdegau. Enw'r tŷ agosaf oedd Tŷ-bach-y-blaidd, lle roedd dwy ferch yn eu hugeiniau yn byw. Diflannodd pob cof am y ddau le erbyn hyn, ond a barnu yn ôl eu lleoliad yng nghofnodion y Cyfrifiad, safent rhwng ffermydd presennol Graigwen a Chwmllydan ar y ffordd gefn o Ystradaeron i Gribyn.

LLWYN BLEIDDYN, Rachub, Bethesda, Sir Gaernarfon

SH 622 681   1840   *Llwyn Bleuddyn* [446]

Ganrif a hanner yn ôl, i'r dde o'r ffordd o bentref Rachub am Gilfodan, roedd cae helaeth a elwid yn Llwyn Bleiddyn. Yn ddiweddarach codwyd Bethel, capel y Bedyddwyr, a thai Tyddyn Canol a'r Ynys ar ran ohono a rhannwyd y gweddill yn gaeau llai. Er nad oes coed yn tyfu arno mae'n parhau'n dir garw, a chan fod dwy nant yn tarddu yno mae'n frwynog a thalpiau o gerrig mawrion yn ei gwr isaf. Mae'n bur debyg bod llawer mwy o gerrig yno ar un adeg, cyn iddynt gael eu casglu i godi'r waliau o gwmpas y mân gaeau.

---

443 PRO, LR2/236, 56a
444 (AR)
445 *Cyfrifiad* 1841: plwyf Llanfihangel Ystrad
446 MD Llanllechid, rhif 94

LLYN BLEDDYN, Penllyn *gw.* PWLL BLEIDDYN

LLYN BLEIDDIAID, Llangywer, Sir Feirionnydd
    SH 911 317   *c.* 1940   *Llyn Bleiddied* [447]
Ar y ffordd gefn, y B4403, o'r Bala i Lanuwchllyn, cyn cyrraedd eglwys
Llangywer, ceir troad i'r chwith ar hyd ffordd gul i fyny Glyn Gywer
i'r mynydd. Rhyw hanner milltir i fyny'r ffordd honno, islaw'r capel,
mae pont goncrid isel yn croesi afon y Glyn ar y dde. Islaw'r bont fe fu
pwll dwfn yn yr afon ar un adeg a elwid yn Llyn Bleiddiaid ond sydd
bellach wedi llenwi â graean.

Mae cyfeiriadau at Lannerch y Bleiddiau, Pennal, yn ymestyn yn ôl dros bedwar can mlynedd.

---

447 (GLE)

MAEN Y BLAIDD, Sir Benfro?

SN - - - - - -   1865   *Maen-y-Blaidd* [448]

Erbyn hyn fe ddiflannodd pob cof am y garreg hon. Dim ond un cyfeiriad sydd ati, mewn hanesyn am Einion y Coed yn lladd blaidd yn ei hymyl; gweler tudalen 158.

Gan mai gŵr o ardal Nanhyfer oedd Einion mae'n bosibl bod y garreg yn bod o hyd, yn un o'r cannoedd o feini hirion dienw sydd i'w cael yng ngogledd Sir Benfro.

MAENOR BLAIDD, Llawhaden, Sir Benfro

SN 098 175   14eg ganrif *Maynorbleyt* [449]

Mae lle i gredu mai Maenor Blaidd oedd enw gwreiddiol Y Faenor (Vaynor), filltir a hanner i'r dwyrain o bentref Llawhaden ar afon Cleddau Ddu.

MOEL FLEIDDIAU, Dolwyddelan, Sir Gaernarfon

SH 675 493   1891   *Moel Bleiddiau* [450]

                   1928   *Moel Fleiddiau* [451]

Llechwedd creigiog yn hytrach na mynydd, gan nad oes iddo gopa fel y cyfryw, mewn fforch ym mlaen afon Lledr yn agos i ddwy filltir i'r gorllewin o ben Bwlch Gorddinan ar yr A496 rhwng Blaenau Ffestiniog a Dolwyddelan.

Gan ei fod yn llecyn mor anghysbell a milltiroedd o dir diffaith o'i gwmpas byddai wedi bod yn encilfa atyniadol i fleiddiaid, ac mae'n sicr y byddent i'w gweld o bell yn chwarae yno ganrifoedd yn ôl.

---

448 AC 1865, 7
449 PNP, 421
450 OS6¹ Caern XXVIII NE
451 ELlSG², 14

NANT Y BLAIDD, Cynwyl Elfed, Sir Gaerfyrddin

    SN 368 303   1753   *Blaen Nant y Blaidd* [452]

                   1831   *Nant-y-blaidd* [453]

Cwyd Nant y Blaidd ger Capel Hermon yn y fforch rhwng yr A484 a'r B4333 gan lifo drwy geunant coediog am ryw filltir i ymuno ag afon Duad, ddwy filltir i'r gogledd o Gynwyl Elfed. O gofio y gall y gair 'bele' olygu blaidd, mae'n werth nodi bod afon Bele yn llifo i afon Duad hanner milltir yn uwch i fyny.

Gall y gair 'bele' olygu blaidd.

NANT Y BLAIDD, Llantrisant, Sir Forgannwg

    ST 04 83   *1856*   *Dai Nant-y-blaidd*

Ar 19 Ionawr 1856 claddwyd David Jenkin, gŵr 108 mlwydd oed o dref Llantrisant, Sir Forgannwg, ym mynwent yr eglwys leol. Yn ôl y papur newydd *Cambrian*, 1 Chwefror 1856, fe'i hadwaenid fel Dai Nant-y-blaidd ond does wybod ble roedd y Nant y Blaidd a gysylltid â'i enw, ai ym mhlwyf Llantrisant neu yn rhywle arall yng Nghymru. Y Nant y Blaidd agosaf y gwyddys amdani yw'r un yn Nhreorci yng Nghwm Rhondda.

Pa Nant-y-blaidd?

NANT Y BLAIDD, Llanwddyn, Sir Drefaldwyn

    SJ 05 20   1617   *Nant y Blaidd* [454]

Bedwar can mlynedd yn ôl, Nant y Blaidd oedd enw un o'r nentydd yn y trwyn main o blwyf Llanrhaeadr-ym-Mochnant sy'n ymestyn i'r de-orllewin bron at bentref Llanwddyn; ardal sydd dan blanhigfa o goed pîn bellach. Ni ellir mentro mwy nag awgrymu ei bod yn un o ragnentydd Marchnant, nant sy'n llifo i afon Efyrnwy islaw pentref Llanwddyn.

---

452 WP, 1753
453 OSOS 6, 68
454 *Wynnstay*, blwch 77, rhif 76

NANT Y BLAIDD, Trecelyn, Sir Fynwy

ST 395 945   1677   *Nant y Blaidd* [455]

Mae'r unig gyfeiriad a welwyd at y nant hon yn digwydd mewn disgrifiad o derfynau Maenor Cemais ar lan ddwyreiniol afon Wysg yn Sir Fynwy. Er na ellir bod yn bendant o bell ffordd, mae'n debyg mai Nant y Blaidd yw'r un sy'n codi ar y llechwedd a elwir yn 'Bertholau Graig' ar y mapiau ac sy'n llifo tua'r gorllewin i afon Wysg chwarter milltir islaw'r bont yn Nhrecelyn (Newbridge on Usk).

NANT Y BLAIDD, Treorci, Sir Forgannwg

SS 947 966   1844   *Craig Nant y Blaidd* [456]

Y Tyle Coch a'r blaidd olaf.

Cwyd y nant hon mewn planhigfa goed ar lethr y Tyle Coch sy'n wynebu Treorci, ac mae'n llifo i afon Rhondda tua'r un fan ag afon Orci o'r ochr arall.[457] Yn ôl traddodiad llafar lleol, ar y Tyle Coch y lladdwyd y blaidd olaf yn yr ardal.[458]

NANT BLEDDACH, Abergele, Sir Ddinbych

SH 949 744   1606   *Tythyn Nant Blethagh* [459]
                    1880   *Nant-y-bleddach* [460]

Arferai tyddyn Nant-y-bleddach sefyll ar fin y B5381, Betws-yn-Rhos i Lanelwy wrth odre gogleddol mynydd Moelfre Isaf, ddwy filltir i'r de o Abergele. Mae'n debyg mai'r nant a roddodd ei henw i'r lle yw un o geinciau blaen afon Gele sy'n llifo heibio'r safle tua'r gogledd-orllewin i geunant coediog.

'Bleddach' – ni ellir ond ymbalfalu am ei ystyr.

Mae bleddach yn air dyrys nad oes ei debyg wedi'i gofnodi yn y Gymraeg ac ni ellir ond ymbalfalu am ei ystyr. Fel arfer mae i –*ach* ar ddiwedd enw nant yr un ystyr â –*iog*. Os *blaidd* yw'r elfen gyntaf yn

---

455   HM 3, 179
456   MD Ystradyfodwg, rhifau 1345, 1350
457   CYM 23, 59
458   CFW, 32
459   *Kinmel*, rhif 175
460   OS6¹ Denb IV SE

Bleddach, efallai fod iddo'r un ystyr â Bleiddiog ger Nefyn, a'r Wern Fleiddiog, Hen Golwyn; hynny yw, man lle mae llawer o fleiddiaid. Y mae'n enw a fyddai'n gweddu i'r ceunant y mae'r nant dan sylw yn llifo drwyddo.

Moel Fleiddiau, Dolwyddelan, Sir Gaernarfon. Llechwedd creigiog mewn llecyn anghysbell.

NANT BLEIDDIAU?, Llanaelhaearn, Sir Gaernarfon

SH 39 45   1840   *Nant y bloeddias* [461]

Yn uchel i fyny ar y mynydd-dir, ddwy filltir dda i'r gogledd-ddwyrain o bentref Llanaelhaearn, roedd unwaith ddwy erw o dir a adwaenid fel rhandir, *allotment* 'Nant y bloeddias' (SH 420 465). Gan nad oes nant ar gyfyl y lle, rhaid bod y tir yn perthyn i fferm o'r enw hwnnw mewn rhan arall o'r plwyf.

Erbyn hyn mae'r enw'n ddieithr yn yr ardal, a chan mai un enghraifft yn unig sydd ar gael nid yw'n bosib gwneud na phen na

---

461 MD Llanaelhaearn, rhif 442

Tybed ai Nant y Bleiddiau oedd hen enw'r nant?

chynffon ohono. I nodi'r posibiliadau amlycaf, ai Nant y Fleiddast, Nant y Bloeddiau, neu Nant y Bleiddiau?

Fe gofir y chwedl am Aelhaearn druan yn cael ei larpio gan gnud o fleiddiaid wrth yr afon lle codwyd eglwys iddo'n ddiweddarach. Tybed ai Nant y Bleiddiau oedd hen enw'r nant sy'n codi ar lethr y Gurn Ddu uwchben fferm Penllechog ac yn llifo islaw eglwys Llanaelhaearn ar ei ffordd i'r môr yn Nhrefor?

NANT Y BLEIDDIAU, Gwalchmai, Ynys Môn

SH 382 784   1989   *Nant y Bleiddiau* [462]

Nant sy'n tarddu filltir i'r gogledd o bentref Gwalchmai cyn llifo am filltir arall tua'r gogledd-orllewin i ymuno ag afon Caradog tua milltir i'r de o eglwys hynafol Llandrygarn. Am gysylltiad y lle â bleiddiaid, gweler tudalen 66.

NANT Y BLEIDDYN, Llansannan, Sir Ddinbych

SH 937 645   1839   *Nant y blauddyn* [463]

Creu Fforest Archwedlog wedi cwymp Llywelyn.

Safai ffermdy gwreiddiol Nant y Bleiddyn, neu Nant Bleddyn fel y'i hadwaenir bellach, gyferbyn â Llys Aled, lle croesa Pont-y-nant afon Aled ryw filltir o'r pentref. Y tebyg yw mai'r nant sy'n codi ger ffermdy Pen-aled a llifo i afon Aled ger y bont oedd Nant y Bleiddyn. [464]

Ychydig i'r dwyrain rhwng Llansannan a Bylchau mae Nant y Fleiddast. Saith gan mlynedd yn ôl, yn dilyn cwymp Llywelyn y Llyw Olaf, fe grewyd Fforest Archwedlog rhwng Nant y Bleiddyn a Nant y Fleiddast i warchod helwriaeth, a cheirw yn fwyaf arbennig. Fyddai ryfedd yn y byd i fleiddiaid ddod i lechu mewn ceunentydd ar gyrion y fforest. [465]

---

462 AM, 92–3
463 MD Llansannan, rhif 1311
464 HHFLl, 26
465 TCHSDd 49, 18–9

NANT Y FLEIDDAST, Abergwesyn, Sir Frycheiniog

SN 810 546   *c.* 1700   *Nant y fleiddast* [466]

Nant sy'n llifo o gyfeiriad y dwyrain i afon Tywi, hanner milltir dda tu ucha'r bont dros yr afon ym mlaen cronfa ddŵr Brianne. Yn ôl traddodiad lleol ymhlith y bugeiliaid, lladdwyd y fleiddast olaf yn yr ardal ger Nant y Fleiddast.[467] Sonient hefyd am ogof yng Nghraig Nant y Fleiddast gerllaw'r nant, er nad oedd a wnelo'r fleiddast ddim â honno.[468] Erbyn heddiw mae planhigfa drwchus o goed yn cuddio'r nant a'r graig fel nad oes dim o ddiddordeb i'w weld yno bellach.

Gŵr a ymddiddorodd yn nhraddodiadau'r ardal a'u defnyddio fel sail i rai o'i straeon i blant oedd Lewis Davies o'r Cymer. Yn un o'i straeon mae'n sôn am hela hen fleiddast Ystrad-ffin, fferm yn is i lawr y cwm, a fu'n achos llawer o golledion yn y gymdogaeth. Os oedd sail traddodiad i'r hyn a ddywed, mygwyd y fleiddast honno o'i ffau ar fynydd Epynt a chafodd ei llarpio gan gŵn gorau Buallt.[469]

Straeon i blant gan Lewis Davies.

NANT Y FLEIDDAST, Bylchau, Sir Ddinbych

SH 956 620   1880   *Nant-y-Fleiddiast* [470]

Nant sy'n codi i'r gogledd o Lyn Brân ar Fynydd Hiraethog, yn croesi o dan yr A544 rhwng Llansannan a'r Bylchau, ac yn llifo i afon Deunant ger Tan-y-fron. Nant y Fleiddast oedd ffin ddwyreiniol Fforest Archwedlog a sefydlwyd ar ddiwedd y drydedd ganrif ar ddeg yn dilyn darostyngiad Cymru gan Edward I. Mae'n sicr y byddai gwarchodwyr ceirw'r fforest wedi bod yn wyliadwrus o symudiadau'r bleiddiaid yn yr ardal ac yn debycach o sylwi ble roedd bleiddeist yn magu. Fe fyddai digon o fannau addas i gloddio gwâl yn nhorlennydd Nant y Fleiddast.

Gwarchodwyr ceirw'r fforest yn wyliadwrus.

---

466 PQ 3, 50
467 (EM)
468 (JD)
469 BH, 45
470 OS6¹ Denb XII SE

NANT Y FLEIDDAST, Cwm Elan, Sir Faesyfed

    SN 848 723   1891   *Nant Bloeddiast* [471]

Nant sydd â'i tharddiad ar fynydd-dir Elenid, blaen afon Elan, ac yn llifo tua'r gogledd i afon Gwngu lai na milltir islaw Llyn Gwngu. Gan fod Nant y Fleiddast arall yn cael ei henwi mewn man gwahanol ar yr un mynydd-dir yn un o siarteri cynnar Abaty Ystrad-fflur, mae'n bosibl i rywun yn y gorffennol gamosod y nant honno fel un o ragnentydd afon Gwngu, fel y digwyddodd mewn mannau eraill. Wedi dweud hynny, mae'r ffurf 'Bloeddiast' sydd ar y mapiau yn awgrymu i'r enw gael ei godi oddi ar lafar y bugeiliaid lleol a'i fod yn ddilys felly.

Cynefin na newidiodd ddim ers oes y bleiddiaid.

Er bod helaethrwydd o gorstir diffaith oddeutu'r nant hon mae ei blaen mewn man cymharol gysgodol a'i glannau'n sych a charegog – llecyn digon dymunol i fleiddast fagu ei phothanod. Bai mwyaf y safle yw ei fod cryn bellter o gymoedd llawr gwlad gyda'u cyflenwad o fân anifeiliaid prae.

Dyma'n sicr gynefin na newidiodd ddim ers oes y bleiddiaid.

NANT Y FLEIDDAST, Chwitffordd, Sir y Fflint

    SJ 14 78   1388   *Nant y vleiddast* [472]

Digwydd yr unig gyfeiriad at y nant hon mewn gweithred tir dros chwe chan mlynedd yn ôl. Nid oes yno ddim i awgrymu ble roedd ei chwrs, mwy na'i fod rywle o fewn terfynau plwyf Chwitffordd.

NANT Y FLEIDDAST, Rhaeadr Gwy, Sir Faesyfed

    SN 934 713   1285   *nant hi wleidast* [473]

Nant y Sarn yw enw presennol nant fechan sy'n llifo rhwng clogwyni Cerrig Gwalch a Llofftyddgleision i afon Gwy, ddwy filltir i'r gogledd-orllewin o Raeadr Gwy. Fodd bynnag mae siarteri cynnar Abaty

Siarteri cynnar Abaty Ystrad-fflur.

---

471 OS6¹ Rad XIII NE
472 *Mostyn*, B, 3124
473 CVCR, 299

Ystrad-fflur yn profi mai Nant y Fleiddast oedd ei henw bryd hynny. Am ragor o sylwadau gweler tudalen 32.

NANT RHIRID FLAIDD, Cerrigydrudion, Sir Ddinbych

SH 924 495 1700 c *Nant y Ririd vlaidh* [474]

Dyma'r nant sy'n derfyn rhwng ffermydd Cefn-hirfynydd Isaf a Chlust-y-blaidd ac sy'n llifo i'r Merddwr ger y Glasfryn, i'r chwith o'r A5, ddwy filltir i'r gorllewin o Gerrigydrudion. Yn ôl traddodiad llafar lleol deuai Rhirid Flaidd drosodd o Benllyn i hela yn yr ardal.[475] Am ragor o wybodaeth am Rhirid Flaidd gweler tudalen 124.

Rhirid Flaidd yn dod drosodd o Benllyn.

OGO'R BLAIDD, Ffestiniog, Sir Feirionnydd

SH 70 42 19eg ganrif *Ogo'r Blaidd* [476]

Ymhlith hanesion am Ffestiniog mewn llawysgrif o eiddo Richard Williams, Wmffra Dafydd yn Archifdy Gwynedd, Dolgellau ceir un cyfeiriad moel at le o'r enw Ogo'r Blaidd rywle yn y plwyf, ond diflannodd pob cof am ei lleoliad erbyn hyn.

OGO BLEIDDIAU?, Penffordd-las, Llanidloes, Sir Drefaldwyn

SH 893 940 1201 *Pen Gobleitheu* [477]

Mewn hen siarter yn cofnodi tiroedd a gyflwynodd Gwenwynwyn, tywysog de Powys, i Abaty Ystrad Marchell yn 1201, enwir nifer o afonydd, bryniau a nodweddion daearyddol eraill ar y terfynau. Mae llawer o'r enwau hynny yn adnabyddus heddiw tra bo eraill wedi mynd ar ddifancoll. Ymhlith y rhai a gollwyd mae 'Pen Gobleitheu' a chred rhai ei fod yn cyfateb i Fryn yr Oerfa, rhyw ddwy filltir i'r gogledd o bentref Penffordd-las yng nghwr uchaf cronfa ddŵr Clywedog.[478]

---

474 PQ 1, 114
475 (HM)
476 LlB 139, 7; (SO)
477 CAYM, 120
478 *ditto*, 120

Ar yr olwg gyntaf mae Gobleitheu yn ymddangos yn enw pur ddieithr, ond o osod y llythyren 'o' o'i flaen fe geir *Ogobleitheu* neu Ogo Bleiddiau. Yn anffodus mae Bryn yr Oerfa o'r golwg dan goedwig ar hyn o bryd, ond a barnu yn ôl tystiolaeth mapiau does yno ddim nodweddion creigiog neu garegog a fyddai wedi cynnig lloches i fleiddiaid.

Llai na milltir i'r gorllewin ond yn parhau ar y terfyn mae Pen Cerrig y Ffynnon, gwrychyn o greigiau sy'n brigo i'r wyneb am gryn bellter, ac wrth ei odre hafnau dyfnion y Ddwynant Gerrig. Tybed ai yno y dylid gosod 'Pen Gobleitheu' neu Ben Ogo Bleiddiau? Er bod y creigiau o'r golwg dan drwch o goed ieuanc mae yno nodweddion a fyddai wedi cynnig lloches ddelfrydol i fleiddiaid: llecyn uchel cysgodol lle gallent wylio symudiadau anifeiliaid prae am bellter ar y moelydd o'u cwmpas, dŵr glân rhedegog, a llwybrau hwylus i lawr gwlad drwy gymoedd afonydd Twymyn, Trannon a Chlywedog.

OGO'R BLEIDDIAU, Eglwys-bach, Sir Ddinbych

SH 80 68   1547   *Gogor bleithiau* [479]

Yn agos i bum can mlynedd yn ôl roedd darn o dir a elwid y Gogor neu Ogo'r Bleiddiau ym mhlwyf Eglwys-bach yn Nyffryn Conwy. Diflannodd pob cof amdano yn lleol ac nid oes sôn am ogof yno chwaith. A barnu yn ôl yr ychydig fanylion a gadwyd mewn hen weithred, mae'n debyg ei fod yn agos i le o'r enw Coed Du rywle ar y gefnen rhwng ffermydd Cefn-y-coed Uchaf ac Isaf.

OGO'R FLEIDDAST, Llanuwchllyn, Sir Feirionnydd

SH 913 246   c. 1700   *Gogor Bleidhiast* [480]

Oddeutu'r flwyddyn 1700 nodwyd bod Ogo'r Fleiddast ar ochr Moel Cerrig Duon ym mhlwyf Llanuwchllyn, sef y foel ar ochr ddwyreiniol

479 *W A Evans*, rhif 14
480 PQ 2, 73

Cwm Cynllwyd ar derfyn siroedd Meirionnydd a Threfaldwyn. Er i'w henw fynd yn angof mae Craig yr Ogof i'w gweld o hyd, uwchlaw'r ffordd o Lanuwchllyn dros Fwlch y Groes i Fawddwy, gyferbyn â ffermydd Blaen-cwm a Than-y-bwlch. Nid oes ogof i'w gweld yno erbyn hyn a chredir iddi gael ei chwalu wrth gloddio cerrig i drwsio'r ffordd. Os bu yna chwedl am fleiddast yn gysylltiedig â'r ogof, aeth honno ar ddifancoll hefyd, ac yn ei lle stori am Rhita Gawr yn llechu yno i ladd teithwyr ar ei ffordd dros y Bwlch gan dorri eu barfau i wneud mantell iddo'i hun.[481]

Chwedl Rhita Gawr.

PANT Y BLAIDD, Cerrigydrudion, Sir Ddinbych

    SH 933 484   1891   *Pant-y-blaidd* [482]

Tŷ y mae ei adfeilion i'w gweld ar fin y ffordd ryw filltir a chwarter o Gerrigydrudion i gyfeiriad Cwm Penanner.[483] Gan ei fod yn sefyll ar y gefnen, rhaid bod y pant ei hun rywle yn is i lawr i gyfeiriad Clust-y-blaidd tua'r gogledd oddi yno.

PANT Y BLAIDD, Llanbadarn Garreg, Sir Faesyfed

    SO 115 482   1891   *Pant-y-blaidd* [484]

Rhyw ddwy filltir i fyny afon Edw o Aberedw yn Nyffryn Gwy mae eglwys fechan wledig Llanbadarn Garreg. Yr ochr draw i'r afon, yn uchel i fyny ar y llechwedd serth sy'n wynebu'r eglwys, mae adfeilion bwthyn Pant-y-blaidd yn mochel yng nghysgod gwrychyn o graig. Dair milltir ymhellach i fyny'r cwm mae Coed Penarth lle, yn ôl traddodiad, y lladdwyd y blaidd olaf, ond tra bod pob brodor yn y cyffiniau'n gwybod am y blaidd hwnnw ni chadwyd yr un chwedl am fleiddiaid Pant y Blaidd. Yn hytrach fe sonnir am garreg fedd ym mynwent yr eglwys i ferch ifanc hynod brydweddol a ddywedodd y

Byddai'n well ganddi farw na wynebu byw wedi ei chreithio â'r frech wen.

---

481 SCC, 14
482 OS6¹ Mer VI NE
483 LlYLl *2000*, 101
484 OS6¹ Rad XXXII SE

byddai'n well ganddi farw na wynebu byw wedi ei chreithio â'r frech wen, a dyna'n union a ddigwyddodd iddi.[485]

PANT Y BLAIDD, Llanfyrnach, Sir Benfro

SN 241 306	1891	*Wolf Castle* [486]
	1962	*Pant y blaidd* [487]

Enw tafarn ger terfyn siroedd Caerfyrddin a Phenfro, rhyw filltir a chwarter i'r dwyrain o bentref Llanfyrnach ac yn agos i'r twmpath hynafol, *tumulus* Castell y Blaidd. Adeiladwyd hi yn 1878 a'i henw ar y drwydded gwerthu diodydd cadarn oedd Wolfscastle Inn. Yn ôl traddodiad lleol cafodd y blaidd olaf ei ladd ym Mhant-y-blaidd, ar ochr Sir Gaerfyrddin i'r ffin, yn ystod teyrnasiad Harri VIII.[488]

PANT BLEIDDAST, Croesoswallt, Swydd Amwythig

SJ 29 29	1344	*Pant blythyast* [489]

Enw lle rywle o fewn terfynau plwyf Croesoswallt.

PANT Y BLEIDDIAU, Y Bontnewydd-ar-Wy, Sir Faesyfed

SN 009 609	1840	*Pant y bletha* [490]
	1931	*Pantybledha* [491]

Tyddyn bychan a arferai sefyll rhwng yr A470 ac afon Gwy, gyferbyn â throad yr A4081 am Landrindod, rhyw filltir a hanner i'r gogledd o bentre'r Bontnewydd-ar-Wy. Cyn adeiladu'r ffordd bresennol, mae'n bur debyg y byddai wedi bod yn llecyn digon anhygyrch gyda thalcen creigiog Dôl y Fan yn codi saith can troedfedd serth led cae cul o lan yr afon.

---

485 (KJP)
486 OS6¹ Pem XII SE
487 (BJ)
488 MCarm, 132
489 *Wynnstay*, blwch 88, rhif 92
490 MD Llanllŷr, Llanyre, rhif 1015
491 RST 1, 31 a 33

PANT Y BLEIDDIAU, Melin-y-wig, Corwen, Sir Feirionnydd

    SJ 036 480   1842   *Pant y bleiddiau*[492]

Enw cae tair erw ar ochr ddeheuol ffermdy Bryn-mawndy, hanner milltir i'r de-orllewin o bentref Melin-y-wig.

Craig Ogo'r Fleiddast, Llanuwchllyn, Sir Feirionnydd.

PANT BLEIDDYN, Y Ddwyryd, Corwen, Sir Feirionnydd

    SJ 052 449   1839   *Pant bleuddyn*[493]

Yn ôl y map degwm, Pant Bleiddyn oedd yr ail gae i'r chwith o'r ffordd drol o ffermdy Pen-y-coed Uchaf tua'r de am Goed y Fron, uchlaw plas y Rug.

---

492 MD Betws Gwerful Goch, rhif 62
493 MD Corwen, rhif 985

PANT Y FLEIDDAST, Margam, Sir Forgannwg

SS 81 90 17eg ganrif *Pant y vlayddast* [494]

O ddarllen hen siarteri Abaty Margam caiff rhywun yr argraff bod Pant y Fleiddast yn gysylltiedig â Gellilefrith, llecyn anhysbys arall ar yr ucheldir rhwng afonydd Afan a Chynffig i'r gogledd o safle'r abaty.[495]

Gan fod y rhan helaethaf o'r ardal honno dan drwch o goed erbyn hyn, mae'n amheus a ellid dod o hyd i'r fan hyd yn oed pe bai rhagor o fanylion yn dod i'r golwg.

PANT Y FLEIDDAST *gw. hefyd* PANT BLEIDDAST

PEN BLAIDD, Llangarron, Swydd Henffordd

SO 497 198 1619 *Pen blaith* [496]

Pawl totem ar ddelw pen blaidd.

Ffermdy ar fin yr A466 rhwng Trefynwy a Henffordd ym mhen uchaf nant Llannerch. Er nad oes tystiolaeth i gadarnhau hynny, efallai mai Nant y Blaidd oedd enw gwreiddiol nant Llannerch ac i'r ffermdy gael ei alw'n Ben-blaidd am ei fod wrth ei blaen neu ei phen. Posibilrwydd arall yw bod yno bawl totem ar ddelw pen blaidd ar un adeg.

PEN WLFF, Llidiart-y-waun, Llanidloes, Sir Drefaldwyn

SN 986 823 1845 *Rhyd pen wolf* [497]

Cae tair erw, chwarter milltir i'r gorllewin o ffermdy'r Waun a dwy filltir a hanner i'r de-ddwyrain o dref Llanidloes oedd Rhyd Pen Wlff ganrif a hanner yn ôl, ond aeth yr enw'n angof bellach. Y rhyd dan sylw yw'r un ym mlaen nant ddienw sy'n tarddu gerllaw ac yn llifo tua'r gogledd drwy geunant coediog rhwng bryniau Hen Gynwydd Fawr a Moelfre i afon Hafren rhwng Llanidloes a Llandinam. Efallai

494 CAMG, I, 155
495 HMA, 20, 25, 41
496 CMRW II, 654
497 MD Llandinam, rhif 1419

mai Nant Wlff neu ryw ffurf debyg oedd enw gwreiddiol y nant honno a bod *pen* yn cyfeirio at ei blaen.

PISTYLL Y BLAIDD, Felindre Farchog, Sir Benfro
     SN 116 405   14g   *Pistyll y blaith* [498]

Yn y bedwaredd ganrif ar bymtheg roedd Pistyll-y-blaidd yn enw ar dŷ ar dir fferm Cwmeog, ddwy filltir i'r gogledd-ddwyrain o bentref Felindre Farchog. Rhaid bod y pistyll a roes ei enw iddo yn un o gryn bwys yn ei ddydd gan fod cyfeiriadau lu ato yn ymestyn yn ôl i'r bedwaredd ganrif ar ddeg. Nid oes sicrwydd am ei union leoliad bellach ond mae hen adfail i'w weld i'r gogledd-ddwyrain o ffermdy Cwmeog, y tu draw i wddwg cul o goed. Er nad oes yno bistyll fel y cyfryw, y mae nant yn tarddu o'r ddaear yn ei ymyl.

Tybed a fu unwaith chwedl yn cysylltu'r sant a'i flaidd â'r ddau bistyll?

     Y mae pistyll coll arall ym mhlwyf Nanhyfer, sef Pistyll Byrnach,[499] wedi'i enwi ar ôl sant o'r un enw a fu'n byw yno. Yn ôl un chwedl roedd gan Byrnach flaidd a ddefnyddiai i warchod ei fuwch, felly tybed a fu unwaith chwedl yn cysylltu'r sant a'i flaidd â'r ddau bistyll, gweler tudalen 145.

PLAS Y BLEIDDIAU, Llanboidy, Sir Gaerfyrddin
     SN 22 23   1630   *Place y blidde* [500]

Nid oes modd lleoli Plas-y-bleiddiau mwy na nodi ei fod yn dŷ rywle o fewn terfynau plwyf Llanboidy yn Sir Gaerfyrddin. Mae'r unig gyfeiriad ato i'w gael yn ewyllys Wiliam Tomas Rhydderch, oedd yn byw yno yn nechrau'r ail ganrif ar bymtheg. Gan fod fferm o'r enw Tre'rbleiddiau yn yr un plwyf, efallai mai amrywiad ar yr enw hwnnw oedd Plas-y-bleiddiau.

498   PNP, 154–5
499   PNP, 159
500   *Ewyllys* SD 1630/37

PONT BLE(I)DDYN, Yr Wyddgrug, Sir y Fflint

SJ 276 605	1612	*Pont Blethin* [501]
	1700	*Pont Bleydhyn* [502]

Gŵr yn hytrach na blaidd ifanc a roes ei enw i'r bont.

Pont dros afon Alun lle mae'r A541 o'r Wyddgrug i Wrecsam yn croesi'r A5104 o Ruthun i Gaer. Er bod y ffurf Pont Bleiddyn yn gyffredin yn ystod y ddeunawfed ganrif, Pont Bleddyn yw'r ffurfiau cynharaf ac mae'n haws credu mai gŵr yn hytrach na blaidd ifanc, a roes ei enw i bont ar safle mor ganolog.

PORTA LUPUS, Aberteifi, Ceredigion

SN 183 462	1300	*Porta lupus* [503]

Yn ôl arolwg o dref Aberteifi a wnaed yn y flwyddyn 1300, Porta Lupus, Porth y Blaidd, oedd enw porth dwyreiniol y dref bryd hynny. Credir ei fod wedi'i leoli rhwng rhifau 9 a 43 yn stryd Feidir Fair.

PORTH Y BLAIDD *gw.* PORTA LUPUS

PWLL Y BLAIDD, Bangor, Sir Gaernarfon

SH 561 702	1784	'*Cae Graig pwllybley* [504]

Gan fod aml i enghraifft o'r gair 'blaidd' yn cael ei sgrifennu fel 'bley' mewn hen weithredoedd yng ngogledd Cymru, mae'n bur debyg mai fel Cae Graig Pwll y Blaidd y dylid darllen 'Cae Graig pwllybley', enw tŷ neu dyddyn rywle ym mhlwyf Bangor yn niwedd y ddeunawfed ganrif.[505] Hanner can mlynedd yn ddiweddarach does yr un cyfeiriad ato ar fap y degwm oni bai mai llygriad o'r enw yw'r cae a elwir yn Bwll y Pla ym Mhenrhosgarnedd.[506] Os felly, mae yn union y tu ôl i safle Ysbyty Gwynedd.

---

501 *Nerquis*, rhif 22
502 PQ 1, 95
503 CER 9, 336– ; B 15, 284
504 *Gilbert Davies*, rhif 57
505 'Clysdubley' am Clust-y-blaidd
506 MD Bangor, rhif 1168

PWLL Y BLAIDD, Bontuchel, Rhuthun, Sir Ddinbych
     SJ 080 575   1841   *Pwll y blaidd* [507]
Enw cae pum erw ar fferm Tŷ-brith, Bontuchel. Pwll y Blaidd yw'r
trydydd cae i'r de-orllewin o'r ffermdy ar ben llechwedd coediog
serth uwchlaw afon Clywedog.

PWLL Y BLAIDD, Brynberian, Sir Benfro
     SN 108 330   1891   *Pwll y Blaidd* [508]
Does neb a ŵyr ble yn union y safai'r pwll a elwid yn Bwll y Blaidd
erbyn hyn, ond fe'i defnyddir o hyd fel enw ar ddarn o fynydd-dir
Preselau sy'n agos i darddiad afon Brynberian ar y llethr tua'r de o'r
pentref. Mae'r mynydd o'i gwmpas yn frith o enwau diddorol megis
Beddyrafanc, Carnau Lladron, Ffynnon Ychen, Carn Arthur, Carn
Breseb a Cherrig Marchogion, rhai ohonynt wedi'u cysylltu â chwedl
neu hanesyn. Yn anffodus nid yw Pwll y Blaidd yn un o'r rheini.[509]

Does neb a ŵyr ble yn union y saif y pwll erbyn hyn.

PWLL Y BLAIDD, Llanefydd, Sir Ddinbych
     SH 96 72   1626   *Tythyn Pwll y Blaidd* [510]
Ffermdy nad oes bellach gof amdano. Safai yn nhreddegwm
Carwedfynydd yng ngogledd-orllewin plwyf Llanefydd, heb fod
ymhell o Bont-y-gwyddyl.

PWLL Y BLAIDD, Llangolman, Sir Benfro
     SN 128 268   1908   *Pwll y Blaidd* [511]
Enw pwll, wedi'i amgylchynu â chreigiau, yng ngwely afon Cleddau
Ddu islaw bythynnod Pant-y-maen, Llangolman. Rhed yr afon drwy
geunant dwfn, coediog yn y fan honno, ac er bod llwybr yn ei groesi

---

507 MD Y Gyffylliog, rhif 6
508 OS6¹ Pem XI SW
509 (JH)
510 *Elwes*, rhif 583-4
511 OS6² Pem XVIII SE

mae rwbel o'r hen chwareli yn ei gwneud yn anodd cyrraedd at y pwll. Os bu rhyw chwedl neu draddodiad ynglŷn â'r lle, aeth yn angof bellach.[512]

PWLL Y BLEIDDIAU, Y Groeslon, Sir Gaernarfon
SH 48 56   1660   *Cay Pull y Bleiddie* [513]
Y cyfan y gellir mentro'i ddweud am leoliad y pwll hwn yw ei fod i'r gogledd-ddwyrain o bentref Groeslon yng nghyffiniau ffermydd Gilwern a Hafod-boeth.

PWLL BLEIDDYN, Y Bala, Sir Feirionnydd
SH 921 355 neu SH 929 362
                        1754   *Pwll Bleuthin* [514]
                        1898   *Llyn neu Bwll Bleddyn* [515]
Yn 1754 gorchmynnwyd i drigolion y Bala drwsio tair ffordd o fewn terfynau'r dref: o'r 'Cross', ger Gwesty'r Llew Gwyn i'r Ro Wen, sef Stryd Tegid; o'r 'Bull' i Bwll Bleiddyn; ac o le Roderick Thomas i'r 'Cross'. Os oedd y Bull bryd hynny ar yr un safle â'r 'Ye Olde Bull's Head' presennol, hynny yw, ar y brif stryd, heb fod yn agos at groesffordd, doedd ond dau leoliad posibl i Bwll Bleiddyn. Yr oedd naill ai ger y bont dros afon Tryweryn, neu yng nghyffiniau'r maes parcio ar lan y llyn ym mhen arall y dref.

Nifer o feddwon wedi boddi.

Efallai mai dyna'r fan oedd gan William Davies mewn golwg yn ei gasgliad o lên gwerin Meirionnydd, pan sonia am Lyn neu Bwll Bleddyn ym Mhenllyn lle roedd nifer o feddwon wedi boddi. Cyfeiria hefyd at draddodiad i flaidd foddi ynddo wrth gael ei hela gan ddynion a chŵn ac mai hwnnw oedd y blaidd olaf i'w weld yn y rhan honno o'r wlad. O ddarllen disgrifiad William Davies mae'n

512 (GVG)
513 *Porth yr Aur*, rhif 16801b
514 CMQS, 127
515 EGBF, 216

anodd barnu beth yn union oedd natur y lle: ai pwll mewn afon neu fawnog, neu a oedd y fleiddbwll o wneuthuriad dyn?

PWLL BLEIDDYN, Llansilin, Sir Ddinbych

    SJ 218 306   1844   *Pwll Bleuddyn* [516]

Hen enw ar ddarn bychan o dir rhwng ffermydd Geufron a'r Bwlch, cwta ddwy filltir i'r gogledd o bentref Llansilin. Mae bellach yn rhan o'r cae sy'n ffinio â ffermdy'r Bwlch.

PWLL Y FLEIDDAST, Derwen, Sir Ddinbych

    SJ 06 50   1641   *dol pwll y fleiddiast* [517]

Yn ystod yr ail ganrif ar bymtheg roedd cae neu gaeau a elwid yn *dol pwll y fleiddiast* rywle ym mhlwyf Derwen.

ROFFT BLEIDDYN *gw.* CROFFT BLEIDDYN

RHANDIR Y BLAIDD, Cilmeri, Sir Frycheiniog

    SO 01 51   1709   *Rhandir y Blaidd* [518]

Tŷ neu dir ym mhlwyf bychan Llanganten rhwng afonydd Chwefri ac Irfon ar gwr gorllewinol tref Llanfair-ym-Muallt, ond nid oes sôn amdano erbyn hyn. Fel yn achos Gafael y Blaidd, mae'n bosibl mai cyfeiriad at ŵr o'r enw Blaidd sydd yma.

RHOS BOTHAN, Llanddaniel-fab, Ynys Môn

    SH 511 715   1610   *Rhose Bothan* [519]

Mae'n debyg mai Rhos Bothan oedd enw'r tir gwastad i'r de o'r A5 y tu hwnt i Lanfair Pwllgwyngyll lle mae tŷ o'r un enw wedi sefyll ers oddeutu pedwar can mlynedd. Gan fod teulu â'r cyfenw Pothan neu

---

516 MD Llansilin, Lledrod, rhif 194a
517 *Bachymbyd*, rhif 444
518 *Maybery*, 3, rhif 6356-7
519 *Bodewryd*, 1, rhif 1039

Bothan yn byw yn y cyffiniau yn y bymthegfed ganrif mae'n haws credu mai hwnnw ac nid blaidd ifanc a roes ei enw i'r Rhos.

RHOS Y BLEIDDIAU
> *gw.* RHYD Y BLEIDDIAU, Llanfair Caereinion

RHYD Y BLAIDD, Cynghordy, Sir Gaerfyrddin
> SN 808 394   1760   *Rheed y Blŷdd* [520]

Nid yw'r enw Rhyd y Blaidd yn cael ei arfer gan frodorion Cynghordy bellach, ond a barnu yn ôl ei leoliad ar fap o dde Cymru o'r ddeunawfed ganrif, dyna enw'r fan lle mae'r A483 rhwng Llanymddyfri a Llanwrtyd yn croesi Nant Cwmneuadd ychydig i'r de o westy Glanbrân. Nid oes rhaid amau ai blaidd yw *blŷdd* gan fod Crug y Blaidd ger Llanymddyfri yn digwydd fel *Crug y Blidd* tua'r un cyfnod.

RHYD Y BLAIDD, Hawau (Howey), Sir Faesyfed
> SO 057 559   1796   *Rhydyblaid* [521]
>   1838   *Rhyd y blawdd/*
>   *Rhyd y blawd* [522]

Digwydd 'blaid' am 'blaidd' yn aml yn y sir.

Ffermdy wrth odre gogledd-orllewin mynydd Carneddau, rhyw filltir i'r dwyrain o'r A483 rhwng Llandrindod a Llanelwedd. Cododd rhyw gymhlethdod rhyfedd ynghylch enw'r lle. Rhyd-y-blaid sydd ar garreg fedd ym mynwent eglwys y plwyf, Dyserth, yn 1796; mae *blaid* am *blaidd* yn digwydd yn aml yn y sir. Rhyd-y-blawd a geir ar y mapiau OS, ond Rhydblydd mewn llyfrau cod post a rhifau teleffon. Myn y perchennog mai Rhyd-y-blawd yw'r fferm ac mai bwthyn a gododd ef ei hun ar gae cyfagos yw Rhydblydd, er nad yw'n cofio beth barodd iddo roi'r enw hwnnw arno. [523]

---

520 *Emanuel Bowen*
521 *Arch. Powys*, R/RHS/1/49/D5
522 MD Diserth, rhifau 275 a 279
523 (ARM)

RHYD Y BLEIDDIAU, Llanfair Caereinion, Sir Drefaldwyn

SJ 083 081 1574 *Rhos Rhyd y Bliddie* [524]

Yn ôl dwy hen weithred a luniwyd dros bedwar can mlynedd yn ôl roedd darn o dir a elwid yn Rhos Rhyd y Bleiddiau yn perthyn i Lan Banw, fferm yn y fforch rhwng afonydd Banw ac Einion, rhyw filltir a hanner i'r gogledd-orllewin o dref Llanfair Caereinion. Mae'n bur debyg ei fod yn cyfateb i'r cae a adwaenir fel Rhos y Bleiddiau bellach, sef yr ail gae i fyny'r afon o ffermdy Glan Banw, lle mae olion yr hen ryd. [525]

Cadw cof am y fan lle byddai llwybr bleiddiaid yn rhydio afon Banw.

Efallai fod Rhyd y Bleiddiau yn cadw cof am y fan lle byddai llwybr bleiddiaid yn rhydio afon Banw cyn i'w dyfroedd gael eu chwyddo gan afon Einion fymryn yn is i lawr.

TALAR Y BLAIDD, Llanasa, Sir y Fflint

SJ 10 81 1539 *Talar y blaidd* [526]

Darn o dir na ellir cynnig lleoliad iddo.

TALWRN Y BLAIDD, Llangybi, Ceredigion

SN 630 540 1691 *Talwrn r Blaidd* [527]

Darn o dir rywle yn nhreddegwm Gogoyan sydd i'r gorllewin o afon Teifi rhwng pentrefi Llangybi a Llanddewibrefi. Ar dir fferm Glandulas Uchaf, rhyw filltir a hanner i'r gogledd-ddwyrain o Langybi, roedd unwaith ddau gae a elwid yn Talwrn Isaf a Thalwrn Uchaf. [528] Gan nad yw'r gair talwrn yn digwydd fel enw lle yn unman arall yn y dreddegwm, efallai mai yno roedd Talwrn y Blaidd.

TIR BLAIDD *gw.* GAFAEL Y BLAIDD, Llangollen, Sir Ddinbych

---

524 CAD 6, 528
525 (TBF)
526 *Mostyn Talacre*, rhif 4
527 *Cwrtmawr*, rhif 765
528 MD Llanddewibrefi, rhif 41–2

TIR Y BLAIDD, Cwm-du, Sir Frycheiniog

SO 18 24   1684   *tir y blaidd* [529]

Un o bedwar cae ar ddeg ym mhlwyf Llanfihangel Cwm Du sy'n cael
eu henwi mewn hen weithred, ond nid oes modd ei leoli bellach.

TIR Y BLAIDD, Llanegryn, Sir Feirionnydd

gw. TYDDYN Y BLAIDD

TIR Y BLAIDD, Rhyd-y-mwyn, Sir y Fflint

SJ 204 672   1605   *tir y blaydd* [530]

                    1839   *Cae Blyth* [531]

Mae yna gyfeiriad at Dir y Blaidd ym mhlwyf Cilcain bedwar can
mlynedd yn ôl. Nid oes sicrwydd am ei union leoliad mwy na'i fod
yn agos i Nant Mochlais yn nhreddegwm Dolfechlais ac felly yng
ngogledd-ddwyrain y plwyf yn agos at Ryd-y-mwyn. Cadwyd cof am
Ddolfechlais yn enwau ffermydd Dolfechlais Isaf ac Uchaf ac mae'n
werth sylwi mai Cae Blaidd oedd enw un o gaeau Dolfechlais Isaf ar
un adeg. Gan fod enghraifft ar gael o Dir y Blaidd arall yn newid yn
Dyddyn y Blaidd, mae'n bur debyg i'r un peth ddigwydd yma ac mai'r
un lle oedd Tir y Blaidd a Cae Blaidd.

*Cae Blaidd oedd
enw un o gaeau
Dolfechlais Isaf.*

Nid yw'n hawdd cynnig lleoliad pendant i'r fan gan fod
Dolfechlais Isa wedi'i llyncu gan Ryd-y-mwyn erbyn hyn, ond gellir
bod yn weddol sicr ei fod i'r gorllewin o'r A541 yng nghwr gogleddol
y pentref lle mae stad dai Church Meadow ac Eglwys Efengylaidd St
Ioan.

TRE BLEIDDIAU, Cwmfelinmynach, Sir Gaerfyrddin

SN 226 242   1819   *Treblydde* [532]

---

529 *Milbourne,* rhif 1451
530 *Mostyn,* B, rhif 2149
531 MD Cilcain, rhif 762
532 OSOS 6, 79

Ffermdy mewn llecyn gweddol amlwg i'r gorllewin o afon Gronw rhwng pentrefi Cwmfelinmynach a Llanboidy. Efallai mai Plas-y-bleiddiau oedd ei enw gwreiddiol.

TRE'R BLEIDDIAU, Llanymawddwy, Sir Feirionnydd

SH 886 180   19eg ganrif *Cwm Tre'r Bleiddie* [533]

Cwm Tre'r Bleiddie oedd hen enw'r cwm y mae afon Serfel yn llifo drwyddo tua'r dwyrain i ymuno â'r Ddyfi rhwng Abercywarch a Llanymawddwy. Gan fod mwy na'i hanner wedi'i blannu â choed nid oes modd ei weld yn ei ogoniant cynhenid, ond fel cymoedd eraill Mawddwy mae ei lethrau'n neilltuol o serth er nad mor greigiog â'r rhai sy'n uwch i fyny i gyfeiriad Aran Fawddwy. Mae'n wynebu haul y bore a chymaint â saith neu wyth o ffrydiau yn byrlymu i lawr ei ochrau.

Nid oes modd gweld y cwm yn ei ogoniant cynhenid.

TRYLLIAU'R BLAIDD, Llanwrin, Sir Drefaldwyn

SH 76 03   17eg ganrif *Tryllie y blaidd* [534]

Darn o dir yn nhreddegwm Llanfechan, sef de-orllewin plwyf Llanwrin nad oes modd ei leoli bellach. Gan fod sôn mewn hen weithred iddo gael ei brynu yr un pryd â Hendreseifion, efallai ei fod yn agos at dir y fferm honno neu'n rhan ohoni.

TWLL Y FLEIDDAST, Cadair Idris, Sir Feirionnydd

SH 680 139   1890   *Twll y Fleiddiast* [535]

Saif Twll y Fleiddast uwchlaw'r ffordd wledig sy'n rhedeg tua'r de-orllewin o Ddolgellau heibio i Lyn Gwernan a godre gogleddol Cadair Idris, ond fe fu peth dryswch ynghylch ei union leoliad. Mynnai R.P. Morris, a oedd yn adnabod y gymdogaeth yn dda, ei fod wrth neu o dan yr hen glawdd terfyn rhwng mynydd Cefn'rywen Isaf ac Uchaf,

Peth dryswch ynghylch ei union leoliad.

---

533 (TJ)
534 *Powis*, rhifau 10586 a 10595
535 CM, 94

tra bod Owen Rhoscomyl yn ei osod uwchben Llyn Cyri sydd oddeutu dwy filltir ymhellach i'r gorllewin.[536] Mae'n wir fod lle a elwir yn Dwll yr Ogof wedi'i nodi ar y map yn y fan honno, ond yn ôl Arthur Thomas sy'n ffermio Cefn'rywen Isaf heddiw ac yn gwybod am Dwll y Fleiddast, lleoliad R.P. Morris sydd agosaf at fod yn gywir. Mae i'w weld islaw Llwybr Cam Rhedynen, ganllath neu fwy i'r gorllewin o wal derfyn Cefn'rywen Isaf. Nid yw'n rhwydd dod o hyd iddo gan fod ei geg dan orchudd o rug.

Am ragor o hanes a llun Twll y Fleiddast gweler tudalen 82–87.

TWYN Y BLEIDDIAU, Man-moel, Bedwellte, Sir Fynwy

SO 186 027   1839   *Twyn y Blydde* [537]

Tir yn y fforch rhwng Nant y Felin a Nant yr Ychen ar y gefnen noeth rhwng afonydd Sirhywi ac Ebwy, hanner milltir i'r de o bentref bychan Man-moel. Mae hefyd yn enw ar garnedd ar fin y ffordd yno.[538] Milltir i'r gogledd o Fan-moel mae darn arall o dir a elwir yn Waun Bleiddian.

TŶ BACH Y BLAIDD, Felin-fach, Ceredigion

SN 52 54   1841   *Tybach y blaydd* [539]

Tŷ a oedd yn gartref i ddwy ferch yn eu hugeiniau yn 1841. Enw'r tŷ agosaf oedd Llety'r Blaidd ond fe ddiflannodd pob cof amdanynt yn yr ardal erbyn hyn. Gellir amcangyfrif eu bod yn sefyll rywle rhwng ffermydd presennol Graigwen a Chwmllydan ar y ffordd gefn rhwng Ystradaeron a Chribyn.

---

536 *op. cit*; NAT, Medi 1908, 30
537 MD Bedwellte, rhif 1231-46
538 PSM, 123
539 *Cyfrifiad* 1841: plwyf Llanfihangel Ystrad

TYDDYN Y BLAIDD, Llanegryn, Sir Feirionnydd

SH 592 064	1592	*Tyr y Blayth* [540]
	1673	*Tir y Blaidd*
	1682	*Tyddin y Blaidd*
	1771	*Blaidd* [541]

Llwybr igam ogam Cam Rhedynen, Cadair Idris. Mae Twll y Fleiddast bron o'r golwg mewn grug dros y gefnen i'r dde.

Ffermdy rhyw dri chwarter milltir i'r gogledd-orllewin o bentref Llanegryn. Lle annhebygol i fod yn gynefin bleiddiaid ar yr olwg gyntaf, ond mae'r enw Fign Oer, o war y tŷ, yn awgrymu bod tir diffaith yn y cyffiniau gynt, a rhaid bod corstir eang islaw iddo oddeutu afon Dysynni.

---

540 PRO, LR2/236.7
541 *Peniarth*, rhifau 373, 391 a 563

TYDDYN Y BLEIDDIAU, Llanfflewin, Ynys Môn

SH 364 873 1742 *Ynys y Bleiddie* [542]

2005 *Tyddyn y Bleiddiau*

Yn ystod y ddeunawfed ganrif roedd tyddyn a elwid yn Ynys y
Bleiddiau yn nhreddegwm Ucheldref, plwyf Llanfflewin. Nid oes
sôn amdano wrth yr enw hwnnw bellach, ond gan fod adfeilion
Tyddyn y Bleiddiau yn yr un plwyf, rhyw filltir i'r dwyrain o fferm
presennol Ucheldre Uchaf, efallai mai Ynys y Bleiddiau oedd ei enw
gwreiddiol.

Ai Ynys y Bleiddiau oedd ei enw gwreiddiol?

Saif adfeilion Tyddyn y Bleiddiau, neu Bleiddiau ar rai mapiau,
ym mlaen nant fechan hanner milltir brin i'r gogledd o fferm Fferam
Uchaf rhwng Llanbabo a Llanddeusant.[543]

TYDDYN Y BLEIDDIAU, Ynys Môn

SH - - - - - - 1658 *Tythyn y bleithie* [544]

Mewn hen weithred wedi'i dyddio 1658 enwir rhai ugeiniau o fannau
ar Ynys Môn, gan gynnwys Tyddyn y Bleiddiau. Gan na chafodd ei
gysylltu â phlwyf arbennig mae'n amhosibl cynnig lleoliad pendant
iddo.

TYDDYN BLEIDDYN, Cefn Meiriadog, Sir Ddinbych

SJ 008 723 1599 *Tythyn Bleathyn* [545]

Dywedir bod bwthyn Tyddyn Bleiddyn yn arfer sefyll ar ochr dde
y ffordd wledig o'r Bontnewydd i Lasgoed, i'r dwyrain o afon Elwy.
Roedd yno gae saith erw o'r un enw yn union gyferbyn â'r troad am
ffermdy Ty'n-y-coed.[546]

542 *Henllys*, rhif 564
543 (PH)
544 *Powis*, rhif 16182
545 *Lleweni*, rhif 204
546 MD Llanelwy, Meiriadog-Wigfair, rhif 186; RCAM 4, 22

TYDDYN BLEIDDYN, Llandrygarn, Ynys Môn
    SH 384 801   1817   *Tyddyn Bleiddyn* [547]
Ffermdy, led cae i'r gogledd o'r B5109, rhwng pentrefi Llynfaes a
Threfor i'r gogledd-orllewin o Langefni.

TYDDYN POTHAN, Ynys Cybi, Ynys Môn
    SH - - - - - -   1658   *Tyddyn Pothan* [548]
                         1693   *Tyddyn Pothan* [549]
Mae'n bosibl mai rhywle ar Ynys Cybi y safai Tyddyn Pothan ond ni
ellir bod yn sicr.

WAUN BLEIDDIAN, Man-moel, Bedwellte, Sir Fynwy
    SO 168 047   1901   *Coed Waun bleiddian* [550]
Ar y gefnen rhwng afonydd Sirhywi ac Ebwy, rhyw filltir i'r gogledd
o bentref Man-moel, mae tarddiad Nant yr Helyg sy'n llifo tua'r
gorllewin i afon Sirhywi ger Pont Gwaithyrhaearn. Ganrif a mwy yn
ôl roedd llain o dir coediog, Coed Waun Bleiddian, i'r gogledd o Nant
yr Helyg, ac mae'n bur debyg mai dyna safle Waun Bleiddian hefyd.

WERN BLAIDD, Hundred House, Sir Faesyfed
    SN 108 584   1833   *Wern blaidd* [551]
Tŷ ar safle hen ffermdy to gwellt mewn llecyn diarffordd ym mlaen un
o ragnentydd afon Edw, i'r chwith o'r ffordd wledig rhwng Hundred
House a Phen-y-bont, ger Llandeglau. Fel yr awgryma'r enw mae peth
o'r tir o gwmpas Wern-blaidd yn wlyb a choediog, ac yn ôl traddodiad
lleol yno y lladdwyd y blaidd olaf yn yr ardal er na chadwyd unrhyw
fanylion am ba bryd y bu hynny na chan bwy y'i lladdwyd. [552]

---

547 *Ewyllys* B 1817/18
548 *Powis*, rhif 16182
549 *Penrhos*, B IV, rhif 92
550 OS6² Mon XVII NW
551 OSOS 6, 62
552 (IJ)

WERN FLEIDDIOG, Hen Golwyn, Sir Ddinbych

    SH 857 772   1844   *Wern fleiddiog* [553]

Gyferbyn â Pharc Eirias rhwng Hen Golwyn a Bae Colwyn mae ffordd yn dringo'r rhiw tua'r de am Lanelian-yn-Rhos. Wedi gadael y tai ar ôl fe fydd Coed y Glyn i'w gweld ar y dde. Enw'r tri chae yn y fforch rhwng y ffordd a'r coed yw, neu oedd, Wern Fleiddiog Isaf, Ganol ac Uchaf. Soniwyd eisoes y gallai Bleiddiog ym mhlwyf Nefyn olygu tir neu gynefin bleiddiaid a dyma enghraifft bellach o Bleiddiog yn cael ei gysylltu â gwern, y math o dir y byddai bleiddiaid yn ei ffafrio.

Enghraifft bellach o 'Bleiddiog' yn cael ei gysylltu â gwern.

WOLFPIT, Cil-y-coed, Sir Fynwy

    ST 471 877   1585   *Woolepittes* [554]

Ar fap degwm Cil-y-coed (Caldicott) nodir dau gae o'r enw Woolpit yn ffinio â'i gilydd ar derfyn gorllewinol y plwyf. Yn yr un cyffiniau ceir nant neu ffos a elwir yn Woolpit Reen. Mae *Woolpit* yn digwydd yn lled gyffredin fel enw lle yn Lloegr, ond yn ôl yr arbenigwyr does a wnelo'r gair ddim â gwlân. Ffurf ydyw ar Wolfpit, sef bleiddbwll.

Ganrifoedd yn ôl fe fyddai gwastadeddau corsiog Morfa Gwent wedi bod yn dir hela ardderchog i fleiddiaid. Yn ystod misoedd yr haf byddai hefyd yn dir pori i dda byw, felly byddai gan y bugeiliaid bob achos i gloddio bleiddbyllau er mwyn rheoli niferoedd y bleiddiaid.

Trwy ryfedd wyrth ni ddiflannodd caeau Woolpit eto.

Er bod terfynau tref Cil-y-coed wedi ymestyn dros y blynyddoedd, a bod dwy draffordd yn rhedeg un o bobtu iddi, drwy ryfedd wyrth ni ddiflannodd caeau Woolpit eto. Maent i'w gweld wrth gornel de-orllewin y dref, i'r gogledd o'r rheilffordd.

WOLFPITS, Yardro, Maesyfed, Sir Faesyfed

    SO 218 589   1561   *Wolfpits* [555]

Saif ffermdy presennol Wolfpits ar gwr pentref Yardro, rhyw filltir a

---

553 *Gwrych*, rhif 294
554 NCPW, 246
555 RST 37, 36

hanner i'r de o dref Maesyfed. Ni ŵyr y teulu am unrhyw nodwedd ar y tir a allai fod yn nodi safle'r bleiddbwll. Am chwedl lladd y blaidd olaf yno gweler Gethin Goch Flaidd, tudalen 153.

Tyddyn y Bleiddiau, Llanfflewin, Ynys Môn.

WOLF[S]DALE, Camros, Sir Benfro

SM 932 215 1217 *Woluedale* [556]

Enw pentref bychan mewn cwm o'r un enw sy'n ymestyn rhyw ddwy filltir o gyrion mynydd Plumstone tua'r de-ddwyrain i afon Cleddau Wen, dair milltir i'r gogledd o dref Hwlffordd. Tua'r un pellter i'r gogledd o Wolfsdale mae pentref Cas-blaidd.

---

556 HW 2, 653

WOLF'S LANDS, Port Mead, Abertawe

SS 63 97   1596   *Wolffe's Landes* [557]

Tiroedd a ddisgrifiwyd yn niwedd yr unfed ganrif ar bymtheg fel 'lands of old time called Wolffe's Landes containing about 80 acres'.

Anrheithiwyd cyrff y lladdedigion gan fleiddiaid.

Efallai mai tiroedd yn perthyn i ŵr o'r enw Wolf oedd y rhain, ond o gofio eu bod yn ffinio â Port Mead, ryw filltir a hanner i'r de-ddwyrain o'r Garn Goch lle'r anrheithiwyd cyrff y lladdedigion gan fleiddiaid yn dilyn y frwydr yno yn 1136, ni ddylid diystyru'r posibilrwydd iddo fod yn gynefin bleiddiaid ar un adeg.

WOLFS PARK, Templeton, Arberth, Sir Benfro

SN 122 119   1821   *Wolfs Park* [558]

Darn o dir, hanner milltir i'r dwyrain o bentref Templeton a lled cae i'r gorllewin o ffermdy Great Chapel Hill. Yn ôl tystiolaeth y map degwm roedd yno dri chae: Grassy Wolfs yn bum erw, Big Wolfs yn dair erw ar ddeg, a Little Wolfs yn bum erw. [559] Rhyw filltir oddi yno i'r de-orllewin mae'r ffin â phlwyf Reynalton lle dywedir i'r blaidd olaf gael ei ddal.

WOLVESACRE, Higher Wych, Sir y Fflint

SJ 507 425   1548   *Olvesaker* [560]

Saif ffermdy Wolvesacre Hall ryw chwarter milltir ar ochr Cymru i'r ffin â Lloegr, ddwy filltir i'r gorllewin o dref Whitchurch yn Swydd Amwythig. Ni ellir bod yn sicr mai *wolf* oedd yr elfen gyntaf yn yr enw. Boed a fo am hynny, y traddodiad lleol yw bod blaidd wedi'i ladd yn ymyl y 'Big Stone', carreg ar un o'r caeau y tu ôl i hen felin Llethr i'r gogledd o'r ffermdy. Yn ôl rhai, y blaidd hwnnw oedd yr olaf ym

Traddodiad lleol bod blaidd wedi ei ladd yn ymyl y 'Big Stone'.

---

557 B 23, 83
558 PNP, 542
559 MD Arberth, rhifau 588–92
560 NCPW, 212

Maelor Saesneg;[561] i eraill, yr olaf yng Nghymru gyfan.[562] O graffu ar y garreg gellir gweld amlinelliad gwelw o flaidd yn gorwedd â'i ben ar ei ochr dde. Mewn erthygl ar Faelor Saesneg a sgrifennwyd dros ganrif a chwarter yn ôl, dywed yr awdur fod bleiddiaid yn arfer bod yn bla yno, ac iddynt barhau i lochesu yng nghenant afon Wych, yng nghyffiniau Wolvesacre, ar ôl iddynt ddiflannu o bobman arall.[563]

O graffu ar y garreg gellir gweld amlinelliad gwelw o flaidd yn gorwedd.

WOLVESNEWTON, Devauden, Sir Fynwy

| ST 454 997 | 1295 | *Winesneuton* |
| | 1314 | *Wolvesnewenton* [564] |

Plas hynafol oddi ar y B4235 rhwng trefi Brynbuga a Chas-gwent.

---

561 (DP)
562 (AS)
563 AC 1879, 24–
564 NCPW, 258

Y Drenewydd-dan-y-gaer yw ei enw yn Gymraeg. Llanwynnell yw'r eglwys gysylltiedig. Cymerodd ei enw oddi wrth y teulu Wolf a fu'n berchen y lle o gyfnod cynnar iawn; gweler tudalen 133.

WOLVES ROCKS, Dinbych-y-pysgod, Sir Benfro
     SS 16 98   1832   *Wolves Rocks* [565]
Ychydig dros ganrif yn ôl roedd creigiau Wolves Rocks yn brigo uwch wyneb y môr, filltir a hanner i'r de-ddwyrain o Ddinbych-y-pysgod. Maent o'r golwg dan y dŵr heddiw, a'u safle'n cael eu nodi gan *fungi*.

YNYS GNUD, Llannerch-y-medd, Ynys Môn
     SH 438 814   1292   *Hen es knud* [566]
                      1407   *Ynys Cynut* [567]
Saif ffermdy Ynys Gnud, neu Ynys Goed fel y'i hadwaenir erbyn hyn, ddwy filltir i'r de o Lannerch-y-medd, i'r chwith o'r B5111 tua Llangefni. O'i gwmpas mae ffermydd ac iddynt enwau fel Ynys-bach, Ynys-fawr a Glan-gors, sy'n awgrymu i'r ardal fod yn gorsiog ar un adeg gydag ambell lecyn sych yma ac acw, y math o le a fyddai wedi cynnig cynefin derbyniol i gnud o fleiddiaid. Sylwer hefyd fod ffermdy arall o'r enw Ynys y Bleiddiau ryw chwe milltir i'r gogledd-orllewin ger Llanfflewin.

YNYS Y BLEIDDIAU
     gw. TYDDYN Y BLEIDDIAU, Llanfflewin, Ynys Môn

565 OSOS 6, 91
566 B 9, 69
567 CAD 5, A 13604

Atodiad 1

DIARHEBION AC YMADRODDION

A wnelo ei hun yn oen, a lyncir gan y blaidd[568]
Blaidd ar faen ni fedr odech[569]
Blaidd er ei ladd, ni lwydd ei abo[570]
Blaidd yng nghroen oen/dafad[571]
Blaidd yn ei war[572]
Bwch gafr, blaidd a baich eiddew[573]
Cadw'r blaidd o'r drws[574]
Ceisio swyf yngwalfa blaidd[575]
Cyfeill blaidd bugail diog[576]
Cyn fached â chribau bleiddiau[577]
Diwytaf i fleiddian ei gennad ei hunan[578]

---

568 NLW 13102
569 goedech = ymguddio; DCH
570 abo = creadur wedi ei ladd ganddo; DYC
571 DCH
572 B 9, 163
573 BRYTH 1, 115
574 ar lafar
575 swyf = bloneg; C 7, 143
576 EWGP, 24
577 cribau bleiddiau = planhigyn cacamwnci; DYC
578 MAW 3, 154

Dodi'r blaidd i gadw'r ŵyn[579]

Genau mwyalch ac arch blaidd[580]

Gwaeth un blaidd cloff na dau iach[581]

(Gwell un blaidd cloff na dau iach)[582]

Gwynt a gwydden a phen blaidd a chrogi hyd farw[583]

Hawdd tynnu dannedd blaidd, ond hwyr y tynnir ohono ei anian[584]

Hir fydd blewyn yn nhin blaidd[585]

(Hir y bydd blewyn yn mynd yn nhin blaidd)[586]

Llafar oen a chalon blaidd[587]

Main fel blaidd Chwefror[588]

Mal yr hydd a'r blaidd[589]

Mor ddiog â Bleddyn gidwm a bwysai'i ben ar y crochan
wrth fwyta uwd[590]

Mor frefog â'r blaidd[591]

Mor ffyrnig â blaidd[592]

Mwy nag y mae da i'r blaidd, nid da ei isgell[593]

Na ddos at flaidd cyd bytho'n cysgu[594]

Ni nawd cymydd blaidd â drych[595]

---

579 NLW 13102
580 arch = corff; NLW 13102
581 WPV
582 DYC
583 MA, 34, 37
584 DYC
585 DYC
586 DCH
587 NLW 13102
588 YMN, 87
589 NLW 13102
590 NLW 13102
591 GEN 1895, 222; (EH)
592 NLW 1302
593 isgell = potes, cawl neu drwyth; DYC
594 NLW 13102
595 DYC

Oes yr arth a'r blaidd[596]

Po amlaf y bleiddiaid gwaethaf fydd i'r defaid[597]

Sef yw blaidd y bugail[598]

Tafod oen a chalon blaidd[599]

Trech blaidd neu gennad[600]

Tri pheth y dylier gwaeddi Hai ar eu hôl: blaidd, llwynog ac usuriwr[601]

Yn y croen y ganer y blaidd y bydd marw[602]

HEN BENNILL[603]

Ebai'r ddafad wrth yr oen–
Ow! yr ydwyt imi'n boen;
Nis gwaeth gennyf, byd a'i gwypo,
Pe bai blaidd yn dod a'th larpio:
Gwnaeth y blaidd ei ymddangosiad,
A llewygu wnaeth y ddafad.

596 ar lafar
597 DYC
598 DYC
599 NLW 13102
600 DYC
601 NLW 37, 103
602 WPV
603 BRYTH 5, 223

Atodiad 2

Y BLAIDD A PHLANHIGION[604]

Er bod y blaidd wedi diflannu o Gymru ers yn agos i bum can mlynedd mae'n syndod cymaint o enwau planhigion sy'n cadw'r cof amdano.

Y Bela (*Hyoscyamus niger* – *henbane*)
> Defnyddid ei drwyth i wneud eli i iro cyrff bleidd-ddynion (gweler tudalen 186).
> Enwau eraill: llewyg yr iâr a ffa'r moch.

Bleidd-dag (*Aconitum lycoctonum* – *wolfbane*)
> Planhigyn gwenwynig a gâi ei osod mewn cig i ladd bleiddiaid
> Enwau eraill: llysiau'r blaidd, cwfl y mynach, a chwcwll y mynach melyn

Bleidd-drem (*Borago officinalis* – *borage*)
> Fel mae rhai o'i enwau'n awgrymu credai'r hen bobl fod ei drwyth yn dda am godi'r galon. Gwneud i rywun deimlo ac edrych fel blaidd efallai.
> Enwau eraill: tafod yr ych, tafod y fuwch, didrist, glesyn, a llawenlys

---

604 AIF, 168; G; GYA; LlS, 29–30, 37–8; PBC, 8, 11, 40, 50–1

Bleiddbys *gw.* Bysedd y Blaidd

Bleiddlys *gw.* Bysedd y Blaidd

Bysedd y Blaidd (*Lupinus – lupin*)
> Enwau eraill: bleiddbys, bleiddlys a ffa'r blaidd.

Crafanc y Blaidd (*Lycopodium – club moss*)
> Enw arall: gwinedd y blaidd, palf y blaidd

Cribau'r Blaidd (*Arctium lappa – greater burdock*)
> Planhigyn sy'n fwy adnabyddus wrth yr enw cacamwci. Efallai iddo gael yr enw cribau'r blaidd am fod ei ffrwythau, y cynga, yn beli blewog sy'n glynu'n ddi-ildio wrth ddillad yn union fel felcro ac felly'n debyg i afael blaidd. 'Cyn fached â chribau'r blaidd', medd hen ddihareb. Ystyrid bod ei ddail yn llesol at frath neidr, a'i wraidd at gnoad ci cynddeiriog.
> Enw arall: cyngaf mawr

Ffa'r Blaidd *gw.* Bysedd y Blaidd

Gwinedd y Blaidd *gw.* Crafanc y Blaidd

Llewyg y Blaidd (*Humulus lupulus – hop*)
> Enw arall: hopys

Llysiau'r Blaidd *gw.* Bleidd-dag

Palf y Blaidd *gw.* Crafanc y Blaidd

Atodiad 3

Y Blaidd mewn Enwau Lleoedd
fesul yr hen Dair Sir ar Ddeg a'r Gororau

SIR DDINBYCH

SIR FEIRIONNYDD

SIR DREFALDWYN

CEREDIGION

SIR GAERFYRDDIN

SIR FORGANNWG

SIR FYNWY

Y GOROUR AU

Byrfoddau a Ffynonellau

AC	*Archaeologia Cambrensis* (Cambrian Archaeological Association, 1846–)
ACLM	*Animals in Celtic Life and Myth*, Miranda Green (Routledge, 1992)
AHBR	*Ar Hyd Ben 'Rallt*, Elfed Gruffydd (Gwasg Carreg Gwalch, 1999)
AIF	*Animals in Folklore* (goln. J. R. Porter a W. M. S. Russell) (Folklore Society, 1978)
ALP	*The Antiquities of Laugharne, Pendine and their Neighbourhoods*, Mary Curtis (yr Awdur, 1880)
AM	*Afonydd Môn*, Gwilym T. Jones (Bangor, Canolfan Ymchwil Cymru, 1989)
AZF	*Annales Zoologici Fennici* (Helsinki, 1964–)
B	*Bwletin y Bwrdd Gwybodau Celtaidd* (Oxford University Press, 1923–)
BAE	*British Animals Extinct Within Historic Times . . .*, James Edmund Harting (Trübner, 1880)
BBBS	*A Birthday Book for Brother Stone* (goln. Rachel May a John Minford) (Hong Kong, Chinese University Press, 2003)
BBC	*The Black Book of Carmarthen* (goln. J. Gwenogfryn Evans) (Pwllheli, 1907)
BH	*Bargodion Hanes...*, Lewis Davies (Gwasg y Brython, 1924)
BBSD	*An Extent of all the Lands and Rents of the Lord Bishop*

of St David's . . . usually called the Black Book of St
David's . . . (gol. J. W. Willis-Bund) (Honourable
Society of Cymmrodorion, 1902)

BPEE	*Burial Practice in Early England*, Alison Taylor (Tempus Press, 2001)
BRYTH	*Y Brython 1–5* (Tremadog, 1858–63)
C	*Y Cymmrodor* (Honourable Society of Cymmrodorion, 1877–)
CAD	*A Descriptive Catalogue of Ancient Deeds in the P.R.O. I–VI* (HMSO, 1890–1915)
CAI	*Cattle of Ancient Ireland*, A. T. Lucas (Kilkenny, Boethius Press, 1989)
CAMG	*Carte et Alia Munimenta Quae ad Dominium de Glamorgan* (gol. G. T. Clark) (Caerdydd, 1910)
CAP	*Calendar of Ancient Petitions Relating to Wales* (gol. William Rees) (GPC, 1975)
CAYM	*The Charters of the Abbey of Ystrad Marchell* (gol. Graham C. G. Thomas) (LlGC, 1997)
CCA²	*Chirk Castle Accounts AD 1666–1753* (gol. W. M. Myddelton) (Manchester University Press, 1931)
CCC	*A History of Chirk Castle and Chirkland*, Margaret Mahler (Bell, 1912)
CCHSF	*Cylchgrawn Cymdeithas Hanes Sir Feirionnydd* (1949–)
CCR	*Caernarvon Court Rolls 1361–1402* (goln. G. P. Jones a Hugh Owen) (Caernarvonshire Historical Society Record Series, No. 1, 1951)
CDD¹	*Calendar of Deeds & Documents: Vol. I Coleman Deeds* (gol. Francis Green) (LlGC, 1921)
CDD²	*Calendar of Deeds & Documents: Vol. II Crosswood Deeds* (gol. Francis Green) (LlGC, 1927)
CER	*Ceredigion: Cylchgrawn Cymdeithas Hynafiaethwyr Sir Aberteifi* (1950–)

CFW   *Changes in the Fauna of Wales in Historic Times*, Colin Matheson (Amgueddfa Genedlaethol Cymru, 1932)

CGC   *Chwedlau o'r Gwledydd Celtaidd*, Rhiannon Ifans (Y Lolfa, 1999)

CGD   *Y Canu Gofyn a Diolch c.1350–c.1630*, Bleddyn Owen Huws (GPC, 1998)

CHC   *Cylchgrawn Hanes Cymru: Welsh History Review* (GPC, 1960–)

CHDd   *Cyfreithiau Hywel Dda yn ôl Llyfr Blegywryd* (goln. S. J. Williams a J. E. Powell) (GPC, 1942)

CIPM   *Calendar of Inquisitions Post Mortem . . . Henry III* – (HMSO, 1904–)

CL   *The Colva Legend*, John Jones (Kington, 1942)

CLC   *Cydymaith i Lenyddiaeth Cymru* (gol. Meic Stephens) (GPC, 1986)

CLlGC   *Cylchgrawn Llyfrgell Genedlaethol Cymru* (1939–)

CM   *Cantref Meirionydd*, Robert Prys Morris (Dolgellau, E. W. Evans, 1890)

CMQS   *A Calendar of the Merioneth Quarter Session Rolls. Vol. 1, 1733–65* (gol. Keith Williams-Jones) (Cyngor Sir Feirionnydd, 1965)

CMRW   *A Catalogue of Manuscripts Relating to Wales in the British Museum Pts. I–IV* (gol. Edward Owen) (Honourable Society of Cymmrodorion, 1900–22)

CPR   *Calendar of Patent Rolls . . . 1216–* (HMSO, 1901–)

CQ   *Country Quest: a Magazine for Wales and the Borders* (North Wales Newspapers, 1960–)

CR   *Celtic Remains*, Lewis Morris (Cambrian Archaeological Association, 1878)

CRLR   *The Court Rolls of the Lordship of Ruthin . . .* (gol. Richard Arthur Roberts) (Cymmrodorion Record Series No. 2, 1893)

CSF   *Crwydro Sir Faesyfed 1–2*, F. G. Payne (Llyfrau'r Dryw, 1966–8)

CVCR   *Calendar of Various Chancery Rolls 1277–1326* (HMSO, 1912)

CW   *Camden's Wales*, William Camden (Rampart Press, 1984)

CYM   *Cymru* (gol. Owen M Edwards) (Caernarfon, D. W. Davies, 1891–)

DC   *A Description of Caernarvonshire (1809–11)*, Edmund Hyde Hall (Caernarvonshire Historical Society Record Series No. 2, 1952)

DCH   *Diarhebion Cymru*, William Hay (Gwasg y Brython, 1955)

DH   *Dan Haul* (Pen-y-groes, Stiwdio Mei, 1991–)

DM   *Dinas Mawddwy . . .* , Thomas Davies (Tegwyn) (Machynlleth, 1893)

DN   *Diwrnod yn Nolgellau*, R. T. Williams (Trebor Môn) (Caernarfon, W. Gwenlyn Evans, 1904)

DP   *The Description of Penbrokshire . . .* , George Owen (London, Chas J. Clark, 1892–)

DYC   *Diarhebion y Cymry*, T. O. Jones (Lerpwl, I. Foulkes, 1912)

EC   *Études Celtiques* (Paris, Libraire E. Droz, 1936–)

EGBF   *Cofnodion a Chyfansoddiadau Buddugol Eisteddfod Genedlaethol Blaenau Ffestiniog 1898* (Lerpwl, I. Foulkes, 1900)

EIF   *Early Irish Farming*, Fergus Kelly (Dublin Institute for Advanced Studies, School of Celtic Studies, 1997)

EIS   *Encyclopedia of Irish Spirituality*, Phyllis G. Jestice (ABC–CLIO, 2000)

ELlC   *Enwau Lleoedd Cymreig*, John Mills (Aberdâr, J. Mills, 1908)

ELlM   *Enwau Lleoedd ym Môn . . .* , R. T. Williams (Trebor Môn) (Davies ac Evans, 1908)

ELlSG[1]   *Enwau Lleoedd Sir Gaernarfon*, John Jones (Myrddin

	Fardd) (Cwmni y Cyhoeddwyr Cymreig [*c*.1910])
ELlSG²	*Enwau Lleoedd Sir Gaernarfon*, J. Lloyd Jones (GPC, 1928)
EOC	*The Extent of Chirkland* (gol. G. P. Jones) (University of Liverpool Press, 1933)
EWGP	*Early Welsh Gnomic Poems* (gol. Kenneth Jackson) (GPC, 1935)
EW	*The Enchanted Wood* . . . , A. J. Bailey Williams (Newtown, The Montgomeryshire Printing Co., 1947)
FEBY	*The First Extent of Bromfield and Yale AD 1315*, T. P. Ellis (Cymmrodorion Record Series XI, 1924)
FG	*Faunula Grustiensis*, John Williams (Llanrwst, 1830)
FHSP	*Flintshire Historical Society Publications* (1921–)
FLFS	*Folk-lore and Folk-stories in Wales*, Marie Trevelyan (E. Stock, 1909)
FP	*Following the Pack*, Mike Link & Kate Crowley (Voyageur Press, 1994)
FTAW	*Fighting Techniques of the Ancient World*, Simon Anglim, *et al*, (Greenhill Books, 2002)
G	*Geiriadur Prifysgol Cymru* (GPC, 1950–)
GA	*The Gododdin of Aneirin*, John Thomas Koch (GPC, 1997)
GAD	*Y Gadlas: Papur y Fro Rhwng Conwy a Chlwyd* (1976–)
GB	*Galar y Beirdd* . . . (gol. Dafydd Johnston) (Tafol, 1993)
GBDd	*Gwaith Bleddyn Ddu* (gol. R. Iestyn Daniel) (Canolfan Uwchefrydiau Cymreig a Cheltaidd Prifysgol Cymru, 1994)
GC	*The Gods of the Celts*, Miranda Green (Gloucester, Alan Sutton, 1986)
GCBM	*Gwaith Cynddelw Brydydd Mawr I–II* (goln. N. A. Jones ac A. P. Owen) (GPC, 1991–5)
GCR	*A Guide to Castles in Radnorshire*, P. M. Remfry (Logaston Press, 1996)
GDG	*Gwaith Dafydd ap Gwilym* (gol. Thomas Parry) (GPC, 1952)

GDLl	*Gwaith Dafydd Llwyd o Fathafarn* (gol. W. Leslie Richards) (GPC, 1964)
GEN	*Y Geninen* (Caernarfon, D. W. Davies, 1883–)
GGG	*Gwaith Guto'r Glyn* (goln. J. Ll. ac Ifor Williams) (GPC, 1961)
GHCR	*A General History of the County of Radnor . . .* , Jonathan Williams (Brecknock, Davies & Co, 1905)
GIG	*Gwaith Iolo Goch* (gol. D. R. Johnston) (GPC, 1988)
GLGC	*Gwaith Lewys Glyn Cothi* (gol. Dafydd Johnston) (GPC, 1995)
GLlLl	*Gwaith Llywarch ap Llywelyn* (gol. Elin M. Jones) (GPC, 1991)
GLM	*Gwaith Lewys Môn* (gol. Eurys I. Rowlands) (GPC, 1975)
GMB	*Gwaith Meilyr Brydydd a'i Ddisgynyddion* (goln. J. E. Caerwyn Williams a Peredur I. Lynch) (GPC, 1994)
GPB	*Gwaith Prydydd Breuan . . .* (gol. Huw Meirion Edwards) (Aberystwyth, Canolfan Uwchefrydiau Cymreig a Cheltaidd, 2000)
GPC	Gwasg Prifysgol Cymru
GRE	*Y Greal: sev cynnulliad o orchestion ein hynaviaid . . . Rhiv I–IX* (Llundain, 1805–7)
GTA	*Gwaith Tudur Aled I–II* (gol. T. Gwynn Jones) (GPC, 1926)
GTP	*Gwaith Tudur Penllyn* (gol. Thomas Roberts) (GPC, 1958)
GUKC	*Growing Up in Kilvert Country*, Mona M. Morgan (Gwasg Gomer, 1990)
GYA	*Geiriadur yr Academi* (goln. Bruce Griffiths a Dafydd Glyn Jones) (GPC, 1995)
HC	*Helten Celts*, Helmut Birken (Wien, 1999)
HCarm	*A History of Carmarthenshire 1–2* (gol. John E. Lloyd) (London Carmarthenshire Society, 1935–9)
HCH[1]	*Historic Carmarthenshire Homes . . .* , Francis Jones (Carmarthenshire Antiquarian Society, 1987)

HCH²	*Historic Cardiganshire Homes . . .* , Francis Jones (Brawdy Books, 2000)
HG	*History of Gower*, Derek Draisey (Logaston Press, 2002)
HGB	*Hynodion Gwlad y Bryniau*, Steffan ab Owain (Gwasg Carreg Gwalch, 2000)
HHFLl	*Hanes Hen Furddynod Plwyf Llansannan*, R. W. Jones (Conwy, R. E. Jones, 1910)
HHP	*Historic Houses of Pembrokeshire*, Francis Jones (Brawdy Books, 1996)
HLlLl	*Hynafiaethau Llandegai a Llanllechid*, Hugh Derfel Hughes (Cyhoeddiadau Mei, 1979)
HLlTN	*Hunangofiant a Llythyrau Twm o'r Nant* (gol. G. M. Ashton) (GPC, 1964)
HM	*A History of Monmouthshire*, Joseph Alfred Bradney (Mitchell Hughes & Clarke, 1906–)
HMA	*A History of Margam Abbey*, W. de Gray Birch (London, 1897)
HPF	*The History . . . of Powys Fadog I–VI*, J. Y. W. Lloyd (T. Richards, 1881–7)
HPLl	*Hanes Plwyf Llanegryn*, William Davies (Elusen Griffith Owen, 2002)
HPLlPh	*Hanes Plwyfi Llangeler a Phenboyr*, Daniel E. Jones (Gwasg Gomer, 1899)
HPVE	*Historia Peredur vab Efrawc* (gol. G. W. Goetinck) (GPC, 1976)
HV	*Heraldic Visitations of Wales*, Lewys Dwnn (gol. S. R. Meyrick) (William Rees, 1846)
HW	*A History of Wales, I–II*, J. E. Lloyd (Longmans, Green, 1911)
IM	*Iolo Manuscripts*, Edward Williams (Iolo Morganwg) (Llandovery, 1848)
IRW	*I Return to Wales*, S. P. B. Mais (Johnson, 1949)

ITW — *The Itinerary Through Wales and the Description of Wales*, Giraldus Cambrensis (J. M. Dent, 1908)

IW — *The Itinerary in Wales of John Leland* . . . (gol. Lucy Toulmin Smith) (George Bell, 1906)

IWH — *The Irish Wolfhound*, John F. Gordon (Bartholomew, 1974)

LBB — *Lost Beasts of Britain*, Anthony Dent (Harrap, 1974)

LBS — *The Lives of the British Saints 1–4*, S. Baring-Gould & John Fisher (Honourable Society of Cymmrodorion, 1907–13)

LPN — *The Landscape of Place-names*, Margaret Gelling & Ann Cole (Stamford, Shaun Tyas, 2000)

LRB — *Legends & Romances of Britanny*, Lewis Spence (Harrap, 1917)

LWLM — *The Life and Works of Lewis Morris* . . . (gol. Hugh Owen) (Anglesey Antiquarian Society, 1951)

LlB — *Llafar Bro: Papur Misol Cylch 'Stiniog* (1975–)

LlC — *Llên Cymru* (GPC) (1950–)

LlD — *Llandeilo*, Eirwen Jones (V. G. Lodwick, 1984)

LlDC — *Llyfr Du Caerfyrddin*, A. O. H. Jarman (GPC, 1982)

LlGC — Llyfrgell Genedlaethol Cymru

LlGSG — *Llên Gwerin Sir Gaernarfon*, John Jones (Myrddin Fardd) (Y Genedl Gymreig, 1908–9)

LlL — *Llanfihangel Legends*, Patrick Thomas (Brechfa, Patrick Thomas, 1989)

LlS — *Llysieulyfr Salesbury* (gol. Iwan Rhys Edgar) (GPC, 1997)

LlYLl — *Llên y Llannau* (Y Bala, Gwasg y Sir, 1959–)

M — *Y Mabinogion*, Dafydd a Rhiannon Ifans (Gwasg Gomer, 1980)

MA — *Morganiae Archaiographia*, Rice Merrick (gol. Brian Ll. James) (South Wales Record Society No. 1, 1983)

MAW — *The Myvyrian Archaiology of Wales 1–3* (1801–7)

MC   *Montgomeryshire Collections* (Powys-land Club, 1868–)

MCarm   *Mammals of Carmarthenshire*, Andrew Lucas (Dolgellau, Andrew Lucas, 1997)

MD   Mapiau Degwm yn LlGC

MHAM   *Memoirs of Henry Arthur Morgan*, Iris L. Osborne Morgan (Hodder & Stoughton, 1927)

MLSR   *The Merioneth Lay Subsidy Roll 1292–3* (gol. Keith Williams-Jones) (GPC, 1976)

MLSW   *The Marcher Lordships of South Wales 1415–1536 . . .* (gol. T. B. Pugh) (GPC, 1963)

MOR   *Morgannwg* (Cymdeithas Hanes Lleol Morgannwg, 1957–)

MR   *Mammal Review* (Blackwell) (1971–)

MWS   *Medieval Welsh Society . . .* , T. Jones Pierce (GPC, 1972)

NAT   *The Nationalist 1–4* (1907–12)

NCPW   *Non-Celtic Place-names in Wales*, B. G. Charles (University College London, 1938)

NHD   *Natural History of the Dog*, Richard & Alice Fiennes (Weidenfeld & Nicolson, 1968)

NIW   *The Naturalist in Wales*, R. M. Lockley (Newton Abbot, David & Charles, 1970)

NLW   Llawysgrifau'r Llyfrgell Genedlaethol

OS   *Orkneyinga Saga* (cyf. A. B. Taylor) (Oliver & Boyd, 1938)

OSOS   *The Old Series Ordnance Survey Maps of England and Wales* (Lympne Castle, Kent, Harry Margary [1992])

OS6[1]   Mapiau *Ordnance Survey,* 6 argraffiad cyntaf

OS6[2]   Mapiau *Ordnance Survey,* 6 ail argraffiad

OW   *The Order of Wolves*, Richard Fiennes (Hamish Hamilton, 1976)

OWM   *Of Wolves and Men*, Barry Holstun Lopez (New York, Charles Scribner, 1978)

PBB   *Portrait of the Brecon Beacons*, Edmund J. Mason (Hale, 1975)

PBC	*Planhigion Blodeuol, Conwydd a Rhedyn* (Cymdeithas Edward Llwyd, 2003)
PCB	*Pagan Celtic Britain . . .*, Anne Ross (Routledge & Kegan Paul, 1967)
PHLl	*Pages from the History of Llandovery*, A. T. Arber-Cooke (Llanymddyfri, FLlCTA, 1976)
PNC	*The Place-Names of Cardiganshire*, Iwan Wmffre (Oxford, BRA, 2004)
PNP	*The Place-names of Pembrokeshire*, B. G. Charles (LlGC, 1992)
PQ	*Parochialia: being a summary of answers to "Parochial Queries" issued by Edward Lhwyd* (gol. Rupert H. Morris) (Cambrian Archaeological Association, 1909–11)
PRO	Public Record Office [dogfennau yno]
PS	*Pendine and its Surroundings . . .*, John Jones (Joannes Towy) (William Spurrell, 1883)
PSM	*Prehistoric Sites in Monmouthshire*, George Children & George Nash (Logaston Press, 1996)
PWLMA	*The Principality of Wales in the Later Middle Ages . . . Vol. 1 South Wales, 1277–1536*, Ralph A. Griffiths (GPC, 1972)
RAC	*The Religion of the Ancient Celts*, J. A. MacCulloch (Edinburgh, T. & T. Clark, 1911)
RC	*Registrum Vulgariter Nuncupatum "The Record of Caernarvon . . . "* (1838)
RCA	*Records of the Court of Augmentations Relating to Wales . . .* (goln. E. A. Lewis a J. Conway Davies) (GPC, 1954)
RCAM	*The Royal Commission on the Ancient and Historical Monuments and Constructions in Wales . . . An Inventory of the Ancient Monuments . . . 1–* (HMSO, 1911–)

RON   *Radnor Old and New,* W. H. Howse (Hereford,
             Jakemans, 1944)

RST   *Radnorshire Society Transactions* (1931–)

SALlP   *Some Account of Llantony Priory,* G. Roberts (W.
             Pickering, 1847)

SC   *Studia Celtica* (GPC, 1966–)

SCC   *Straeon Cwm Cynllwyd,* Simon Jones (Gwasg Carreg
             Gwalch, 1989)

SGM   *Storïau Gwallter Map,* R. T. Jenkins (Llyfrau'r Dryw, 1941)

SWMRS   *South Wales and Monmouthshire Record Society.
             Publications* (1933–)

SWW   *Surviving with Wolves,* Misha Defonseca (Portrait, 2005)

TCAS   *Transactions of the Carmarthenshire Antiquarian
             Society & Field Club* (1905–)

TCHSDd   *Trafodion Cymdeithas Hanes Sir Ddinbych* (1952–)

TCHSG   *Trafodion Cymdeithas Hanes Sir Gaernarfon* (1939)

TGB   *Touring Guide to Britain,* Reader's Digest

THSC   *Transactions of the Honourable Society of
             Cymmrodorion* (1893/4–)

TRA   *Y Traethodydd* (T. Gee, 1845–)

TW   *Tour in Wales 1 & 2,* Thomas Pennant (London, 1784)

TWNFC   *Transactions of the Woolhope Naturalists' Field Club*
             (Hereford, 1851–)

TYP   *Trioedd Ynys Prydein . . .* (gol. Rachel Bromwich)
             (GPC, 1978)

VFNW   *The Vertibrate Fauna of North Wales,* H. E. Forrest
             (Witherby, 1907)

VSBG   *Vitae Sanctorum Britanniae et Genealogiae,* A. W.
             Wade-Evans (GPC, 1944)

W   *The Wolf . . . ,* Erik Zimen (Souvenir, 1981)

WAM   *Wolf and Man . . . ,* Henry S. Sharp & Roberta L. Hall
             (Academic Press, 1978)

WAW	*Wolves and Werewolves*, John Pollard (Hale, 1964)
WC	*The Welsh Cistercians*, David H. Williams (Leominster, Gracewing, 2001)
WCD	*A Welsh Classical Dictionary . . .* , Peter C. Bartrum (LlGC, 1993)
WDW	*Working Dogs of the World*, Clifford L. B. Hubbard (Sidgwick & Jackson, 1947)
WG[1]	*Welsh Genealogies AD 300–1400: 1–8*, Peter C. Bartrum (GPC, 1974)
WG[2]	*Welsh Genealogies AD 1400–1500: 1–18*, Peter C. Bartrum (LlGC, 1983)
WML	*The Wolf: myths and legends*, C-C Ragache (Cherrytree Books, 1989)
WNA	*Wolves of North America*, Stanley P. Young & Edward A. Goldman (American Wildlife Institute, 1944)
WP	*Welsh Piety . . .* (London, J. Hutton, 1740–)
WPV	*Welsh Proverbs*, Henry Halford Vaughan (Kegan Paul, 1889)
WWF	*Welsh Woods and Forests*, W. Linnard (Gomer, 2000)
WWW	*Who Was Who 1* (A. & C. Black, 1920–)
YCDH	*Ysgrifau a Cherddi Cyflwynedig i Daniel Huws* (goln. T. Jones ac E. B. Fryde) (LlGC, 1994)
YEE	*Yn ei Elfen*, Bedwyr Lewis Jones (Gwasg Carreg Gwalch, 1992)
YMN	*Yma Mae 'Nghalon*, Gruff Ellis (Gwasg Carreg Gwalch, 1997)

CASGLIADAU, DOGFENNAU A LLAWYSGRIFAU

(B) = Prifysgol Cymru Bangor
(C) = Archifdy Clwyd (Rhuthun neu Benarlâg)
(Ca) – Archifdy Sir Gaerfyrddin
(G) = Archifdy Gwynedd
(P) = Archifdy Powys, Llandrindod
Cedwir y gweddill yn y Llyfrgell Genedlaethol yn Aberystwyth

Arch. Powys (P)
Arch. G (G)
Bachymbyd
Baron Hill (B)
Bodewryd
Bowen, Emanuel (map)
Bronwydd
Caerhun
Cerniogau
Chirk Castle
Clunfiew
Cwrt[mawr] (llsgrau.)
Cwrtmawr
Cyfrifiad
Davies, Gilbert
Edwinsford
Eglwys (yng Nghymru)
Ewyllys(iau)
Elwes
Evans (Aberglasney) (Ca)
Evans, W. A.
Glanpaith
Gwrych

Gwyneddon (B)
Henllys (B)
Kinmel
Leeswood (C)
Llanfair (a Brynodol)
Lleweni
Lloyd, J. D. K.
Lloyd, Roger
Maesnewydd
Maesyneuadd (B)
Maybery
Milbourne
Mostyn (B)
Mostyn (C)
Mostyn Talacre (C)
Nannau (B)
Nerquis (C)
Pen[iarth] – llsgrau
Peniarth
Penrhos (B)
Penrhyn (B)
Plas Nantglyn
Plymouth

Porthyraur (B)

Powis

Presaeddfed (B)

Quaritch

Smith, Gilbert

Talbot Hensol

Trovarth (a Coed Coch)

Wigfair

Williams, W. Isaac

Wynnstay

Wynnstay (C)

TYSTIOLAETH LAFAR

(AR)	Alwyn Rees, Cae-ceinach
(ARM)	A. R. Morris, Rhyd-y-blawd
(AS)	Alan Sadler, Wolvesacre Hall
(AW)	A. Williams, Pen-lan
(BJ)	Berry Jones, Lan, Llanfarteg
(BVF)	B. a V. Field, Cae'r-blaidd
(BW)	Brian Watkin, Llwyngwychwyr
(CRD)	Roger Davies, Cwmhenog
(CER)	Misses C. ac E. Richards, Cwmyrafon
(CJ)	Cyril Jones, Pumsaint
(DD)	Dan Davies, gynt o Gwmtywyll
(DHW)	Dr David H. Williams, Aberystwyth
(DJ)	Y diweddar David Jones, Abergwesyn
(DLl)	Miss Daphne Llewelyn, Brynbuga
(DP)	Derek Pratt, Welsh Frankton
(EE)	Elwyn Evans, Gerddibluog
(EH)	Erwyd Howells, Capel Madog
(EJ)	Elfed Jackson, Braich-tŷ-du
(EM)	Evan Morgan, Esgaireithri
(EMK)	Eva-Maria Krämer, Yr Almaen
(EP)	Mr a Mrs E. Pugh, Henblas
(EV)	Evelyn Vigeon, Manceinion

(GDA)   Y diweddar Griffith Davies, Aberllia

(GJ)   Gwynlli Jones, Craignant

(GLE)   Gwilym Lloyd Edwards, Llanuwchllyn

(GVG)   G. V. Gibby, Llangolman

(HM)   Huw Morris, Cefnhirfynydd

(IJ)   Ivor James, Hundred House

(IR)   Iorwerth Roberts, Islwyn

(JD)   Y diweddar John Davies, Pen-y-graig-isa, Ystradmeurig

(JH)   Mrs J. Howells, Glyn-yr-ŵyn

(JO)   Mrs J. Owen, Tyddyn Tudur

(JS)   John Stephens, Cwm Gwyn Hall

(JWE)   J. W. Evans, Ffos-y-bleiddiaid

(JWO)   J. W. Owen, Ty fry

(JWP)   J. Williams, Penmaen-llwyd

(KJ)   Ken Jones, Tyddyn Gethin

(KJP)   K. J. Powell, Fronolau

(LP)   L. Price, Penfforest

(MMM)   Mrs Mona M. Morgan, Gelli Gandryll

(OE)   Mrs O. Evans, Wern-gron

(PH)   Peredur Hughes, Ucheldre-uchaf

(RD)   Y ddiweddar Ruby Davies, Llandeilo

(RHW)   R. H. Williams, Cwmbychan

(ROJ)   Raymond Osbourne Jones, Llwynmalus

(RhE)   Rhidian Eynon, Cas-blaidd

(SO)   Steffan ab Owain, Blaenau Ffestiniog

(TBF)   Talwyn a Bryn Francis, Glan Banw

(TJ)   Tegwyn Jones, Talyglannau

(WH)   William Harris, Crai

(WJ)   Mr a Mrs William Jenkins, Gwern-bleiddiau

(WT)   Wyn Thomas, Prifysgol Cymru, Bangor

Llyfryddiaeth

Alderton, David, *Foxes, Wolves and Wild Dogs of the World*
(Blanford, 1994)

Brandenburg, Jim, *White Wolf; living with an Arctic legend*
(Northword Press, 1988)

Carey, Alan & Sandy, *Wolf* (Greenwich Editions, 1998)

Crisler, Lois, *Captive Wild* (W. H. Allen, 1969)

Delibes, Miguel, *Status and Conservation Needs of the Wolf
(Canis Lupus) in the Council of Europe Member States
(Strasbourg, Council of Europe, Nature and Environmental
Series No 47, 1990)*

Dent, Anthony, *Lost Beasts of Britain* (Harrap, 1974)

Fiennes, Richard, *The Order of Wolves* (Hamish Hamilton, 1976)

Fuller, Todd, *Wolves* (World Life Library, 2004)

Hainard, R., *Mammifères Sauvages d'Europe* (Delachaux et Niestle,
1961)

Harrington, F. H. & Paquet, P. P. (goln.), *Wolves of the World* (Noyes
Publications, 1982)

Harting, James Edmund, *British Animals Extinct within Historic
Times* (Trübner, 1880)

Hook, Patrick, *Wolves* (Parkgate Books, 1998)

Klinghammer, E. (gol.), *The Behavior and Ecology of Wolves*
(Garland STPM Press, 1979)

Link, Mike & Crowley, Kate, *Following the Pack* (Voyageur Press, 1994)

Lopez, Barry Holstun, *Of Wolves and Men* (Charles Scribner, 1978)

Matheson, Colin, *Changes in the Fauna of Wales within Historic Times* (Amgueddfa Genedlaethol, 1932)

Mech, L. David, *The Arctic Wolf* (Swain Hill Press, 1997)

Mech, L. David, *The Way of the Wolf* (Swain Hill Press, 1992)

Mech, L. David, *The Wolf: the ecology and behavior of an endangered species* (University of Minnesota, 1981)

Ognev, S. I., *Mammals of Eastern Europe & Northern Asia. 2. Carnivora* (Israel Program for Scientific Translation, 1962)

Pullïainen, Erki, 'Studies on the Wolf . . . in Finland', *Annales Zoologici Fennici* (Helsinki) 2 (1965) 215–59

Pollard, John, *Wolves and Werewolves* (Robert Hale, 1964)

Pluskowski, Aleks, *Wolves & Wilderness in the Middle Ages* (Boydell & Brewer, 2006)

Rutter, R. J. & Pilmott, D. H., *The World of the Wolf* (J B Lippincott, 1968)

Savage, Condance, *The Nature of Wolves* (Greystone Books, 1996)

Sharp, Henry S. & Hall, Robert L., *Wolf and Man* (Academic Press, 1978)

Zimen, Erik, *The Wolf: his place in the natural world* (Souvenir Press, 1981)

Mynegai Dethol

Nid yw'r Mynegai dethol hwn yn cynnwys enwau'r lleoedd a geir yn nhrefn yr wyddor yn Rhan II, na'r enwau lleoedd hynny a restrir fesul yr hen Dair Sir ar Ddeg a'r Gororau yn Atodiad 3.

Ch

D

E

M

N